D1189611

PÈRE ET MÈRE
TU HONORERAS

Un viol sans importance, roman, Sillery, Septentrion, 1998

La Souris et le Rat, roman, Gatineau, Vents d'Ouest, 2004

Un homme sans allégeance, roman, Montréal, Hurtubise, 2012 (réédition de *Un pays pour un autre*)

L'été de 1939, avant l'orage, roman, Montréal, Hurtubise HMH, 2006, format compact, 2008

La Rose et l'Irlande, roman, Montréal, Hurtubise HMH, 2007

Haute-Ville, Basse-Ville, roman, Montréal, Hurtubise HMH, 2009, format compact, 2012 (réédition de *Un viol sans importance*)

SAGA LE CLAN PICARD

Les Portes de Québec, tome 1, *Faubourg Saint-Roch*, roman, Montréal, Hurtubise HMH, 2007, format compact, 2011

Les Portes de Québec, tome 2, *La Belle Époque*, roman, Montréal, Hurtubise HMH, 2008, format compact, 2011

Les Portes de Québec, tome 3, *Le prix du sang*, roman, Montréal, Hurtubise HMH, 2008, format compact, 2011

Les Portes de Québec, tome 4, *La mort bleue*, roman, Montréal, Hurtubise HMH, 2009, format compact, 2011

Les Folles Années, tome 1, *Les héritiers*, roman, Montréal, Hurtubise, 2010, format compact, 2011

Les Folles Années, tome 2, *Mathieu et l'affaire Aurore*, roman, Montréal, Hurtubise, 2010, format compact, 2011

Les Folles Années, tome 3, *Thalie et les âmes d'élite*, roman, Montréal, Hurtubise, 2011, format compact, 2011

Les Folles Années, tome 4, *Eugénie et l'enfant retrouvé*, roman, Montréal, Hurtubise, 2011, format compact, 2011

Les Années de plomb, tome 1, *La déchéance d'Édouard*, Montréal, Hurtubise, 2013

Les Années de plomb, tome 2, *Jour de colère*, Montréal, Hurtubise, 2014

Les Années de plomb, tome 3, *Le choix de Thalie*, Montréal, Hurtubise, 2014

Les Années de plomb, tome 4, *Amours de guerre*, Montréal, Hurtubise, 2014

SAGA FÉLICITÉ

Félicité, tome 1, *Le pasteur et la brebis*, roman, Montréal, Hurtubise, 2011, format compact, 2014

Félicité, tome 2, *La grande ville*, roman, Montréal, Hurtubise, 2012, format compact, 2014

Félicité, tome 3, *Le salaire du péché*, roman, Montréal, Hurtubise, 2012, format compact, 2014

Félicité, tome 4, *Une vie nouvelle*, Montréal, Hurtubise, 2013, format compact, 2014

SAGA 1967

1967, tome 1, *L'âme sœur*, Montréal, Hurtubise, 2015

1967, tome 2, *Une ingénue à l'Expo*, Montréal, Hurtubise, 2015

1967, tome 3, *L'impatience*, Montréal, Hurtubise, 2015

JEAN-PIERRE CHARLAND

PÈRE ET MÈRE
TU HONORERAS

UNE ENQUÊTE D'EUGÈNE DOLAN

Hurtubise

Catalogage avant publication de Bibliothèque et Archives nationales du Québec et Bibliothèque et Archives Canada

Charland, Jean-Pierre, 1954-

    Père et mère tu honoreras : une enquête d'Eugène Dolan

    ISBN 978-2-89723-730-1

    I. Titre.

PS8555.H415P47 2016   C843'.54   C2015-942618-9
PS9555.H415P47 2016

Les Éditions Hurtubise bénéficient du soutien financier du gouvernement du Québec par l'entremise du programme de crédit d'impôt pour l'édition de livres et de la Société de développement des entreprises culturelles du Québec (SODEC). L'éditeur remercie également le Conseil des arts du Canada de l'aide accordée à son programme de publication.

 Financé par le gouvernement du Canada
Funded by the Government of Canada | Canadä

Conception graphique : René St-Amand
Illustration de la couverture : Alain Massicotte
Maquette intérieure et mise en pages : Folio infographie

Copyright © 2016 Éditions Hurtubise inc.

ISBN : 978-2-89723-730-1 (version imprimée)
ISBN : 978-2-89723-731-8 (version numérique PDF)
ISBN : 978-2-89723-732-5 (version numérique ePub)

Dépôt légal : 2ᵉ trimestre 2016

Bibliothèque et Archives nationales du Québec
Bibliothèque et Archives Canada

Diffusion-distribution au Canada :   Diffusion-distribution en France :
Distribution HMH   Librairie du Québec / DNM
1815, avenue De Lorimier   30, rue Gay-Lussac
Montréal (Québec) H2K 3W6   75005 Paris
www.distributionhmh.com   www.librairieduquebec.fr

Imprimé au Canada
www.editionshurtubise.com

Les personnages

Sullivan, Theresa : Propriétaire d'une maison de chambres rue Belmont.

Vallerand, Annie : Séduite puis entretenue par Archibald McDougall, elle a eu avec lui un enfant hors mariage, André (Andrew).

Personnage historique

Campeau, Olivier (1858-s.d.) : Chef de police de la Ville de Montréal de 1904 à 1918. Il habite au 4105-4107, rue de l'Esplanade.

Chapitre 1

La ruelle des Fortifications ne se trouvait pas très loin de l'hôtel de ville de Montréal, aussi Eugène Dolan décida de s'y rendre à pied. Après tout, personne ne viendrait lui dérober ses cadavres. Encore un siècle plus tôt, on y voyait le vieux mur d'enceinte de la ville. Maintenant, il s'agissait d'une ligne boueuse bordée de cahutes misérables logeant les travailleurs les plus pauvres.

En s'approchant d'une masure construite de planches mal ajustées, il aperçut un petit attroupement. Un policier en uniforme répétait :

— R'culez, r'culez. Y a rien à voir.

Avec son bâton blanc tenu à hauteur de la poitrine, l'agent essayait de repousser les curieux, sans grand succès. Un collègue répétait les mêmes paroles, les mêmes gestes. Le détective s'approcha d'un pas déterminé.

— Tassez-vous, ordonna-t-il en posant les mains sur les épaules de deux quidams pour les pousser hors de son chemin.

La grande silhouette un peu frêle possédait une force certaine, ou bien la colère dans son regard produisait son effet. Les deux premiers s'écartèrent en formulant un juron entre leurs dents, les quelques autres firent de même de mauvaise grâce. Les femmes ne se montraient pas les moins têtues, pour continuer de contempler la scène.

Dolan aperçut d'abord la grande tache rouge sombre sur le sol d'un petit perron de mauvaises planches, puis le corps d'un jeune garçon étendu sur le côté. Ses cheveux blonds un peu trop longs trempaient dans une mare de sang.

— Là, faut vraiment r'culer, répéta l'un des policiers en uniforme, rendu plus audacieux par la présence de son supérieur.

La tête du cadavre ne tenait que par un ruban de peau. Son assassin avait asséné un seul coup, tranchant dans la chair, rompant les vertèbres. L'inspecteur se souvint de récits d'exécutions capitales au Royaume-Uni, où la hache fut utilisée pendant plusieurs siècles. En Allemagne, cet instrument séduisait encore les bourreaux. L'auteur de ce meurtre devait y avoir eu recours aussi. Certes, personne ne se promenait avec une guillotine sous le bras, et les sabres de cavalerie étaient sûrement rares dans ce quartier misérable.

L'un de ses subalternes partageait la même certitude.

— Le gars qui a fait ça doit être tout un bûcheron.

La légèreté de la remarque lui valut un regard mauvais, puis Dolan intervint d'une voix peu amène :

— Ces gens-là sont des voisins. Ils ont dû vous dire qui est la victime.

— Le jeune Lacaille. Y habite icitte avec sa famille.

— La trace de pas, là, c'est vous ?

Le principe de la nécessité d'éviter d'altérer une scène de crime progressait bien lentement dans le service de police de Montréal. Si on trouvait d'autres empreintes semblables à l'intérieur, un bon avocat démontrerait sans peine qu'on ne pouvait les attribuer avec certitude au meurtrier. Avec la mine d'un élève pris en défaut, son interlocuteur se justifia :

— Y a d'autres corps là-dedans. Fallait savoir si on pouvait réchapper quelqu'un.

L'une des commères présentes dans le petit attroupement devait avoir l'oreille fine, car elle jugea utile d'apporter sa contribution :

— Léontine était là à matin, j'l'ai vue accrocher du linge s'a corde. Après, est pas réapparue. Pis a l'a trois aut' z'enfants.

L'officier interrogea son subalterne du regard.

— C'est pas beau.

La remarque, dans la bouche d'un constable, annonçait le pire. Il ne s'agissait donc pas que d'un meurtre sordide, mais du massacre d'une famille. L'horreur atteindrait un nouveau sommet.

— Vous allez rester ici tous les deux, et si un seul de ces badauds pénètre dans la maison, ce sera une accusation d'entrave à la justice.

L'agent comprit la menace sous-entendue sans qu'on ait besoin de lui mettre les points sur les « i » : s'il échouait dans sa tâche, une mesure disciplinaire, peut-être un renvoi, lui pendait au bout du nez. La police ne payait pas très bien, mais certains à-côtés faisaient du métier d'agent un excellent emploi. Mieux valait s'y accrocher.

— Personne va rentrer. Juré.

Dolan aurait bien aimé, lui aussi, demeurer dans la ruelle à repousser les badauds, mais impossible pour lui de se dérober.

Le logis occupait tout le rez-de-chaussée, ce qui ne représentait pas un bien grand espace. L'inspecteur fut tout de suite dans une cuisine pas très propre. Sur le sol, il vit d'abord la marque d'un pied ensanglanté, celui de son subalterne sans doute, puis le corps d'une femme étendue sur le dos, la bouche grande ouverte. Les deux avant-bras présentaient des angles curieux, et l'une des manches de la robe était tachée. La pauvre femme avait voulu empêcher l'agresseur de s'approcher de ses enfants en se précipitant vers lui. Les manuels sur les enquêtes criminelles parlaient de blessures « de défense ». Dans ce cas, la victime avait eu la volonté illusoire de se protéger d'un fer de hache. Une fois ses membres cassés, impossible de résister. Deux ou trois coups avaient été portés au visage, l'un lui ouvrant le front. Dans sa chute, sa robe était remontée haut sur les cuisses, et ses genoux écartés laissaient entrevoir la tache sombre de son sexe. Tout en détournant les yeux, l'enquêteur se pencha pour tirer le vêtement jusqu'aux chevilles.

Dolan n'était pas au bout de l'horreur. Près du poêle à bois, une silhouette paraissait recroquevillée, celle d'une enfant d'une douzaine d'années. Elle avait voulu se faire toute petite, ou alors prononcer une prière, car elle se tenait à genoux. Il imagina les premiers mots d'un acte de contrition entrecoupés de sanglots. L'arme l'avait frappée dans le dos. Elle avait tout juste eu le temps de remettre son âme à Dieu avant d'expirer.

Une traînée de gouttes de sang le conduisit à une chambre donnant sur la minuscule cour arrière. Un garçon âgé de huit ans peut-être, après avoir reçu un premier coup dans la cuisine, avait été achevé alors qu'il tentait de se dissimuler sous l'une des quatre paillasses posées à même le plancher. Tous les enfants devaient coucher là.

Dans la seconde chambre, juste en face, personne.

— Elle a bien parlé de trois autres enfants, marmotta le policier.

L'information de la voisine pouvait être fausse, ou il y avait peut-être une autre victime dans la cuisine. Dolan revint sur ses pas, se tint debout au milieu de la petite pièce. Personne sous la table. Un banc et deux chaises avaient été renversés sur le sol, de même qu'une armoire. Éventré, le meuble laissait voir quelques couverts en fer-blanc. L'assassin n'avait pas réservé sa colère aux seules personnes.

Comme la mare de sang dans l'entrée ne montrait qu'une trace de pas, celle du policier, le meurtrier devait être sorti par l'arrière. Dolan découvrirait peut-être un autre corps dans la cour ou dans la bécosse.

Au lieu de se disperser, la douzaine de badauds toujours dans la ruelle des Fortifications demeuraient tout au plus à deux verges de distance du cadavre du jeune garçon.

— Ça, ça doit être un coup du bonhomme, commenta une mégère. J'y ai toujours trouvé l'air louche, moé.

— Là, y est où ? demanda une autre.

— Bin y doit travailler, j'suppose.

Au lieu de s'intéresser à ces échanges afin de glaner des informations, les deux agents toujours de faction préféraient évoquer leur supérieur.

— Tu le connais, toé, ce gars-là ? questionna le plus jeune.

— L'curé ? Bin oui, y est arrivé dans police y a deux, trois ans tout au plus, et hop, tout de suite nommé inspecteur.

— Curé ?

Le premier mot avait capté toute l'attention du jeune policier.

— C'qu'on raconte, c'est qu'y a quitté les ordres. Personne sait pourquoi. L'archevêque doit l'avoir recommandé pour être détective !

L'autre fit semblant de prendre la boutade au pied de la lettre.

— J'suppose que chercher des criminels, c'est comme chercher des pécheurs...

Le jeune policier ne semblait pas se scandaliser de la promotion rapide de son supérieur. Par contre, son collègue, dans la quarantaine, éprouvait de la frustration à voir les nouveaux venus le devancer dans la profession. Il fit passer son moment d'humeur sur les badauds :

— Pourquoi vous niaisez icitte ? Vous pensez qu'y va se r'lever ?

Il parlait de l'adolescent assassiné. Le sang coagulait sur le pas de la porte, et la tête presque totalement tranchée aurait dû soulever le cœur de ces gens. La plus âgée des curieuses se le tint pour dit :

— Bin là, y s'passera pus rien. J'm'en vas faire mon dîner.

Son exemple agit sur les autres.

La cour consistait en un petit espace encombré de détritus. Même les ménages ne possédant rien réussissaient à générer des rebuts : pièces de meubles cassés, bouts de bois à l'usage incertain, vêtements pourrissants. Une odeur nauséabonde émanait de la petite construction de planches dressée à quinze pieds de la maison, et de celles des voisins, guère plus éloignées. Ces logis situés dans une ruelle n'étaient pas équipés du tout-à-l'égout. Les bécosses y poursuivaient leur longue carrière.

Dolan s'étonna de ne découvrir aucun autre cadavre. Selon la commère dans la rue, la famille comptait au moins encore un enfant. Peut-être celui-là jouait-il chez des voisins au moment du drame. Au moins, l'arme du crime était là, le meurtrier ne l'utiliserait pas pour faire une autre victime. Une hache sanglante était fichée dans le mur de la masure. Le criminel s'était sans doute sauvé en sautant par-dessus une clôture.

Puis un bruit fit sursauter Dolan. Un instant, il redouta de voir l'assassin sortir de la bécosse avec une autre arme à la main. Après un silence, le son se fit entendre encore, une toute petite plainte. Elle venait d'une grosse caisse posée contre le mur, une boîte à bois. Il s'approcha pour en soulever le couvercle, provoquant un « Non papa ! » strident.

Une petite fille se cachait là. Les pleurs crispaient son visage, des larmes coulaient sur ses joues. Elle incarnait la terreur absolue.

— Ne crains rien, il est parti.

L'enfant ne parut guère rassurée. Sans doute se trouvait-elle dans cette caisse depuis une heure, craignant à chaque seconde que le meurtrier ne la trouve.

— Papa a fait tout ça ?

— … Oui, il était très fâché.

Elle venait de désigner le coupable.

— N'aie pas peur, il n'est plus là. Tu viens ?

Dolan lui tendit les mains. La fillette se leva pour qu'il puisse la prendre sous les bras. Une fois debout, il jugea qu'elle devait avoir cinq ou six ans. Ses cheveux blonds ressemblaient à de la filasse, son menton fuyant gâchait des traits autrement réguliers.

— Y criait très fort… pis les autres aussi.

Elle évoquait certainement les autres membres de la famille. Dans ce genre d'assassinat, chacun voyait venir sa mort. Les derniers instants devaient être remplis d'épouvante.

— Ces colères, ça arrivait souvent ?

Gravement, elle hocha la tête de haut en bas.

— Toi, tu te trouvais dans cette boîte ?

— J'tais là.

Du doigt, elle désignait la bécosse.

— Pis je me suis cachée d'dans quand Joseph a crié. Y m'a pas trouvée.

Elle parlait sans doute de son grand-frère, la première personne sur le chemin du tueur. Par un interstice entre les planches de la caisse, la fillette avait dû le voir aller et venir dans la cour.

Dolan avait posé un genou par terre afin de se mettre à la hauteur de la fillette. Elle sentait l'urine, un « accident » venu avec la peur, et la crasse. Sa robe portait quelques déchirures, certaines recousues, d'autres non. Ses chaussures éculées étaient trop grandes de deux ou trois tailles.

— Tu as des grands-parents dans les environs ? Ou alors des oncles, des tantes ?

Au fil de l'énumération, l'enfant secouait la tête de gauche à droite. La famille venait probablement de la campagne. La ville l'avait privée du réseau de soutien habituel des longues lignées canadiennes-françaises.

— Dans ce cas, je vais t'emmener chez les religieuses. Ne t'inquiète pas, tu y seras très bien.

De nouveau debout, l'inspecteur tendit la main pour prendre celle de la petite. Elle ne bougea pas, les yeux fixés sur la porte.

— Comment t'appelles-tu ?

— ... Alice.

— Alice, je vais te prendre dans mes bras pour sortir. Ne regarde pas.

La fillette accepta les mains tendues. Il la tint contre son corps, le nez plissé à cause de l'odeur. Elle cacha son visage contre son cou. Dolan lui-même fixait les yeux devant lui, peu désireux de les poser sur les corps des autres membres de la famille. Dans la ruelle, il rejoignit les deux policiers.

— Les gens de la morgue ne sont pas encore là ? demanda-t-il au plus âgé.

— C'toujours pareil avec eux aut', on les voit quand ça leu' tente.

— L'un de vous va les attendre ici, l'autre va faire la tournée des voisins pour trouver quelqu'un qui soit capable de m'en dire un peu plus sur ces gens. D'où ils viennent, où travaille le mari, enfin, vous connaissez la routine. Vous déposerez les noms et adresses des personnes qui ont quelque chose à raconter sur mon bureau. Je passerai les voir cet après-midi.

— La p'tite fille? demanda le plus jeune.

Elle s'accrochait de ses deux mains au cou de l'inspecteur, les doigts crispés sur le col de son manteau.

— Je la conduis chez les Sœurs Grises.

L'agent approuva d'un signe de la tête.

L'hôtel de ville de Montréal était un bel édifice de pierre grise, rue Notre-Dame. En plus de la salle du conseil, il abritait quelques services municipaux, dont le service de santé et le poste de police numéro 1. Un jeune homme élégamment vêtu se présenta devant le planton de service à l'entrée.

— Je veux voir le chef de police.

— C'est pour quoi? Pour porter plainte? N'importe quel officier peut s'en occuper.

Tout en parlant, le vieil agent examinait le nouveau venu avec soin. Vingt ans environ, ou pas beaucoup plus, grand et bien bâti, il portait ses cheveux longs, comme les artistes dans les images du journal.

— Je veux parler au chef de police.

Comme pour excuser son ton cassant, il exhiba un beau sourire pour préciser:

— Après tout, mieux vaut parler à Dieu qu'à ses saints.

— Vous avez un nom?

— André McDougall.

Le policier se gratta le menton, couvert d'une barbe blanche de deux jours, comme pour se rappeler où il avait entendu ce nom. Puis il hocha la tête.

— Attendez, j'vais voir.

Il marcha jusqu'au bout du couloir où se trouvait le plus beau bureau du service. Après deux coups sur la porte, une réponse bourrue lui parvint. La tête dans l'embrasure, le vieil homme annonça :

— Chef, y a un jeune gars dans l'entrée qui veut vous parler, et à personne d'autre.

— Dites-lui de voir un inspecteur, n'importe lequel, ou de retourner d'où il vient.

— Il s'appelle McDougall.

Olivier Campeau revissa sa plume tout en faisant la grimace.

— Le gars de la fonderie ?

— En tout cas, y est bin habillé.

— Dites-lui de venir.

En retournant à son poste, le planton s'inquiéta bien un peu. Le nom, le vêtement, la suffisance témoignaient du grand bourgeois de langue anglaise. Le français sans accent affichait autre chose. Lui avait-il menti ? Quand le visiteur entra dans le bureau du directeur, celui-ci se leva pour lui tendre la main.

— Monsieur McDougall, c'est bien cela ?

— Oui, en effet.

— McDougall… ?

— André, ou Andrew, selon votre préférence. Le fils d'Archibald McDougall.

Il n'y avait pas erreur sur la personne ; le père de ce garçon possédait l'une des deux ou trois affaires les plus importantes de la ville dans le domaine de la métallurgie.

Le prénom « bilingue », tout comme la maîtrise du français, étonnaient. Les gens de l'ouest de la ville semblaient parfois ignorer l'existence de la majorité francophone du Québec.

Cependant le moment ne convenait guère pour s'informer des choix culturels du jeune homme. Campeau lui désigna la chaise devant son bureau, puis reprit sa place.

— Qu'est-ce que je peux faire pour vous ?

Le sourire quitta le visage du jeune homme, pour faire place à la plus grande morosité.

— Mon père a disparu.

Un pli marqua le front du chef de police.

— Que voulez-vous dire ?

— Depuis une bonne semaine, il n'est pas rentré à la maison, et il ne s'est pas non plus présenté au travail.

— Je n'ai rien vu à ce sujet dans les journaux.

Un homme d'affaires de cette importance ne se volatilisait pas sans que personne ne le remarque. Normalement, des manifestations d'inquiétude auraient dû venir de tous les horizons.

— Mes aînés racontent partout qu'il est parti en voyage d'affaires, mais si c'était le cas, je le saurais. Samedi, nous discutions ensemble des projets pour la semaine à venir, et lundi, plus de nouvelles de lui.

Déjà, cette histoire s'embrouillait. Certains des fils estimaient l'absence de leur père tout à fait naturelle, mais l'un d'eux s'en alarmait. Tout à coup, ce garçon lui sembla moins fiable. Son allure de poète cadrait mal avec l'image qu'on se faisait de l'héritier d'une grande fortune.

— Écoutez, je vais demander à mon meilleur détective de vous rencontrer, et il décidera de ce qu'il convient de faire. Il pourrait vous voir aujourd'hui en début de soirée. Votre famille habite bien au nord de la rue Sherbrooke ?

Le jeune nanti eut un moment d'hésitation :

— Je ne peux pas le voir maintenant?

— Il a été appelé sur la scène d'un meurtre. Mais dès ce soir…

— Non, je ne veux pas le recevoir à la maison. Je préférerais un endroit neutre. Le mieux serait qu'il passe à l'usine demain matin, et nous irons dans un lieu public.

De seconde en seconde, l'histoire se compliquait. Le chef Campeau ne savait plus trop que penser.

Au même moment, Dolan marchait rue Craig, en portant toujours la petite fille dans ses bras. Vêtue de sa seule robe au tissu très mince, l'enfant était secouée de frissons. Plus court serait le trajet, moins elle risquerait de prendre froid. Cependant, impossible d'accélérer le pas avec ce fardeau. À la fin, l'homme n'y tint plus. Apercevant la boutique d'un regrattier, il poussa la porte pour faire face à un vieillard coiffé d'une curieuse calotte. Inutile de s'adresser au boutiquier dans une autre langue que l'anglais.

— Vous avez un manteau à sa taille?

Le commerçant jeta un regard intrigué sur ce couple improbable. Le client ne pouvait être le père de l'enfant, à moins d'être singulièrement précoce. En outre, il était vêtu d'habits de qualité, comment pouvait-il la laisser en guenilles?

— Et une robe?

— Un manteau… et des chaussures.

Sur les tablettes, pendus à des barres de bois ou à de vieux tuyaux, s'étalaient des vêtements pour hommes et femmes de tous les âges, de toutes les tailles, certains presque neufs, d'autres mûrs pour être utilisés comme serpillères. Quand la gamine fut posée par terre, le marchand s'agenouilla pour lui retirer une chaussure et examiner le pied nu, crasseux. Un instant plus tard, il lui présenta des bottines pas trop éculées.

— Assieds-toi là, l'enjoignit Dolan.

Un genou au sol, l'inspecteur lui enfila les chaussures et attacha les lacets. Dans la boutique surchauffée, l'odeur d'urine remontait vers lui et le dégoûtait. Toutefois, il se retint de lui offrir une robe. Sa générosité avait une limite. Elle enfila ensuite un manteau de drap d'une vilaine teinte verte.

— C'est combien ?

Le commerçant annonça une somme, le policier lui en offrit la moitié. Puis chacun effectua sa part du chemin. L'argent changea de main, et Dolan reprit l'enfant dans ses bras pour poursuivre sa route. Dehors, elle murmura :

— C'est pour moi, le linge ?

— Oui, tu étais en train de geler. Je ne veux pas que tu tombes malade.

Le « marci » chuchoté lui fit monter les larmes aux yeux. Même dans ces circonstances, la fillette se souvenait des notions de politesse que sa mère lui avait inculquées. Le parcours vers la rue Guy dura encore quelques minutes. La maison mère des Sœurs de la Charité formait un véritable complexe de bâtiments de pierre grise, construits à diverses époques de l'histoire de la ville. Il comportait un hôpital pour les personnes sans ressources, une garderie où des parents déposaient leurs enfants pour la journée, ou plus longtemps dans le cas d'un malheur, et enfin un orphelinat.

La sœur portière de service à l'entrée se prenait pour un véritable cerbère, résolue à empêcher tout homme d'entrer dans l'institution. Seuls les mots « je suis inspecteur de police » purent la convaincre de le laisser accéder à un petit vestibule.

— Ne bougez pas d'ici, je vais chercher la responsable de l'orphelinat.

La sœur le soupçonnait-elle d'en vouloir à la vertu de toutes les saintes femmes de l'établissement ?

— Je ne bougerai pas, soyez sans crainte.

Dolan déposa la petite fille sur un banc poussé contre le mur et s'installa à côté d'elle. Quand s'approcha une religieuse âgée d'une quarantaine d'années, il recommanda à l'enfant :

— Reste ici.

Puis il se dirigea vers la femme.

— Ma sœur, je vous remercie de me recevoir.

— Vous savez vous montrer insistant, d'après ma compagne.

Le reproche implicite lui mit le rose aux joues, comme il convenait à tout bon catholique.

— Je viens vous confier une petite fille.

Sur ces mots, il se retourna pour la regarder, minuscule sur son banc, déjà écrasée par le destin.

— Je ne sais pas…

— Ce matin, son père a tué sa mère, sa sœur et ses frères à coups de hache. Elle n'a pas de parents à Montréal, et je ne peux pas la garder avec moi.

La femme eut un haut-le-cœur.

— Quelle horreur, la pauvre !

L'hésitation de la directrice dura encore quelques secondes, puis elle céda :

— D'accord, nous allons nous charger d'elle.

— Je vous remercie, ma sœur.

La religieuse lui adressa un salut de la tête et rejoignit l'enfant pour lui tendre la main. Toutes les deux s'éloignèrent dans le long couloir. Alice se laissait entraîner. Elle pivota juste un instant pour adresser à l'inspecteur un petit signe de la main.

Les employés de la morgue s'étaient finalement présentés dans la ruelle des Fortifications en compagnie d'un médecin nommé Jolicœur, chargé d'établir les certificats de décès. Quant à en identifier la cause, l'exercice ne lui poserait aucune difficulté. Le corps de l'adolescent fut le premier déposé dans le petit fourgon peint en noir.

— Y vont s'ramasser cordés les uns sur les autres, remarqua le plus âgé des deux agents de police.

Le représentant de la loi avait eu le temps de frapper à la porte de quelques maisons des environs pour prendre les noms des ménagères connaissant un tant soit peu les membres de la famille Lacaille.

— T'as déjà vu ça, un massacre pareil? s'indigna son jeune collègue.

— Chez les importés, ça arrive. Pas chez nous.

Des milliers de personnes débarquaient tous les ans dans le port de Montréal. La rue Saint-Laurent et les alentours devenaient une véritable Babel. Le policier affublait de tous les vices ces gens venus du centre, de l'est et du sud de l'Europe, et parfois d'aussi loin que la Chine.

— L'inspecteur… Tout à l'heure, il m'a semblé plutôt un bon gars. T'as vu comment y s'est occupé d'la p'tite fille?

— Un vrai saint. Normal pour un curé.

Le vieux policier éprouvait visiblement quelques problèmes avec la hiérarchie de son service, ou avec celle de l'Église.

— Apporte-lui sa foutue liste, moé j'vas manger.

Il fourra dans la main de son collègue le bout de papier où il avait noté le nom de quelques voisines.

Chapitre 2

Plus de quinze ans après la mort de Joe Beef, son ancienne taverne de la rue de la Commune ne présentait plus le même visage. Fini les ours vivants gardés dans la cave, les lynx en cage et les orignaux empaillés. Malgré tous ces changements, on y trouvait toujours de bons repas pas trop chers et de la bière en abondance.

Dolan, qui y prenait son repas de midi deux ou trois jours par semaine, se plaisait à observer la faune bien particulière qui s'y rassemblait. Des femmes de petite vertu, qui officiaient dans les rues avoisinantes, fréquentaient en effet la grande salle enfumée. Par la fenêtre, le policier voyait les cheminées des grands bateaux à vapeur, et même les mâts de quelques voiliers. Les marins constituaient une part importante de la clientèle des prostituées, tout comme des débits de boisson des environs.

Quand un serveur posa un pichet devant lui, l'inspecteur l'interrogea :

— Vous connaissez un gars nommé Lacaille ?

L'employé arqua les sourcils, incertain. La divulgation d'informations à la police serait du plus mauvais effet sur les clients. Puis il se dit que cela ne portait pas à conséquence.

— Le débardeur ?

Dolan haussa les épaules, ne connaissant pas l'occupation de son suspect.

— Je ne l'ai pas vu depuis un moment. Le trou-du-cul avait l'habitude d'avaler plusieurs pintes, pour annoncer ensuite qu'y avait pas une cenne.

— Le genre de consommateur qui ruine un patron. Justement, je ne veux pas me rendre coupable de la même indélicatesse. Combien je vous dois ?

— Pour vous, c'est gratis.

Certains policiers mangeaient aux frais des commerçants toute l'année, en plus de grappiller çà et là divers avantages. En échange, ils acceptaient de regarder ailleurs au moment opportun.

— Vous savez que je paie.

Le garçon laissa échapper un soupir, comme si pareille attitude le déprimait, puis il annonça le montant. L'inspecteur posa deux pièces de dix cents sur la table, refusant d'un geste qu'on lui rende la monnaie.

— Si jamais vous le voyez ici, appelez l'un de mes collègues pour qu'il vienne l'arrêter.

Comme l'employé haussait les épaules, peu désireux de jouer le rôle d'auxiliaire de la police, Dolan insista :

— Les juges ne badinent pas avec les complices des criminels.

— Qu'est-ce qu'il a fait ?

Les journaux de la fin d'après-midi raconteraient sans doute l'affaire avec force détails, inventés pour la plupart. Devant le silence de son client, le serveur renonça. Le temps de terminer sa bière, Dolan consacra toute son attention sur un conciliabule qui se tenait dans un coin de la grande salle. Une demi-douzaine de garçons, les membres d'une petite bande soupçonnés de se livrer à divers méfaits, discutaient à voix basse. Il s'en occuperait un autre jour.

L'obligation de revenir dans la ruelle des Fortifications lui pesait. Sur le pas de la porte des Lacaille, la grande tache de sang demeurait encore visible. Une forte pluie l'effacerait la nuit suivante. D'ici là, au retour de l'école, les enfants des environs viendraient se faire une grosse peur en la contemplant.

Juste à côté habitait une famille Lenoir. Selon les notes de son subalterne, c'était la seule qui fréquentait les victimes. Plus probablement, après avoir identifié un informateur potentiel, l'agent ne s'était pas donné la peine de frapper ailleurs. La ménagère attendait certainement l'inspecteur, car il n'eut même pas le temps de frapper à l'huis.

— Ah! Vous v'là! s'exclama-t-elle.

Elle le recevait comme s'il était en retard à un rendez-vous.

— Madame Lenoir?

— Bin oui, c'est moé. Assisez-vous là, j'ai faite du thé.

De la main, elle lui désigna le banc placé près de la table. En prenant place, le visiteur examina la pièce. Elle ressemblait en tous points à celle du logis voisin, servant à la fois de cuisine, de salle à manger et de salon. Les meubles disparates témoignaient de ressources très limitées.

Quand l'hôtesse posa la tasse de fer-blanc fumante devant lui, Dolan pesta silencieusement contre la mauvaise habitude des Canadiens français de faire bouillir leur thé.

— Vous connaissiez les gens d'à côté?

— Les Lacaille? Je les voyais tous les jours.

Comme la femme ne s'effondrait pas de chagrin, les relations ne devaient pas aller au-delà du simple voisinage.

— Vous connaissez le prénom du père?

— C'est lui qui a fait ça?

De longues secondes, l'inspecteur garda le silence. Elle n'apprendrait rien de lui.

— Ubald. Y vient d'en bas, dans le coin de Rimouski, j'pense. Avant, y a tenté sa chance aux États.

Comme beaucoup de ses compatriotes, cet homme avait fui une agriculture de misère pour faire connaissance avec les conditions pitoyables de la ville.

— Où travaillait-il ?

— Au port, quand y travaillait.

La ménagère crut utile de préciser, pour ne pas sembler médire de son prochain :

— Vous savez comment c'est. Les bateaux sont moins nombreux en novembre, en décembre y en aura pus. Les jobbeurs ont commencé à slaquer des débardeurs. C'est pareil à tous les ans, quand l'hiver arrive.

— Alors que faisait-il, ces derniers temps ?

— Comme les autres, des jobines. Se promener avec une pelle dins beaux quartiers les jours de tempête…

Chaque habitant de la ville devait déneiger devant sa demeure ou son commerce. Les bourgeois embauchaient des hommes prêts à s'en occuper pour quelques cents. Mais ça, ce ne serait pas avant janvier.

— Pis faire des commissions, transporter des paquets ou des meubles. Y sont bin du monde à faire la même chose.

La plupart des travailleurs manuels souffraient de périodes de chômage saisonnier. Comme aucun ne pouvait réaliser des économies pendant ses périodes d'activité, cela signifiait la plus grande misère.

— Léontine cherchait à placer sa fille comme servante, le plus vieux allait d'une *shop* à l'autre, sans rien trouver. Comme si le pauvre gueux savait pas que, là aussi, les *foremans* slaquent des ouvriers.

— Le père est-il un homme violent ?

La commère connaissait maintenant le nom de l'auteur du massacre.

— Des fois, y faisait maison nette.

Autrement dit, il jetait les membres de sa famille à la rue pour un rien. C'était une façon de faire peser son pouvoir absolu sur ceux-ci.

— À jeun, y était correct. Mais quand y avait une cenne, y restait pas à jeun.

— Vous savez où il a pu disparaître?

La ménagère le regarda avec de grands yeux étonnés. C'était à la police de savoir ça.

— J'le sais-tu, moé? P't-être dans son coin dans l'bas du fleuve, ou encore aux États.

L'inspecteur sortit un carnet et un bout de crayon de sa poche, puis demanda:

— Vous savez de quelle paroisse il venait, dans la région de Rimouski? Dans quelle ville il a travaillé aux États-Unis?

Un gros pli apparut au milieu du front de madame Lenoir tandis qu'elle tentait de rallier ses souvenirs. En trois ans, sa voisine avait sûrement évoqué des bribes d'informations sur son passé. Il s'agissait de fouiller dans sa mémoire. Ensuite, Dolan écrirait au curé de la paroisse d'origine du meurtrier et à ceux des villes américaines. Un fuyard juste un peu intelligent comprenait qu'il fallait gagner une région où personne ne le connaissait. Mais les individus intelligents ne massacraient pas les membres de leur famille.

Après avoir parlé à madame Lenoir, Dolan avait frappé à quelques portes dans l'espoir d'en apprendre un peu plus sur la famille Lacaille. Si les ménagères discouraient volontiers sur les malheurs de Léontine, mariée à un homme violent et incapable de pourvoir à ses besoins, aucune ne lui donna le moindre indice sur la façon de dénicher ce dernier.

Au milieu de l'après-midi, l'inspecteur revint au poste de police numéro 1. Le sergent de faction à l'entrée l'accueillit en lui disant :

— Le patron veut vous voir.

— Quelqu'un a volé les bijoux de la Couronne ?

L'agent haussa les épaules en bougonnant quelque chose d'inaudible. La force constabulaire n'entendait pas à rire, surtout si elle ne comprenait pas l'humour trop sophistiqué de ses interlocuteurs. Après avoir accroché son manteau au mur et posé son melon sur son pupitre, Dolan eut envie d'écrire d'abord son rapport sur le meurtre des Lacaille. Mais il se releva aussitôt après s'être assis à son bureau. Autant en avoir le cœur net.

Un instant plus tard, il frappa à la porte du chef. Le «Entrez!» témoignait de l'impatience habituelle de son supérieur.

— Ce massacre ? questionna l'officier en levant la tête.

— Un homme saoul, ou fou, ou plus probablement les deux, a tué sa femme et trois de ses enfants. J'ai conduit moi-même la petite fille survivante chez les Sœurs Grises.

Un peu tardivement, le chef lui désigna une chaise.

— Vous pensez pouvoir mener ce gars à la potence ?

— À sa place, je serais monté dans un train. À cette heure, je serais déjà dans l'État de New York, et demain plus loin encore.

— Mais les meurtriers sont rarement aussi prudents que vous.

— Tous les agents de la ville chercheront donc un ivrogne avec du sang sur les mains.

Tous les agents, cela voulait dire un peu plus de cinq cents personnes. Avant de quitter son bureau en fin d'après-midi, l'inspecteur s'assurerait qu'une directive atteigne tous les postes de police de la ville, et même ceux des municipalités voisines, comme Westmount ou Maisonneuve. Alors que l'inspecteur faisait mine de se lever, le chef Campeau l'arrêta.

— J'ai reçu un curieux individu, tout à l'heure.

En quelques mots, son supérieur relata la visite. Il termina son exposé en demandant :

— Avec un nom comme le vôtre, vous parlez anglais sans accent, je suppose. Ces gens-là ne toléreraient pas un enquêteur purement canadien-français.

— Je crains que les Irlandais ne soient pas mieux reçus. Nous sommes tout juste bons à vider leurs pots de chambre.

La pointe de rancœur passa presque inaperçue. La société montréalaise se divisait selon les niveaux de fortune, et aussi selon l'origine. Malheureusement pour Campeau, les Anglais et les Écossais n'abondaient pas dans le service. Les McDougall devraient se contenter de ce qu'il avait à offrir.

— Vous perdrez sans doute votre temps. Quelle curieuse histoire ! Je me suis informé. Cet entrepreneur a deux fils dans la jeune trentaine. Selon mon visiteur, l'absence de leur père ne les inquiète pas. Le plus jeune a été adopté il y a un an ou deux. Lui préfère le mot « reconnu ».

Ce dernier mot fut souligné par un sourire entendu. Ce genre d'ajout tardif dans une famille tenait d'habitude à un coup de canif dans le contrat conjugal.

— Il a sans doute besoin d'une main ferme pour le guider, dit le détective. Un grand patron peut faire l'affaire.

Cette fois, le chef de police laissa échapper un petit rire chargé d'ironie.

— Écoutez, allez le voir demain matin à la Dominion Foundry, puis venez me dire si cela vaut la peine d'y regarder de plus près.

Dolan hocha la tête. Plus qu'une affaire criminelle, il devinait une affaire de famille tordue. Les grands de ce monde n'y échappaient pas. Toutefois, avec des personnes de ce rang, la moindre maladresse d'un policier ferait des vagues, que l'inquiétude soit fondée ou non.

Pour rentrer chez lui en partant de l'hôtel de ville, Dolan allait vers le nord jusqu'à la rue De La Gauchetière. Il devait longer le palais épiscopal, puis emprunter la rue Sainte-Monique sur cinquante verges. Entre celle-ci et Beaver Hall s'allongeait la rue Belmont, longue de mille pieds peut-être. Il s'agissait d'un quartier plutôt prospère, où les maisons de brique alternaient avec celles de pierre grise. Au 1126, on avait choisi ce dernier revêtement. À l'intérieur, on avait déjà allumé les lumières électriques. Le 15 novembre, à six heures, l'obscurité pesait sur la ville.

En poussant la porte, il entendit le bruit des conversations dans le salon. Une fois son manteau et son chapeau rangés dans la penderie, il se planta dans l'embrasure de la pièce.

— Madame Sullivan, mesdemoiselles, messieurs, bonsoir.

Il s'exprimait comme un prêtre présidant à une cérémonie de remise de diplômes. Cette maison de chambres logeait sept personnes, en plus de la propriétaire et de ses deux bonnes. Trois femmes, célibataires évidemment, comptaient parmi les locataires. Deux d'entre elles ainsi que deux des locataires masculins profitaient d'un moment de conversation avant de passer à table.

— Oh! Bonsoir, monsieur Dolan, le salua la maîtresse de la maison. Venez vous asseoir avec nous.

Les autres femmes répondirent à son salut par un murmure; les hommes se contentèrent d'un signe de la tête. Le scénario se répétait tous les soirs. Chaque fois, la propriétaire, madame Sullivan, l'invitait à se joindre à la compagnie. Chaque fois, il faisait la même réponse:

— Je préfère aller d'abord dans ma chambre un moment.

Il s'agissait d'une manière discrète d'évoquer un passage à la salle de bain.

— Alors, vous vous reprendrez tout à l'heure. D'ailleurs, votre arrivée me ramène à mon devoir. Je dois aller m'occuper du service. Je vous revois tous à la demie.

Quoique résolue à se présenter sous son meilleur jour auprès de ses voisines de cette petite rue, la pauvre dame ne pouvait payer une domesticité suffisante pour se charger de toutes les tâches de la maison. En convenir la chagrinait toujours.

Pendant qu'elle se dirigeait vers la cuisine, l'inspecteur s'engagea dans l'escalier. À l'étage, quatre chambres accueillaient autant de pensionnaires. On y trouvait aussi une salle de bain, l'un de ces fameux *water closets* représentant le nec plus ultra du confort à l'anglaise. Alors qu'il glissait sa clé dans la serrure de sa chambre, la porte du petit réduit sur sa gauche s'ouvrit.

— Oh! fit une femme de trente ans, toute rougissante. Bonsoir, Eugène.

Cette demoiselle paraissait toujours confuse de montrer qu'elle aussi devait fréquenter cet endroit. Dolan la comprenait d'autant mieux qu'il avait lui-même ce genre de timidité. Les exigences du corps, même les plus primaires, paraissaient suspectes à ces bons catholiques.

Tout comme les autres pensionnaires, elle utilisait le prénom du policier, et non son patronyme, ce que tout le monde faisait au poste de police. L'inspecteur leur rendait bien sûr la pareille, quoiqu'il eût préféré un langage plus formel. Cela aurait mis une distance entre eux et lui.

— Bonsoir, Juliette.

La jeune femme cherchait à s'éloigner de la porte du cabinet d'aisance. Elle reprit toutefois une certaine contenance pour s'enquérir :

— Avez-vous eu la triste obligation de vous occuper de cette affaire ?

Dolan mit un instant avant de comprendre. Les garçons chargés de vendre les journaux du soir au coin des rues criaient aux badauds : « Un homme a massacré toute sa famille ! » Elle faisait donc allusion à ce crime.

— Oui.

— Je vous plains de tout mon cœur. Quelle affreuse histoire !

— Vous savez, mon métier me met rarement en face de situations plaisantes.

Il se sentit indélicat de lui répondre pareille platitude, aussi ajouta-t-il avec son plus beau sourire :

— Je vous remercie toutefois de votre sollicitude. Vous êtes très gentille.

Elle se troubla, baissa ses yeux gris, puis murmura :

— Je dois finir de me préparer.

Juliette s'engagea dans l'escalier pour monter à l'étage supérieur en soufflant : « À tout à l'heure. » Du coin de l'œil, tout en entrant chez lui, il suivit la mince silhouette vêtue de sombre. Moins timide, plus encline à se vêtir de couleurs attrayantes, elle aurait éveillé l'intérêt des hommes de la maison. Attifée ainsi, avec ses cheveux bruns coiffés en chignon, mademoiselle Mailloux paraissait en deuil d'un époux n'ayant jamais existé.

Dans sa chambre, l'inspecteur alluma l'ampoule qui pendait au plafond. L'installation de l'électricité dans les maisons privées datait d'une dizaine d'années à peine. La logeuse s'attendait à ce qu'on l'utilise avec parcimonie. Pour la plupart des citadins, il s'agissait encore d'un luxe. Quant aux gens de la campagne, personne n'imaginait le jour où ils en profiteraient.

La pièce contenait toutes ses possessions terrestres. Quelques livres, deux complets, l'un plus chaud que l'autre, pour l'hiver, deux paires de chaussures et tout le linge habituel. Ses deux ans au service de police ne lui avaient pas permis d'amasser plus. Un lit étroit, une commode, une petite table, une chaise et un fauteuil meublaient son minuscule univers.

Un moment, il jeta un regard circulaire sur la chambre, puis passa dans la salle de bain.

Des maisons de chambres comme celle-là créaient de curieuses petites communautés de personnes qui, autrement, ne se seraient jamais rencontrées. Autour de la table, chacun des convives profitait d'une petite aisance, permise par des emplois réguliers, peu exposés au chômage saisonnier. Mademoiselle Mailloux occupait un poste de secrétaire dans le grand magasin Morgan, rue Sainte-Catherine. Les sœurs Demers tenaient ensemble une boutique de modiste et partageaient la même chambre au premier étage. Elles complétaient le segment féminin des locataires.

Eugène Dolan était le plus jeune des hommes. Un Devlin travaillait à la Banque de Montréal, un O'Neil dans un cabinet juridique, un Collins dans une maison d'importation. Tous étaient des Irlandais catholiques, des fidèles de l'église Saint-Patrick située rue Dorchester, pas très loin. Catholiques aussi, les femmes étaient des Canadiennes françaises. Toutefois, l'anglais demeurait la seule langue en usage dans la maison.

Heureusement, personne n'eut la mauvaise idée d'aborder le massacre chez les Lacaille. Les gouvernements libéraux de Québec et d'Ottawa fournissaient un sujet de conversation susceptible d'intéresser les hommes. Enfin, presque tous. Le policier préféra écouter le récit de madame Sullivan. La propriétaire des lieux avait assisté à la présentation d'une *moving picture* – une vue animée – au parc Sohmer.

— Quand le train est entré en gare, j'ai crié comme toutes les autres! On aurait dit que la locomotive était vraiment là, et que dans une seconde, elle nous passerait sur le corps.

— Tout de même, ces images sont en noir et blanc, comme les photographies, argua l'aînée des sœurs Demers.

— On comprend tout de suite qu'il ne s'agit pas de la réalité, ajouta l'autre.

La logeuse parut agacée de voir sa description ainsi remise en cause. Ces vieilles filles ne manquaient pas une occasion d'accaparer l'attention.

— Je vous assure, tout le monde a réagi de la même façon que moi. C'est comme si nous étions vraiment là.

Les pimbêches échangèrent un regard entendu, l'air de dire: «Comme elle est naïve!» Dolan pencha la tête vers Juliette, assise à ses côtés, et murmura:

— Vous avez déjà assisté à ces spectacles?

La femme fit non de la tête, esquissa un sourire. Son voisin allait-il lui demander de l'accompagner?

— Un homme d'affaires fait construire une salle pour ne présenter que ça. Les journaux parlent de *movie theater*. Il me semble que c'est une mode qui passera bien vite.

Il en resta là. Aucune invitation ne suivit. La secrétaire baissa la tête, souhaitant que sa déception ne soit pas trop visible. Évidemment, quand un homme avait passé dix ans de sa vie d'abord au Petit, puis au Grand Séminaire, la compagnie d'une femme ne lui disait rien. Pourquoi donc, avec de pareilles inclinations, avait-il renoncé à la prêtrise ?

Afin de laisser à des contribuables importants une impression de conscience professionnelle, le lendemain matin, Dolan décida de se rendre directement à la Dominion Foundry, sans s'arrêter au préalable à son bureau de l'hôtel de ville. Une fois dans la rue de la Cathédrale toute proche, il n'avait qu'à descendre vers le sud jusqu'à la rue Saint-Jacques, puis marcher vers l'ouest. Le grand établissement industriel se tenait juste un peu au-delà de la gare Bonaventure.

Construite de brique avec un toit de tôle, l'immense bâtisse ne payait pas de mine. Les propriétaires négligeaient son entretien. Afin de ne pas lancer de rumeurs, il ne mentionna pas sa profession quand il demanda au gardien de voir Andrew McDougall.

— Le bel Andy, à huit heures du matin ?

Le vieil homme lui adressa un grand sourire à demi édenté, comme devant une bonne blague.

— Quand ça lui tente, il travaille du côté de la comptabilité. Vous trouverez sans mal.

L'employé mesura tout à coup combien ses paroles risquaient de le mettre en difficulté. Après tout, cet inconnu était peut-être un parent des propriétaires.

— Vous pourrez l'attendre du côté des bureaux, en haut, lui indiqua le concierge en lui désignant le bâtiment.

En guise de salut, Dolan toucha le bord de son chapeau melon, puis s'engagea à l'intérieur de l'usine. D'abord, le bruit lui parut insupportable. Le travail du fer, de la fonte et de l'acier ne s'effectuait pas en silence. Il traversa une grande salle où des ouvriers fabriquaient des moules de sable mouillé à partir de modèles en bois. Une part importante de la production consistait en roues de locomotive ou de wagon. Près des hauts fourneaux, la chaleur devenait intenable. Ce serait pire quand une rigole de fer en fusion en sortirait, dans quelques heures.

Un escalier conduisait à des bureaux. Au bout d'un couloir, une secrétaire accorte l'accueillit. Même à cet endroit, le vacarme demeurait tonitruant. La femme devait lire sur ses lèvres pour saisir ses paroles.

— Je dois voir monsieur McDougall. André, ou Andrew.

Lorsque le chef de police lui avait donné ce prénom, il l'avait prononcé à la française, mais chez les McDougall, la version anglaise prévalait certainement.

— Je ne vois aucun rendez-vous à son agenda, objecta l'employée en consultant un livre relié de cuir.

— Pourtant, je vous assure que nous devons nous rencontrer aujourd'hui, à sa demande.

Devant l'air sceptique de la secrétaire, il précisa :

— Il s'agit d'une affaire privée, voilà sans doute pourquoi ce n'est pas à l'agenda.

Dans les yeux de la jeune femme, l'hésitation céda tout de suite la place à la curiosité. Un homme de son âge, habillé tout juste convenablement, pouvait occuper une multitude de fonctions, de maître d'école à fonctionnaire des douanes, en passant par commis à la banque. L'inspecteur se garda bien d'alimenter son imagination.

Après un silence, elle suggéra :

— Je suppose que le mieux est de l'attendre dans son bureau. Je vous offrirais bien l'une de ces chaises, mais vous risqueriez de gâcher vos vêtements à cause de la poussière ou de la graisse de machine. Et de devenir sourd en restant près du bruit.

Quand elle se leva, il put apprécier la mince silhouette. La jupe tombait sur les chevilles, dégageant une bottine noire lacée à chaque pas. Il la suivit tout le long d'un corridor, captivé par l'ondulation de sa démarche.

— Voilà, installez-vous ici, indiqua-t-elle en poussant la porte. Je l'avertirai de votre présence dès son arrivée.

Dolan la remercia, puis alla s'asseoir sur la chaise placée devant le bureau. Une fois seul cependant, il se leva pour aller se planter devant le mur constitué de plaques de verre. Malgré l'épaisse couche de crasse due aux chiures de mouches et à la fumée de charbon, il distinguait les travailleurs en contrebas. Pour moins de deux dollars pour une journée de dix heures, ils trimaient dans une chaleur insupportable, même en hiver. Comme son sort était enviable, en comparaison ! Prendre ce travail de policier deux ans plus tôt avait été une bénédiction. Une bénédiction dans une vie où il n'en comptait pas beaucoup.

Au bout d'une vingtaine de minutes, il se lassa de l'observation des ouvriers. Son intérêt se porta alors sur le décor de la pièce. Des photographies de locomotives et de ponts ornaient les murs, sans doute des ouvrages réalisés avec l'acier et la fonte de la Dominion Foundry. Des cadres plus récents montraient une machine volante plus lourde que l'air. Deux ans plus tôt, les frères Wright, des fabricants de bicyclettes, avaient réussi à parcourir une bonne distance sans toucher terre avec un appareil en bois, en toile et en fil de fer.

Bientôt, le bureau attira son attention. Ou ce garçon était le plus ordonné du monde, ou sa charge de travail était vraiment faible. Au centre de la surface de bois, deux revues commerciales étaient bien alignées. La base de l'encrier était tout à fait propre. L'inspecteur s'approcha de la porte, l'entrouvrit pour s'assurer que personne ne venait dans le couloir, puis il ouvrit les tiroirs, un à un. Du papier à lettre, des enveloppes, d'autres magazines, dont certains n'avaient rien à voir avec les affaires ou la fonte du métal. Une brosse et un tube de dentifrice témoignaient des bonnes habitudes d'hygiène du plus jeune des McDougall. Toutefois, aucune trace d'un travail acharné.

Chapitre 3

«J'aurais dû apporter quelque chose à lire», maugréa Dolan. Malgré ses indiscrétions, plonger dans les revues d'Andrew lui aurait paru malvenu. Un meurtrier d'enfants courait les rues, et lui perdait son temps dans ce bureau. Enfin, il entendit des pas, puis une main tourna la poignée.

— Vraiment, April, rien ne fonctionnerait sans vous, dans cette entreprise.

— Voyons, monsieur McDougall…

Celui-là aussi était capable d'apprécier une fine silhouette. Il entra dans son bureau, referma derrière lui, et commença :

— Monsieur ?

Dès son arrivée, le policier s'était levé pour se tenir presque au garde-à-vous.

— Inspecteur Dolan. Le chef Campeau m'a demandé de passer vous voir.

— Ah! L'as détective dont il m'a parlé. Vous me paraissez un peu jeune. Je m'attendais à quelqu'un fumant la pipe, une loupe à la main, et vêtu d'une mcfarlane.

Dolan sourit à la référence à Sherlock Holmes, le célèbre enquêteur créé par Arthur Conan Doyle. L'allusion à son âge lui donna envie de citer Corneille : «Aux âmes bien nées, la valeur n'attend pas le nombre des années.» Il s'abstint. Inutile d'étaler sa connaissance des classiques devant cet amateur de littérature populaire.

— Je vous assure, je pourrai tirer votre affaire au clair.

Le garçon accepta la main tendue et lui adressa un sourire engageant. Celui d'une personne résolue à faire son chemin dans la vie grâce à son charme.

— Je n'en doute pas. Que vous ne soyez pas englué dans les traditions sera même utile, je suppose. Mais ne restons pas ici. Je me méfie des oreilles indiscrètes. Venez.

Andrew ne s'était même pas donné la peine d'enlever son manteau et son chapeau, l'inspecteur reprit les siens. Dans le couloir, ils passèrent devant la porte ouverte d'un bureau plus grand. Un homme assez corpulent, dans la trentaine, se tourna à demi pour remarquer :

— La journée de travail est déjà terminée, Andy ?

L'inspecteur remarqua le gros *ledger* – le registre comptable – dans la main de l'homme, et les liasses de documents entassées sur le bureau.

— J'ai un rendez-vous, tu le vois bien.

Le ton ne témoignait pas, ni chez l'un ni chez l'autre, d'un amour tendre. Le jeune homme reprit sa progression, Dolan murmura «Monsieur» avant de le suivre. April eut droit une nouvelle fois à des mots aimables de la part de son jeune patron, et à un bref salut de la tête de celle du visiteur. En traversant le grand espace de travail, l'inspecteur remarqua les salutations polies des ouvriers à l'égard de l'élégant jeune homme.

Dehors, une pétarade les accueillit. Un gros homme roulait devant eux au volant – en réalité, il tenait une curieuse manivelle posée à l'horizontale – d'une voiture automobile, une De Dion-Bouton.

— Voilà ce cher Ucal-Henri Dandurand qui parade dans sa rutilante machine, ricana Andrew McDougall. Vous le connaissez ?

— Pas personnellement. L'an dernier, il s'est présenté à l'élection municipale.

— Pour se faire battre.

Dandurand était le candidat du milieu des affaires, la population lui avait préféré quelqu'un de plus proche du peuple. Son automobile avait une drôle d'allure, avec sa forme de calèche, sans chevaux évidemment, et deux banquettes placées l'une en face de l'autre. Cela signifiait que le conducteur devait regarder entre ses passagers assis à l'avant pour voir où il allait.

— Un jour, nous en aurons fini avec le crottin de cheval dans les rues, commenta le jeune homme. Tout sera plus propre, l'air sera plus respirable.

Dolan se retint de lui dire que le bruit des moteurs et l'odeur de l'essence de pétrole ne rendraient pas les promenades en ville idylliques. Mais il ne put s'empêcher de jouer les rabat-joie.

— Nous en sommes loin. Il n'y a pas plus de cent véhicules de ce genre dans la province.

Andrew McDougall s'était dirigé vers l'est, son compagnon sur les talons. Bientôt, ce dernier devina leur destination. La gare Bonaventure disposait d'un restaurant destiné au beau monde. Les pauvres voyageaient peu, et lorsqu'ils le faisaient ils apportaient un en-cas préparé à la maison en guise de repas. Dans le hall, les fenêtres cintrées jetaient un éclairage parfait. Sur le sol, un épais tapis s'ornait de motifs géographiques, des fauteuils formaient deux îlots ovales. Dolan s'arrêta un instant pour contempler les magnifiques chandeliers, puis il accéléra le pas afin de suivre son compagnon.

Le restaurant accueillait une trentaine de convives, surtout des hommes. La fumée bleutée des cigarettes montait vers le plafond. Un garçon les conduisit à une table à l'écart.

— Avez-vous déjeuné ? demanda McDougall.

— Oui, avant de partir.

— Moi pas. Si vous souhaitez récidiver, libre à vous. Je vous invite.

— Une tasse de thé fera l'affaire.

Le temps de passer la commande, Andrew commenta le temps maussade de novembre et le petit coup de force survenu à Québec. Les élus libéraux s'étaient rebellés contre le premier ministre Simon-Napoléon Parent pour mettre à leur tête Lomer Gouin. Dolan n'entendait pas perdre son temps à écouter les réflexions politiques d'un garçon à peine sorti du collège. Il intervint dès que le repas de son interlocuteur et son thé furent posés sur la table.

— N'aviez-vous pas l'intention de me parler de la disparition de votre père ?

— Oui, en effet. Voilà plus d'une semaine que personne ne l'a vu, ni à l'usine ni à la maison.

— Quand l'avez-vous vu pour la dernière fois ?

Dolan sortit un petit carnet et un crayon de sa poche.

— Le samedi 4 novembre, à l'usine. Nous nous sommes dit au revoir à la fin de la journée, alors qu'il s'apprêtait à retourner à la maison. Le lundi suivant, il ne s'est pas présenté au travail, ni aucun jour depuis.

— Si je comprends bien, les trois fils McDougall sont engagés à la fonderie.

— Non. L'aîné, Kenneth, que vous avez vu tout à l'heure, y travaille et moi aussi. Stanley s'occupe de la mise en valeur des terrains que mon père avait achetés un peu partout dans la ville.

Le policier remarqua la conjugaison au passé.

La ville de Montréal connaissait un progrès démographique rapide, grâce à la multitude des nouveaux arrivants à la recherche d'un emploi. Ils arrivaient des paroisses québécoises, ou du bout du monde. Lotir les grands espaces achetés à des agriculteurs pour y construire des logements permettait de réaliser des fortunes.

— Ce samedi-là, êtes-vous rentré à la maison avec lui ?

— … Non, j'avais un rendez-vous.

Dolan écrivit « Il hésite » dans son carnet. Bientôt, il demanderait : « Avec qui ? »

— Donc, il était seul au moment de quitter l'usine ?

— Je ne sais pas. Peut-être avec Kenneth.

— Le dimanche, se trouvait-il chez lui ?

— Quand je me suis levé vers neuf heures, ce jour-là, j'ai appris qu'il n'était pas revenu à la maison la veille.

Ainsi, l'industriel s'était évaporé entre son départ de la fonderie et son domicile.

— Donc, lui aussi avait un rendez-vous samedi soir.

— Si c'était le cas, jamais il ne m'en a parlé.

Une certaine tristesse marquait le ton du garçon. Leur dernière rencontre, inscrite sous le signe de la banalité, n'avait pas permis d'aborder des sujets significatifs, capables de procurer une belle fin à une relation filiale.

— Vos frères connaissaient peut-être ses projets.

— Cela ne veut pas dire qu'ils désirent me mettre au courant.

Une demi-heure plus tôt, l'aîné s'était montré très cynique avec son benjamin. Dans l'intimité du foyer, les conversations de ces deux-là ne devaient pas manquer de piquant.

— Vous avez certainement discuté en famille de son absence, au cours des dix derniers jours. Qu'en pensent-ils ?

— Selon eux, papa serait parti en voyage, peut-être dans le sud des États-Unis pour réchauffer ses vieux os, ou alors en Europe. L'idée d'un séjour en Angleterre revenait régulièrement dans sa bouche.

— Mais vous ne partagez pas cet avis.

— Ils se sont débarrassés de lui !

Sur le dernier mot, la voix du garçon monta très haut. L'inspecteur regarda autour de lui pour s'assurer que personne ne les entendait. Son vis-à-vis semblait sur le point d'éclater en sanglots.

— Votre père a de l'argent, l'idée d'un voyage sous des cieux plus cléments me paraît très plausible. Moi-même, si je le pouvais…

Selon les journaux, des États comme la Californie ou la Floride constituaient de véritables paradis terrestres.

— Nous le saurions, s'il avait pris des vacances !

— Quand vous dites « se débarrasser de lui », vous voulez dire l'assassiner ? Dans ce cas, nous aurions un cadavre.

— Ce ne sont pas des imbéciles. Vous avez vu les hauts-fourneaux, tout à l'heure. Un corps jeté là-dedans produirait juste un nuage de vapeur.

Le jeune homme avait tout un scénario en tête. La grande usine offrait certainement un moyen de se délivrer d'une victime. Il en existait tant d'autres. Par exemple, un corps lesté d'une pierre et jeté dans le Saint-Laurent disparaissait à jamais.

— Pourquoi auraient-ils fait cela ?

Dolan pouvait imaginer vingt motifs au moins, mais le plus évident s'exprimait en dollars. Andrew le lui confirma tout de suite :

— Pour hériter !

— Tous les deux figurent certainement déjà sur son testament.

Pourtant, bien des héritiers trucidaient un proche afin de toucher l'argent plus vite. De l'argent pour obtenir du pouvoir ou des femmes, pour jouer aux cartes ou aux dés, ou pour accumuler tout ce qui passait par la tête de ces bourgeois.

— Aujourd'hui, oui, mais demain, qui sait? Rien ne dit qu'il ne songeait pas à faire de moi son seul héritier!

Tout à coup, le fait que le bureau d'un employé de la comptabilité soit vide de tout papier, de tout registre prenait un autre sens. Peut-être ne s'agissait-il pas de paresse ou d'un manque d'intérêt, mais d'une stratégie pour tenir le benjamin à l'écart des affaires. Les histoires les plus compliquées ne s'avéraient pas toujours les moins plausibles.

— Normalement, lors d'une disparition de ce genre, c'est l'épouse qui se rend au poste de police.

— Pas si elle est la complice de ses fils aînés.

— Votre mère conspirerait avec vos frères pour vous déshériter?

Le scepticisme de l'enquêteur parut heurter son interlocuteur.

— C'est leur mère à eux, pas la mienne.

Avec son crayon levé, son carnet à la main, Dolan ressemblait à un commis d'épicerie en train de prendre une commande. Ce garçon avait évoqué les détectives de romans; ces lectures lui donnaient-elles une imagination débordante?

— Venez-vous d'un premier lit?

Le policier marqua une pause, puis continua:

— Impossible, puisqu'ils sont vos aînés. J'en conclus que vous avez été adopté.

— Reconnu. Le véritable terme est reconnu. Au cours des vingt-deux dernières années, mon père a eu une maîtresse. Je suis son fils.

Évidemment, la confidence avait été lâchée à voix très basse. Si une telle situation survenait souvent – de mauvaises langues insinuaient qu'un enfant sur dix avait un autre père que l'époux de sa mère –, il convenait de l'évoquer dans le plus grand secret. Le jeune homme présentait la mine sérieuse, peut-être même un peu honteuse, convenant à la situation.

— Je sais que mon histoire vous semble incroyable. Je me fous des questions d'héritage, mais j'aimais mon père. Je voudrais voir ces gars pendus !

Murmurés, les mots devenaient encore plus terribles. Andrew McDougall contrôlait mal sa rage. Le petit déjeuner copieux posé sous ses yeux demeurait intact. La conversation lui avait enlevé tout son appétit. Il écrivit quelques mots sur la page de son carnet, pour la déchirer et la tendre au détective.

— Je me sens tout bouleversé, je mets fin à cette conversation. Allez lui demander de vous confirmer tout cela.

Il se leva pour se diriger vers la sortie. À tout le moins, au passage, il eut l'élégance de donner un billet de banque au maître d'hôtel. Le prix du repas aurait pesé lourdement sur le budget d'un fonctionnaire municipal.

— Annie Vallerand, conclut l'inspecteur lorsqu'il relata sa rencontre. Ce nom ne me dit rien du tout. Et vous ?

En quittant le restaurant de la gare Bonaventure, Dolan s'était rendu au poste de police numéro 1 d'un pas rapide. Son supérieur déciderait de la suite à donner à son étonnante conversation.

— Vous savez, je ne connais rien du beau monde, ricana Olivier Campeau. Là d'où je viens…

La biographie du chef s'était étalée dans *La Patrie* l'année précédente, au moment de sa nomination. Diplômé d'une école dirigée par des frères dans un petit village des Laurentides, il avait emménagé à Montréal afin de devenir agent de police. Il avait gravi les échelons un à un jusqu'à la direction du service.

Le chef reprit :

— Je ne connais pas la dame, mais cette adresse est celle d'un bel édifice à la devanture de pierre, au coin de Sherbrooke et d'Atwater. Le Bellevue. Très peu de Canadiennes françaises habitent dans ce coin.

« À moins qu'une personne généreuse ne paie le loyer », songea Dolan. Déjà, il soupçonnait que l'édifice se situait sur le trajet entre le domicile et l'usine de McDougall.

— Dans les journaux de détectives publiés à New York, on lit régulièrement des histoires de fils illégitimes qui dament le pion à leurs demi-frères, et des plus bizarres encore. Notre gars doit en être un lecteur assidu.

Son allusion aux écrits de Conan Doyle pouvait certainement le laisser croire.

— Vous a-t-il semblé normal ? Je devrais dire crédible, plutôt.

— D'abord, j'ai cru à un benêt à l'imagination débordante. Des aînés tuant le père avant que celui-ci ne donne tout son héritage au benjamin, cela ressemble à un mauvais roman. Toutefois, du moment où il est question d'une maîtresse, il est facile d'imaginer des haines tenaces, peut-être mortelles.

— Si la police intervient et que le tout s'avère une fable, les McDougall débarqueront chez Hormidas pour demander mon renvoi, et le vôtre.

Campeau parlait d'Hormidas Laporte, élu à la mairie l'année précédente. Les bourgeois estimaient que les forces de police étaient vouées à protéger leur vie et leurs biens, en prenant bien garde de ménager leur réputation au passage.

— D'un autre côté, si nous ne nous en mêlons pas, souleva l'inspecteur, Andy le dandy répandra son histoire.

L'expression décrivait bien l'air charmant et la tenue volontairement excentrique du jeune homme. Campeau continua :

— Tôt ou tard, ce seront les journalistes qui questionneront Son Honneur le maire au sujet de notre inaction.

Dans une telle éventualité, le benjamin risquait de se voir poursuivi pour diffamation. Cependant, l'incapacité des aînés McDougall à produire un cadavre ou un acte de décès évoquant une cause naturelle rendrait la démarche plus dommageable qu'utile. Évidemment, si entre-temps Archibald McDougall revenait tout bronzé de Floride, tous les acteurs de cette histoire auraient l'air de parfaits imbéciles.

— Cela sans compter que nous sommes payés pour amener un peu de justice en ce bas monde, souligna Campeau avec un sourire chargé d'autodérision.

L'appareil judiciaire produisait peut-être un peu de justice, mais cela ne paraissait pas toujours évident.

— Ou une apparence de justice, compléta Dolan.

En théorie, l'une ne devait pas aller sans l'autre, mais quiconque regardait de près les rapports d'enquête ou les comptes rendus de procès pouvait en douter.

— Bon, dans les circonstances, allez voir cette dame. Si elle confirme l'histoire de son fils et vous semble franche, nous discuterons de la suite à donner…

Des discussions qui impliqueraient certainement le maire Laporte. Comme son élection tenait à l'appui des « petites gens » – pas si petites, en réalité, car seuls les propriétaires avaient droit de vote –, le maire risquait de vouloir mousser sa popularité en les autorisant à continuer leur enquête. Après tout, les prochaines élections auraient lieu le 1er février prochain, dans moins de trois mois.

— Et si elle doute des propos de son fils, mademoiselle Vallerand voudra bien nous indiquer comment le faire taire. La publicité sur sa situation ne lui apportera rien de bon.

Dolan hocha la tête pour donner son accord. Si Andrew inventait tout cela, il ferait un mal terrible à ses proches et discréditerait sans doute sa mère aux yeux de son amant. Une discrétion totale était nécessaire à la poursuite de ce type de relation.

— Je serai de retour dans votre bureau tout de suite après ma visite à Annie Vallerand.

L'inspecteur savait bien que son enquête se déroulerait avec son supérieur regardant par-dessus son épaule. Comme il allait se lever, Campeau l'interpella :

— Dans le cas de ces meurtres, hier... Il s'agit vraiment du père ?

— Sa fille l'a identifié.

Toutefois, son jeune âge et une fidélité instinctive à l'auteur de ses jours n'en feraient pas le meilleur témoin. En outre, elle n'avait pas assisté au massacre ; sa simple survie en était la preuve. Un bon avocat arriverait à semer le doute dans l'esprit d'un jury.

— Comment diable un homme en vient-il à faire cela ?

C'était une question rhétorique, aussi Dolan resta coi.

— Savez-vous où il se cache, maintenant ?

— Non. À moins d'être un parfait imbécile, le bonhomme a quitté la ville.

L'histoire touchait visiblement son patron, aussi le policier continua :

— Tout à l'heure, j'irai parler à son *foreman*, sur les quais, et si possible à ses collègues. Je ne devrais pas avoir de mal à en trouver quelques-uns.

— Vous croyez que quelqu'un peut l'avoir aidé à se cacher ?

— Pas pour un crime pareil. On ne parle pas d'un vol ou d'une bataille qui a mal tourné. Si ses confrères peuvent me dire un mot sur ses habitudes et ses fréquentations, je dénicherai peut-être une piste.

Cette fois, le directeur du service le congédia en disant :

— Ne ménagez rien. La population nous en voudra bien plus si nous laissons courir un type qui a tué sa famille à la hache que si nous négligeons les responsables de la disparition d'un bourgeois.

Ainsi, Dolan écopait de deux enquêtes importantes à mener de front, dont l'une en toute discrétion. Cela signifiait que personne ne lui apporterait son aide.

Le soleil se levait tout juste quand l'inspecteur arriva sur les quais. La lumière oblique de l'est colorait les vieux entrepôts, les rendant presque beaux. En s'approchant toutefois, la magie prenait fin. Une odeur nauséabonde flottait dans l'air, mélange des relents de tous les produits alimentaires apportés par bateau, et de cordages et toiles à voile pourris.

Devant de grandes portes capables d'accueillir les allées et venues de gros camions tirés par quatre chevaux, il se retourna pour regarder les aménagements portuaires. Les navires s'avéraient déjà moins nombreux. La diminution du trafic, les journées plus courtes et la température moins clémente donnaient des indices suffisants pour prédire l'arrivée prochaine de l'hiver. Dans un mois, on ne verrait plus aucun bateau.

À l'intérieur, plissant le nez, Dolan chercha le petit cagibi faisant office de bureau à l'arrimeur, responsable d'une équipe de débardeurs chargée d'embarquer ou de débarquer les marchandises sur les navires. Ces hommes vendaient leurs services aux capitaines. Un «Qu'est-ce qu'y a?» impatient répondit à ses trois coups contre la porte. Décidant que cela signifiait la permission d'entrer, le policier ouvrit.

— Monsieur Toutant? commença-t-il, avant de s'identifier comme inspecteur à la police de Montréal.

— Comme ça, c'est bin vrai. Y a fait ça. Avant, j'y aurais jamais pensé, après, je peux dire que chus pas surpris.

Des dizaines de motifs pouvaient amener les forces de l'ordre à s'intéresser à des débardeurs – ce métier procurait d'extraordinaires opportunités de contrebande –, mais cet arrimeur avait deviné sans hésiter la raison de sa visite.

L'inspecteur s'assit sur la chaise qu'on lui désignait et s'assura:

— Vous parlez bien de Lacaille?

— Y en a pas un autre qui est viré fou, toujours?

— Que pouvez-vous me dire sur lui?

D'une taille de plus de six pieds, son interlocuteur devait peser deux cents livres. Ses favoris broussailleux rappelaient la mode du siècle dernier. Ils encadraient un visage intelligent. Aujourd'hui, l'usage du rasoir était quotidien, à peu près personne ne se présentait ainsi.

— Le genre qui s'absente du travail dès qu'y a ramassé deux piasses. Pour aller boire.

— Pas un employé modèle, donc.

L'arrimeur rit de bon cœur avant de préciser:

— Y a fait partie des premiers que j'ai slaqués, quand le travail a ralenti, pis j'y ai dit de pas r'venir au printemps.

— À cause de ses absences?

— Si j'peux pas compter sur un homme, j'aime mieux m'en passer.

Dans une équipe de travail, l'absence imprévue d'un collègue devait certainement gâcher la vie de tous les autres.

— Pis en plus, y porte mal la boisson. Quand tu sais pas boire, tu bois pas.

— Pourquoi dites-vous que son crime ne vous surprend pas?

— Quand y est saoul, y a tendance à chercher le trouble. J'suppose que sa femme et ses enfants devaient passer par là.

Dans les circonstances, le « là » signifiait des accès de violence.

— Vous pouvez me dire s'il avait des amis, parmi votre personnel ? Des gens susceptibles de connaître ses habitudes ?

— Que'ques-uns. C'est drôle, y sont toutes parmi ceux que j'ai slaqués en même temps qu'lui, y a une dizaine de jours.

— Dans ce cas, il faudra me donner leurs adresses.

Dolan tenait déjà son carnet et son crayon à la main. La recherche de ces informations posa quelques difficultés à l'arrimeur. Aussi l'inspecteur dut se contenter de trois noms avec des adresses incomplètes.

Tout comme Ubald Lacaille, les autres débardeurs habitaient dans des rues étroites ou des ruelles. Certains de ces travailleurs connaissaient sans doute une modeste aisance, mais l'échantillon dont disposait l'inspecteur se limitait à de mauvais employés.

Il se présenta d'abord rue Saint-Jean-Baptiste, près du port. On n'y voyait pas un arbre, pas même un brin d'herbe. Dolan frappa à une porte, attendit qu'une femme vienne répondre, un gamin déculotté sur la hanche. Dans la cuisine, qu'il apercevait derrière elle, deux autres enfants un peu plus âgés jouaient sur le sol. Dans les familles nombreuses typiques canadiennes-françaises, une demi-douzaine d'autres rejetons pouvaient circuler dans la maison ou dans les environs. Si certains avaient plus de dix ans, ils occupaient sans doute un emploi de misère.

— Vous êtes bien madame Georges Tousignant ?

Machinalement, il lui mit sous le nez la plaque l'identifiant comme un policier. L'inquiétude parut sur le visage de la matrone.

— Oui, Georges est mon mari.

— Je dois lui parler.

— … À cette heure, il est encore couché.

La femme savait-elle manier l'ironie ? À cette heure, c'est-à-dire passé dix heures, aucun homme en bonne santé digne de son sexe ne traînait au lit.

— Alors il devra se lever, car je dois lui parler. Ou peut-être préférerait-il que je l'interroge dans sa chambre ?

— J'vas lui dire qu'vous êtes là.

Toujours avec son enfant sur la hanche, elle s'engagea dans un escalier plutôt raide, un peu branlant, pour monter à l'étage. Pendant son absence, l'inspecteur examina les lieux. Dans un coin, une pompe « à queue » témoignait de la connexion de la maison avec l'aqueduc municipal. Tous les Montréalais ne bénéficiaient pas de cet avantage, surtout dans les quartiers annexés récemment à la ville. Les meubles – une table, des bancs, des chaises et une armoire – devaient être passés par une demi-douzaine de maisons avant d'aboutir dans ce taudis.

— Christ, tu comprends pas ? cria une voix à l'étage. J'dors.

La voix colérique laissait deviner qu'il n'hésiterait pas à frapper pour être bien compris. La répartie de l'épouse échappa à Dolan, mais pas les jurons. Une minute plus tard, elle réapparaissait dans l'escalier.

— Y va descendre. Assisez-vous où vous voulez.

L'inspecteur choisit une chaise près de la fenêtre. Des jambes apparurent dans l'escalier. Le débardeur avait pris le temps de passer un pantalon, mais le reste de sa tenue se limitait à une longue combinaison d'un gris malsain, signe d'une hygiène déficiente.

— C'est quoi qu'vous voulez ? grogna-t-il en posant les pieds sur le plancher.

— Vous poser quelques questions sur les habitudes d'Ubald Lacaille.

Tousignant fronça les sourcils, puis grogna :

— La femme, faut qu'on parle entre hommes.

Inutile d'ajouter qu'il l'envoyait dehors, elle avait compris. Alors qu'elle engageait le plus âgé de ses enfants à sortir, Dolan suggéra :

— Nous pouvons aller dans la cour arrière, ou ailleurs.

— Chus pas habillé, pis ça leur fera du bien d'aller dehors.

Que des hommes choisissent de se marier pour traiter leur épouse comme un chien laissait toujours Dolan perplexe. Leur plaisir ne tenait-il qu'aux mauvais traitements qu'ils leur infligeaient ? Quand la petite famille fut sortie par la porte arrière, le policier reprit la parole :

— Vous êtes un ami de Lacaille.

Même s'il ne s'agissait pas vraiment d'une question, l'autre s'empressa de rectifier :

— Un ami, un ami… On travaille à même place.

— Ce n'est pas ce que j'ai entendu. Quand des hommes se saoulent ensemble, ce sont des amis.

L'amitié s'exprimait certainement de meilleure façon, mais son interlocuteur ne lui paraissait pas ressentir la moindre inclination pour les épanchements.

— Et d'habitude, on connaît les allées et venues de ses amis. Où est Lacaille, maintenant ?

— … J'sais pas. J'l'ai pas vu depuis qu'on a été slaqués.

Peut-être disait-il vrai. Dolan tint quand même à mettre un peu de pression.

— Vous avez vu les journaux des deux derniers jours, la colère de tout le monde en ville. Si quelqu'un aide Lacaille, les tribunaux se montreront sévères. Où se cache-t-il?

La précision amena le bonhomme à se creuser la cervelle.

— J'sais pas, moé. Y est peut-être retourné dans sa paroisse, dans l'bas du fleuve.

Le curé de ce patelin devait maintenant avoir reçu la lettre de l'inspecteur, la réponse viendrait d'ici quarante-huit heures. Dolan n'attendait pas grand-chose de ses diverses démarches auprès des autorités des villes américaines où se situaient des «petits Canada», c'est-à-dire des paroisses canadiennes-françaises.

— Quels endroits fréquentait-il, à Montréal?

Le débardeur parut hésiter, puis il mentionna quelques débits de boisson, la plupart clandestins, situés dans des impasses ou des arrière-cours. Le temps de les prendre en note, et Dolan rangea son calepin pour remarquer encore:

— Je suppose que Lacaille battait sa femme.

— Bin, ça j'sais pas, j'étais pas chez eux.

L'inspecteur fronça les sourcils, l'autre renchérit:

— Ça s'peut. Les charrues, on dirait qu'elles cherchent rien qu'ça.

Et, à moins que ces violences ne laissent aux victimes des blessures incapacitantes, les tribunaux n'intervenaient pas. L'homme détenait l'autorité dans la maison.

La compagnie d'un pareil énergumène levait le cœur au policier. Il quitta les lieux avant de faire la preuve que certains trous-du-cul ne cherchaient que ça aussi, recevoir des coups. Ses visites aux deux autres débardeurs donneraient le même résultat. Lacaille se montrerait-il assez stupide pour hanter des lieux familiers alors que toute la population de Montréal rêvait de le voir au bout d'une corde?

Chapitre 4

La rencontre de débardeurs ivrognes et mal dégrossis ne lui apportait aucun plaisir. Toutefois, Dolan éprouvait un malaise infiniment plus grand quand il se présenta au domicile d'Annie Vallerand. Elle habitait un immeuble de six étages à la belle façade de pierre très pâle. Dans l'entrée, un gardien en uniforme, assis derrière un bureau, était chargé d'interdire le passage aux indésirables.

L'inspecteur donna le nom de la personne qu'il désirait voir, mais pas le sien, et surtout pas sa fonction. La visite d'un policier écorchait toujours la respectabilité.

— Les démarcheurs ne sont pas les bienvenus dans la bâtisse.

— Vous pouvez la contacter d'ici ?

Du doigt, Dolan désigna le téléphone posé sur le bureau. Sans attendre la réponse, il dit encore :

— Dites-lui que son fils m'a demandé de lui rendre une visite.

Quoique son interlocuteur trouvât la situation très étrange, il obtempéra tout de même. À la réponse à l'autre bout du fil, il rétorqua :

— Oui, madame. Je lui dis tout de suite.

En reposant l'écouteur sur la fourche du téléphone, le gardien enchaîna :

— Au quatrième. Elle vous attend.

Du doigt, l'homme montra la porte de laiton donnant accès à l'ascenseur. Il ne pousserait pas la gentillesse jusqu'à l'accompagner. Heureusement, Dolan savait utiliser cet équipement encore rare.

Il s'arrêta à l'étage voulu dans un cliquetis métallique. Dans le couloir, il aperçut une femme pas très grande, portant très bien sa jeune quarantaine. Sa jupe la drapait jusqu'aux chevilles. Sa taille demeurait fine – même si la précision «pour une femme de cet âge» gâchait un peu l'appréciation. Le chemisier ivoire soulignait joliment le galbe de la poitrine, les manches bouffantes exagéraient un peu la largeur des épaules. Au premier coup d'œil, on devinait une femme habituée à la séduction.

— Madame, je vous remercie de me recevoir.

Il mentionna son nom et son grade en lui tendant la main. En l'acceptant, elle dit avec son plus beau sourire:

— Il m'appartient de vous remercier. En fait, vous êtes là à ma demande.

Dolan aurait plutôt dit qu'il était venu à la demande d'Andrew McDougall. Cette façon de présenter les choses donnait le rôle principal à son interlocutrice. Elle le pria de la suivre. L'appartement ressemblait à l'intérieur d'une bonbonnière, tendu de papier aux petites fleurs roses. Difficile d'en apprécier la taille en ne voyant que le salon, mais celui-ci était plutôt petit. Une causeuse et deux fauteuils autorisaient de petites réunions intimes.

— Je vais faire préparer du thé.

L'inspecteur eut envie de dire «c'est inutile», puis se retint juste à temps. Croire que l'attention lui était destinée serait ridicule. La femme sonna une petite cloche d'argent, et une bonne d'une vingtaine d'années vint s'enquérir de ses désirs. Quand ils furent seuls, le silence dura un moment, puis elle se lança:

— Le récit de mon fils a dû vous surprendre. Je me suis demandé si parler à la police était une bonne idée, mais le pauvre s'inquiète tellement pour son père.

Voilà qu'elle admettait à haute voix être la maîtresse d'un homme marié, avec un petit sourire aguichant sur les lèvres. Dolan se sentit mal à l'aise au point de se déplacer un peu sur son siège. Le sentiment de se trouver en présence d'une femme de mauvaise vie lui faisait cet effet. Son embarras n'échappa pas à son hôtesse, qui parut s'en amuser.

Afin de reprendre l'initiative dans l'échange, il signala directement le côté scabreux de la situation :

— Je n'ai pas osé me montrer trop inquisiteur avec lui, mais j'aimerais bien comprendre sa situation familiale.

Il souhaitait qu'elle saisisse : « Parlez-moi de votre faute. » Le sourire de la femme, un peu moqueur, signifiait : « Cela vous excite, hein ? » Le malaise de l'inspecteur augmenta.

— Alors qu'Archibald avait déjà trois enfants, il s'est lassé de sa légitime. Remarquez, pour ce que je sais de la marâtre, aucun homme ne lui serait resté fidèle, à moins d'être lui-même infréquentable.

« Tu ne convoiteras pas la femme de ton voisin », songea le déserteur du Grand Séminaire. Comme il demeurait scrupuleux !

— J'étais la fille de l'un de ses associés, un bien petit partenaire en réalité. À l'époque, même pas rendu au milieu de la trentaine, Archibald paraissait bien, il était riche, et moi jolie et naïve.

Dolan entendit ce dernier mot comme une anagramme de « vaine », un qualificatif s'appliquant aussi très bien à son interlocutrice.

— Il fallait des ruses de sioux pour se rencontrer. Quand je me suis retrouvée enceinte, il a versé assez d'argent pour effacer le courroux de mon père, puis il m'a installée ici.

En faisant d'elle une femme entretenue ! Son péché lui valait une vie confortable.

— Il a continué de vous… fréquenter ?

Elle eut un rire clair, caressa ses cheveux du bout des doigts avant de déclarer :

— Franchement, vous devez avoir peu de succès avec les femmes, avec un pareil manque de tact !

Comme il haussait les sourcils sans comprendre, elle précisa :

— Vous sous-entendez que j'étais si peu séduisante qu'il se serait lassé de moi. Au contraire, il a certainement passé plus de temps ici que dans sa grande maison de la rue Cedar. Sa femme, c'est moi. L'autre ne l'a sans doute pas vu dans son lit depuis la naissance d'André.

Le rouge dut monter aux joues du policier, car Annie Vallerand parut s'amuser encore plus. Heureusement, la bonne arriva juste à ce moment avec un plateau dans les mains, une théière d'argent fumante posée dessus.

— Merci, Louise, dit l'hôtesse. Je vais servir.

La femme se leva pour verser le thé dans les tasses. Pliée en deux, elle présentait un postérieur susceptible d'attirer la main de tout honnête homme. Mieux valait revenir au sujet de l'enquête.

— Vous l'avez élevé seule, ce garçon ?

— Octavia n'allait certainement pas s'en charger.

Dolan devina que ce devait être le prénom de la légitime.

— André a sans doute suivi de bonnes études.

À tout le moins, il en avait les moyens. Une ombre passa sur le visage d'Annie Vallerand.

— Le cours classique, au collège Loyola. Après, il voulait apprendre la vie. Pourtant, Archibald se montrait disposé à lui payer un long passage dans les meilleures universités du monde.

— Cet apprentissage de la vie, il entendait l'effectuer à la Dominion Foundry?

Le souvenir du bureau à peu près vide fit penser au policier que si c'était là l'université de la vie, le programme s'avérait plutôt anémique. La mère du jeune homme partageait probablement son opinion.

— Si l'aîné continue de lui mettre des bâtons dans les roues, ce sera difficile d'apprendre les rouages du monde des affaires.

— Pourquoi fait-il cela?

— Vous n'avez pas compris? L'héritage!

— Pourtant, le fils légitime sera l'héritier tout naturel, et le...

Le mot « bâtard » ne passa pas ses lèvres. Il se reprit après une pause:

— Le fils naturel recevra sans doute une portion congrue.

La colère métamorphosa le visage de la mère. Elle n'appréciait certainement pas qu'on la contredise au sujet de son rejeton.

— Pourquoi cela? lança-t-elle avec impatience. Un homme peut léguer ses biens à qui il veut!

Légalement, elle avait raison, mais ce pouvoir souffrait parfois d'exceptions. Un testament en faveur de l'enfant du péché ferait certainement l'objet d'un recours devant les tribunaux. On pouvait facilement convaincre les magistrats de la santé défaillante du testateur.

Elle ne lui laissa pas le temps de formuler cette objection.

— Vous savez, leur mère monte Kenneth et Stanley contre mon fils. André est nettement le préféré d'Archibald. Vous comprenez, l'enfant de l'amour...

La femme devait se nourrir des feuilletons publiés dans les magazines pour s'exprimer ainsi.

— Maintenant qu'il le voit tous les jours, il ne l'appréciera que plus, et l'intransigeance des autres les lui rendra odieux. La jalousie les dévore.

Tout le scénario de la mère et du fils reposait là-dessus : pour prévenir la perte de leur part d'héritage, les aînés tentaient de nuire à la réputation du benjamin à l'usine. L'amour indéfectible du père les forçait à prendre des mesures plus expéditives.

— Je comprends donc que votre fils figure déjà sur le testament.

— Évidemment. Pour un tiers aujourd'hui, mais cette proportion pourrait s'accroître.

Dolan avait noté le charme non négligeable du jeune homme. Il agissait manifestement sur la secrétaire de la Dominion Foundry. Un homme vieillissant s'entichait-il si facilement d'un « enfant de l'amour » ?

— André m'a dit avoir été reconnu par son père. Quel est exactement son statut dans cette famille ?

— Il y a deux ans, Archibald a reconnu sa paternité. Surtout, il a décidé que son troisième fils habiterait avec le reste de la famille, rue Cedar.

Le bonhomme devait en être vraiment entiché pour provoquer un pareil orage domestique. Selon Dolan, l'envie de meurtre devait habiter à la fois le cœur des fils et celui de leur mère. Pas forcément pour ravir à l'enfant illégitime sa part d'héritage, mais pour l'outrage de le leur mettre quotidiennement sous les yeux.

— Vous comprenez, le pauvre Archibald s'est privé de la présence quotidienne d'André pendant dix-neuf ans, maintenant il veut créer un véritable lien filial.

— Selon vous, ses aînés auraient fait disparaître leur père.

— Mon fils en a la certitude, lui aussi.

— Le problème, c'est que nous n'avons pas de corps, ni personne l'ayant vu tomber à l'eau ou prisonnier d'un incendie.

L'hôtesse se raidit sur son siège. Le visiteur poursuivit :

— Dans le cas d'un homme riche, assez pour faire le tour du monde si l'idée lui en vient, doté de fils capables de mener l'affaire, la première idée qui vient à l'esprit, c'est un voyage.

— Partir comme ça, sans rien dire à personne ?

— Quelque chose me dit que dans la maison des McDougall, le climat doit être devenu glacial. Assez pour lui donner envie d'aller voir ailleurs.

Après un moment, la femme acquiesça d'un signe de la tête.

Évidemment, avec l'enfant naturel parmi eux, les rapports entre les membres de cette famille étaient certainement devenus insupportables. Au lieu de renvoyer celui-ci chez sa mère, Archibald pouvait avoir choisi d'aller se promener sous d'autres latitudes.

— La police ne fera rien pour tirer l'affaire au clair ? Ils vont s'en tirer impunément ?

Dolan avait déjà discuté de la question avec le chef Campeau, et celui-ci penchait pour une intervention. Voilà que maintenant deux personnes soulignaient la même disparition.

— Nous allons y regarder de près, bien sûr, mais vous comprenez, en l'absence d'un corps…

L'inspecteur n'avait pas encore touché à sa tasse de thé. Les règles de la politesse exigeaient qu'il y trempe les lèvres. Il le goûta, posa encore quelques questions inutiles sur les McDougall, puis se leva :

— Madame, je vous remercie de m'avoir reçu. Je ne vous dérangerai pas plus longtemps.

— Vous ne me dérangez pas du tout, une présence masculine ne m'a jamais pesé.

De nouveau, ces mots mirent le rose aux joues du policier. Même après deux ans dans un emploi qui le mettait en présence des pires comportements humains, il rougissait encore comme un séminariste à la moindre minauderie.

Annie se levait néanmoins, disposée à l'accompagner jusqu'à la porte, tout en continuant :

— De toute manière, je suis votre obligée. Alors, je vous remercie de tout cœur.

Elle lui serra la main et la garda dans la sienne un long moment, ce qui acheva de le déconcerter. Quand elle le libéra enfin, ce fut pour l'aider à endosser son manteau, puis lui tendre son melon.

— Je vous remercie encore, monsieur Dolan.

Certainement, la femme s'amusait de son malaise, car elle se leva sur la pointe des pieds afin de lui embrasser la joue.

Pendant tout le reste de l'après-midi, Dolan ressentit des émois de jouvencelle en se remémorant ce dernier geste. À vingt-cinq ans bien sonnés, cela lui arrivait pour la première fois depuis sa puberté. Pas même une parente ne l'avait embrassé pendant toutes ces années. Entré au Petit Séminaire à douze ans, il était sorti du Grand à vingt-trois. Depuis, personne n'était venu partager sa vie.

La soirée du détective promettait d'être longue et active, aussi se présenta-t-il à la maison de chambres à temps pour souper avec les autres. Dès le premier service, Collins, l'employé de la maison d'importation, l'interpella depuis l'autre bout de la table :

— C'est bien vrai, tu fais enquête sur le massacre de la ruelle des Fortifications ?

L'inspecteur se troubla, très peu désireux de s'engager sur le sujet. Son « oui » vint de très mauvaise grâce, aussi sa voisine, Juliette, haussa-t-elle la voix pour intervenir :

— S'il vous plaît, vous n'allez pas parler de ces événements horribles à table ?

Les deux demoiselles marchandes de chapeaux soutinrent leur voisine dans un murmure. Certains propos étaient exclus lors des repas afin de conserver de bonnes relations entre les convives : la politique, la religion, et tous les sujets scabreux ou susceptibles de nuire à la digestion.

— Notre amie a bien raison, renchérit madame Sullivan, la propriétaire. Nous avons certainement mieux pour nous distraire.

Ce soir-là, ce seraient les quelques spectacles présentés à Montréal. Dolan remercia Juliette d'un signe de la tête. Le rose sur les joues de celle-ci trahissait son émotion. « Elle accepterait sans doute », songea-t-il, très mal à l'aise. Accepterait quoi ? De l'embrasser ? De l'épouser ? Ou alors de commettre le péché de la chair, comme cette courtisane rencontrée pendant l'après-midi ? Cette simple idée suffit pour lui procurer une raideur au bas ventre, une réaction qui lui fit honte.

Son malaise s'avérait d'autant plus grand qu'il ne savait trop comment interpréter les gentilles attentions de sa voisine, ou ses œillades intimidées. La réaction des vieilles demoiselles, leurs gloussements et leurs échanges de regards entendus rendirent la situation plus limpide. Oui, il existait au moins une femme sur terre susceptible de bien recevoir ses assiduités… dans la mesure où celles-ci demeuraient dans les limites étroites de la morale. La vertu de Juliette devait être inébranlable, rien de commun avec celle d'Annie Vallerand.

Une heure plus tard, il en avait une preuve supplémentaire. Elle se retrouva au pied de l'escalier en même temps que lui, une occurrence trop heureuse pour tenir seulement du hasard.

— Ce soir, c'est pour cette enquête que vous devez sortir?

Voilà qu'après avoir banni le sujet, elle y revenait.

— Oui. À cause de rencontres difficiles à tenir en plein jour.

Tout de même, il lui épargnerait la triste vérité. Sa soirée le conduirait à visiter de mauvais lieux.

— Je ne vous envie pas!

Après un silence qui les gêna tous deux, Dolan lui fit signe de monter la première. La politesse exigeait cette attention, pourtant elle marqua une hésitation, peu habituée à avoir des yeux masculins fixés sur son postérieur. Aucun des deux ne trouva quoi que ce soit à dire le temps de gravir la quinzaine de marches. Pour la seconde fois de la journée, l'inspecteur imagina porter la main sur les rondeurs ondulant devant lui. Toutefois, jamais il n'oserait.

Sur le palier, elle s'arrêta le temps de dire:

— Je vous souhaite tout de même une bonne soirée, Eugène.

— … À vous aussi, Juliette.

Après une hésitation, elle esquissa un signe de la tête, puis continua jusque sous les combles. Dolan passa un moment dans la salle de bain, puis sortit pour poursuivre sa désagréable enquête.

L'inspecteur réunit quatre policiers en uniforme afin de remettre à chacun un petit rectangle de papier.

— Voici notre client. Montrez ce portrait à tous ceux que vous croiserez pour leur demander s'ils l'ont aperçu au cours des deux derniers jours.

Un jeune constable était allé fouiller la scène du crime pour rapporter une photographie imprimée sur une plaque de zinc représentant le suspect, et la faire reproduire sur du papier.

— Là-dessus, on dirait qu'il a vingt ans.

— Les débardeurs ne vont pas chez le photographe à chaque saison. Celle-là date de l'année de son mariage.

Donc, près de vingt ans plus tôt. En outre, le visage avait la taille de l'ongle du pouce. Faute de mieux, ils devraient pourtant faire avec.

Le petit groupe se trouvait dans une impasse. À une trentaine de verges s'élevaient des éclats de voix. Des ivrognes échangeaient des insultes, et parfois des coups. De chaque côté de la ruelle, des femmes attendaient dans l'embrasure des portes. Au passage des agents de police, elles lançaient : «Tu sors-tu?», puisque l'offre directe de leurs charmes aurait rendu leur métier plus immoral encore. À chacune, les policiers rétorquaient :

— T'as vu ce gars-là, déjà?

Dans l'obscurité ambiante, avec cette mauvaise image, impossible d'obtenir une réponse fiable.

— Bin si j'te dis oui, vas-tu me t'nir compagnie une p'tite heure?

Sans sa présence, Dolan ne doutait pas que plusieurs des agents auraient accepté une offre aussi généreuse. Car aucune putain n'aurait réclamé de petit cadeau après sa prestation de service, ces attentions servant justement à cultiver de bonnes relations avec les représentants de l'ordre.

Même si la démarche lui paraissait de plus en plus vaine, l'inspecteur s'approcha lui aussi de l'une de ces femmes. Âgée tout au plus de dix-sept ans, elle ne regarda même pas la photo avant d'affirmer :

— J'l'ai jamais vu.

Dolan allait l'inviter à prendre sa question au sérieux quand une autre intervint :

— A connaît personne, a vient juste d'arriver en ville. Bin moé, j'connais tout l'monde.

Il lui mit la photographie sous les yeux.

— Bin icitte, on voué rien. Viens en haut, y a d'la lumière. Pis toé aussi, tu verras mieux.

Sur ces mots, elle écarta les pans de son corsage pour lui montrer ses mamelles. Sans pouvoir en détacher les yeux, l'inspecteur bafouilla :

— … Madame, cachez ça.

— Bin quoi, té z'aimes pas ?

— Madame…

Nerveusement, il chercha à refermer le vêtement, ses mains touchant la chair malgré lui.

— Toé, tu doué être joseph !

Joseph, pour vierge. Ses joues devinrent brûlantes. Pour la seconde fois de la journée, une femme se moquait de son malaise. Car en cherchant à l'aguicher, c'était exactement ce qu'avait fait Annie Vallerand.

— Eille, vous autres, vot' chef s'rais-tu aux hommes ?

Dolan comprit à cet instant que des hommes puissent en venir à battre une femme dans un moment de rage. Avant d'en arriver là, il aboya à l'intention du caporal en uniforme :

— Celle-là, tu l'embarques.

Son interlocutrice changea tout à fait de ton pour dire :

— Weyons, t'es pas capab' de prendre une farce ?

— Si je ne la vois pas dans la cage demain matin au poste, tu vas en entendre parler.

Déjà, la présence d'agents en uniforme avait fait s'envoler de l'impasse les quelques clients potentiels. Cela permit aux autres prostituées de donner toute leur attention à cette scène absurde.

— Bin là, chef, j'm'excuse. Si tu veux…

Allait-elle lui proposer de nouveau de monter pour bénéficier de ses charmes ? Pas après ce qu'elle venait d'insinuer. Le caporal demeurait hésitant. Après tout, ils étaient là pour enquêter sur le meurtre de quatre personnes.

— Tu attends quoi, là ? Que je lui passe les menottes moi-même ?

Le subalterne comprit que son supérieur allait bientôt reporter sa colère contre lui. Il sortit ses menottes de sa poche pour dire à la putain :

— Donne tes poignets.

La garce le regarda en disant :

— T'es pas sérieux, là ?

— Enweille !

Finalement, l'agent la poussa devant lui, les autres filles se gardant bien d'esquisser le moindre geste, de risquer le moindre mot.

— Dans cette noirceur, nous perdons notre temps, décréta le détective pour rappeler à tout le monde la raison de leur présence en ces lieux.

La voix de Dolan trahissait son profond embarras. Au bout de l'impasse, un ancien policier tenait un bouge sordide. Un bref instant, l'idée d'entrer dans le débit de boisson le rebuta, la lumière permettrait de voir la rougeur de ses joues. L'arrivée de quatre policiers – même sans uniforme, personne ne doutait du métier de l'inspecteur à cause de son visage si sévère – fit taire tous les buveurs se tenant à l'extérieur. La lumière jaunâtre tombant d'une fenêtre permettrait d'utiliser les photographies, et les constables trompèrent leur malaise en s'approchant de ces hommes.

Une fois dans l'établissement, le détective chercha le propriétaire des yeux, pour le trouver derrière une planche servant de bar.

— Tu t'appelles Gignac, déclara-t-il en lui montrant sa plaque.

Cet homme avait quitté la police de Montréal avant que lui-même n'y fasse son entrée. Le chef d'alors lui avait donné le choix entre une arrestation pour ses nombreux accrocs aux règles ou une démission discrète. Sa reconversion lui avait permis de garder le contact avec tous ses amis à la moralité plus que douteuse.

— Toé, t'es l'curé.

Après la scène précédente, la remarque le décontenança. Il tenait la photographie dans son autre main, il la lui présenta.

— Tu connais ce gars-là ?

Comme son interlocuteur demeurait silencieux, Dolan se fit plus pressant.

— Je sais que c'est un habitué, donc tu le connais.

— Comme ça, c'est bin vrai…

La scène se reproduisait chaque fois : les gens refusaient de croire qu'une connaissance, même vague, se soit rendue coupable d'un crime odieux.

— Oui, y vient icitte des fois.

— Depuis deux jours ?

— Non…

Disait-il vrai ? Si le suspect était venu, un ancien policier aurait dû l'immobiliser au sol et alerter ses ex-collègues.

— Il y a un autre endroit où il peut être allé biberonner?

— Lacaille doit être rendu à l'autre bout des États.

— Disons que c'est un parfait idiot. Alors, où?

Gignac se serait efforcé de protéger des voleurs, des fraudeurs, des meurtriers peut-être. Une règle non écrite l'empêchait toutefois de rendre ce service à un assassin d'enfants.

— Quelqu'un m'a dit qu'il fréquente le bordel de la veuve Sicotte.

— Avec un salaire de débardeur?

L'autre haussa les épaules, puis il expliqua:

— C't'un métier qui fournit des occasions de se faire un peu d'argent.

Dolan pensa à la misérable maison de la ruelle des Fortifications. Si Lacaille arrivait à arrondir ses fins de mois, sa famille n'en profitait certainement pas. Les policiers en uniforme étaient entrés dans le bouge afin de montrer la photographie aux clients. Dolan salua Gignac d'un mouvement de la tête, puis leur annonça:

— Messieurs, nous allons faire un tour dans le quartier Saint-Laurent, rue Hermine.

La mauvaise humeur marquait la voix de l'officier, et personne n'osa demander la raison de ce changement de programme.

Chapitre 5

Les passants s'amusaient certainement de les voir se déplacer en file indienne, l'inspecteur ouvrant la marche, les autres ajustant leur pas au sien. Une demi-heure plus tard, ils s'engageaient dans la petite rue Hermine. Encore une fois, pas un brin d'herbe, des maisons dont la porte donnait directement sur le trottoir, des bâtisses sans élégance à la façade de brique.

— Il y a certainement une porte à l'arrière. Vous deux, vous y allez, toi, tu restes devant.

— Tout seul ?

— Tu es le plus costaud, non ?

L'argument ne rassura pas tout à fait l'agent.

— Si vous voyez un gars qui ressemble à Lacaille, vous l'arrêtez.

Leur tâche ne serait pas facile, dans une semi-obscurité, avec une photographie vieille de vingt ans. Un badaud risquait de faire un voyage au poste à cause d'une erreur d'identification. Dolan entra dans l'établissement. Ce soir, le thème de sa pudeur était à l'honneur. Impossible de fermer les yeux, et dans un bordel, il s'exposait à voir bien des femmes plus ou moins dévêtues.

Un portier l'arrêta. Il s'agissait d'un policier. Un autre qui améliorait ses fins de mois avec un emploi douteux.

— … Inspecteur ?

L'homme devait passer en revue tous les motifs pour lesquels on pouvait l'arrêter.

— Je veux parler à… Sicotte.

Dans le cas de cette personne, dire «madame» aurait paru singulier.

— Je ne sais pas…

— Moi, je sais.

L'hésitation ne dura guère. Dolan s'engagea dans un couloir à la lumière tamisée. Une femme apparut à l'autre bout, vêtue d'un seul peignoir de dentelle totalement ouvert devant. Le visiteur paraissait tellement grave qu'elle tourna les talons pour disparaître. Dans un salon, l'inspecteur découvrit une demi-douzaine de filles guère plus habillées, avec autant de clients. Tous tenaient un verre à la main.

— Madame, annonça le portier, quelqu'un veut vous voir.

La veuve Sicotte, lourdement maquillée, entretenait un vieux monsieur tout grisonnant. Son regard trahit sa grande colère, puis elle se radoucit très vite. Décidément, personne ne prenait Dolan pour un notaire ou un médecin.

— Venez de ce côté.

La dame se releva en serrant les pans de son vêtement sur sa poitrine. Quand ils quittèrent la pièce, quelques hommes boutonnèrent leur braguette avant de prendre la fuite. Leur présence à cet endroit, si elle s'ébruitait, ne plairait guère à leurs épouses.

Au fond de la maison, Dolan reconnut une cuisine tout à fait ordinaire. L'ampoule au plafond jetait un éclairage cru sur la tenancière. Elle devait frôler la soixantaine, et son épais maquillage dissimulait une peau marquée des cicatrices de la variole.

— Qu'est-ce que vous voulez? Je suis en règle avec les autorités.

Elle évoquait sans doute les petits présents, en argent ou en nature, qui rendaient les forces de l'ordre complaisantes. L'homme avec qui elle parlait la minute précédente pouvait être un juge, ou un député. Il lui montra la photo.

— Ce gars est un habitué, je crois.

Sans l'épaisse couche de fard, il aurait certainement vu le visage de la veuve changer de couleur devant la tête de Lacaille.

— Ça ne me dit rien.

— J'ai des policiers à l'avant et à l'arrière de la bâtisse.

Inutile de lui en spécifier le nombre.

— J'ai l'intention de visiter chacune des pièces de cette maison, une à une. Si la nouvelle circule que vous l'avez protégé, croyez-moi, tout le monde cherchera à avoir votre peau.

La menace plana dans la pièce pendant un long moment. Si la police accusait la tenancière d'avoir abrité cet assassin, l'effet sur la clientèle serait aussi funeste qu'une quarantaine imposée lors d'une épidémie de choléra.

— Bon, moé j'le connais pas, mais une fille icitte le connaît. J'savais même pas qu'y était dans la bâtisse avant à midi. Les clients commençaient à arriver, j'pouvais pas aller au poste. Mais j's'rais allée demain matin.

Que ce soit vrai ou pas, elle ne pouvait guère déclarer autre chose. Maintenant, seule la meilleure collaboration lui sauverait la mise.

— Là, y doit ronfler dans le grenier. Pas nécessaire de déranger tout le monde dans la maison.

— Alors, vous me guidez.

La veuve Sicotte hocha la tête, décidée à faire preuve de la meilleure volonté. Passant la première dans l'escalier, elle offrit à l'inspecteur une vue imprenable sur des jambes variqueuses. Il baissa les yeux. Pour aller sous les combles, il fallait grimper à une échelle. La tenancière le regarda, l'air de dire : « Si tu veux voir mon cul, tu vas payer. »

— Vous attendez ici.

Dolan posa le pied sur le premier barreau, entendit un grincement qui lui parut assourdissant. La prudence lui soufflait d'appeler des renforts, car Lacaille l'attendait peut-être en haut, une arme à la main. Une hache, par exemple. Pourtant, rien ne bougea quand il passa la tête dans l'ouverture. Un homme ronflait sur une paillasse. Un cri aigu le fit sursauter. Celui d'une femme.

— Dehors, ordonna-t-il en prenant pied dans le grenier.

Elle avait peut-être vingt ans. Brusquement réveillé, Lacaille se redressa à demi, l'air hébété. Il grommela quelques sacres tout en se précipitant vers son pantalon. Il ne s'agissait pas d'un sursaut de pudeur ; il tira de sa poche un rasoir pour le déplier et le tenir devant lui.

— Mademoiselle, dehors. Votre prestation de service est terminée.

L'inspecteur se découvrait un véritable sens de l'humour. La prostituée lui procura tout un spectacle quand elle se leva pour enfiler sa robe. La menace d'une lame acérée fit perdre à Dolan tout son intérêt pour les particularités anatomiques de l'autre sexe. La fille le contourna, puis descendit l'échelle à toute vitesse, au risque de se rompre le cou.

Seul avec l'assassin, le détective s'approcha. Lacaille était assis sur ses talons, comme un fauve se préparant à l'attaque. Dans les histoires policières racontées par les magazines de New York, c'était à ce moment précis que le détective sortait un revolver de sa poche pour tirer six balles dans le corps du criminel. Désarmé, Dolan devrait plutôt compter sur sa chance et sur sa rapidité pour éviter d'être blessé.

Toutefois, chaque seconde passée diminuait le risque encouru.

— Pourquoi diable es-tu resté à Montréal ?

L'idée de vouvoyer ce genre de type lui paraissait intolérable. Ressentir un certain respect pour un voleur, un fraudeur, ou même un assassin se concevait. Pour un tueur d'enfants, impossible.

— J'pouvais pas partir, j'étais malade comme un chien. Saoul mort. J'me rappelle de rien. Un vrai trou noir.

Déjà, le salaud préparait sa défense : irresponsabilité pour cause de folie éthylique. En cas de succès, il aurait droit à un séjour dans un asile d'aliénés pendant une période indéterminée, suivi d'une libération avec un diagnostic de guérison. Il continua :

— J'voulais partir d'main matin.

— Et d'ici là, tu as pensé organiser une petite fête, avec une dame pour te tenir compagnie.

Lacaille agita le rasoir au bout de son poing, comme s'il coupait dans la chair de son agresseur. Pour toute réponse, Dolan sortit une paire de menottes de sa poche.

— Laisse tomber cette lame, et mets ça.

— T'es tout seul, j'peux t'crever.

— Ne vends pas la peau de l'ours avant de l'avoir tué. Tu n'as pas ta hache, et moi je sais mieux me défendre que ta femme ou tes enfants.

L'horrible individu baissa son rasoir, tout à coup beaucoup moins certain de pouvoir mettre sa menace à exécution.

— Des policiers surveillent toutes les sorties. Tu n'irais pas bien loin.

Évidemment, les bœufs ne venaient jamais seuls pour procéder à une arrestation. L'assassin replia son bras, abandonnant son air menaçant.

— Qu'est-ce qui va m'arriver ?

— Pour ce que tu as fait, la corde.

La peur déforma son visage. Avoir le dessus sur ce grand fanal était une chose, en affronter plusieurs en prenant la fuite, une autre.

— J'étais saoul.

Dolan haussa les épaules, comme pour signifier son indifférence.

— Aucun jury de la ville, ou même ailleurs dans la province, ne votera pour autre chose que la mort. À ta place, je prendrais cette lame pour en finir tout de suite. En prison, tu ne devras tourner le dos à personne, sinon tu passeras un mauvais quart d'heure. Les autres prisonniers voudront ta peau. Ensuite, ce sera le rendez-vous au petit matin avec le bourreau...

L'inspecteur était sincère. Dans une telle situation, une fois capturé, lui-même espérerait en finir au plus vite. Le meurtrier de sa propre famille fit signe que non d'un mouvement de la tête.

— Alors, mets ça.

Dolan lui lança les menottes, qui atterrirent sur la paillasse. Après une longue hésitation, Lacaille jeta son rasoir d'un geste vif à l'extrémité du grenier. Il remit lentement son pantalon, puis ramassa les bracelets de fer pour les mettre à ses poignets. Le policier s'approcha de lui pour s'assurer du bon fonctionnement du mécanisme de verrouillage, puis descendit l'échelle. Dans l'escalier, Dolan posa la main sur l'épaule de son prisonnier pour s'épargner la nécessité d'une course dans les rues si ce dernier décidait de tenter sa chance. Au rez-de-chaussée, des prostituées les regardèrent depuis les portes du salon ou des chambres. La présence d'un détective entre les murs avait suffi à réduire la libido de tous les clients, au moins pour un temps.

Devant la porte, l'inspecteur s'adressa au policier faisant office de cerbère :

— Tu savais que ce gars était ici, et tu n'as rien dit.

— Je l'aurais fait...

— Tu travailles au poste de police numéro 3, je crois. Ne te présente pas demain.

Inutile d'attendre les protestations de cet imbécile. Dolan poussa brutalement Lacaille dehors, pour découvrir l'agent qu'il avait laissé en faction debout près d'un homme étendu face contre terre.

— Chef, vous l'avez pogné ? s'exclama-t-il, surpris.

— On dirait bien. Mais qui est ce type ?

— Y m'a pris pour le tueur d'enfants, cria la forme allongée.

— Bin r'garde, tu y ressembles.

Le constable aida tout de même le gars à se relever. La ressemblance avec Lacaille était bien vague, mais comme on ne possédait qu'une photographie vieille de vingt ans, la confusion était compréhensible.

— Ch't'ai dit que c'tait pas moé, protesta encore le bonhomme arrêté par erreur.

— Pis en plus, t'es sorti du bordel en courant, comme un criminel qui s'enfuit.

Se faire arrêter lors d'une descente n'intéressait aucun visiteur de maison close, aussi tous s'étaient envolés. Le malheur de celui-là était d'être mince et de porter une vareuse, à la place d'un veston.

— Monsieur, je vous présente mes excuses au nom de mon collègue pour cette méprise, mais vous admettrez que nous ne pouvions laisser ce meurtrier se sauver.

L'individu contempla Lacaille un instant, puis cracha par terre pour exprimer son mépris.

— Bon, c'est correct, mais c'est pas vrai que j'lui ressemble.

Puis il s'éloigna avec sa dignité restaurée. En appuyant sur son épaule, Dolan força son prisonnier à s'asseoir sur le pavé tout en commandant à son subordonné :

— Va derrière chercher les autres, je vous attends ici.

Cinq minutes plus tard, ils revenaient tous les trois.

— Vous l'avez pogné tout seul, boss, remarqua l'un des agents. C'était dangereux.

Ce petit exploit prendrait peut-être plus de place, dans les commérages entre membres du service, que l'insulte lancée par la prostituée. Ils se mirent à deux pour relever Lacaille, puis l'encadrèrent en se mettant en marche.

— Je ne suis pas dans la police depuis longtemps, mais j'ai appris que les types prêts à tuer des femmes et des enfants deviennent tout à fait dociles devant un homme.

Le trajet vers le poste de police numéro 1 durerait une demi-heure. Sur leur chemin, des passants s'arrêtèrent pour observer la petite procession.

Lorsque l'inspecteur se mit au lit, minuit était passé depuis un moment. Sa logeuse ne lui en tiendrait pas rigueur en voyant les titres en première page des journaux. Bien plus, ses voisins jetteraient sur lui des regards admiratifs à l'heure du déjeuner. Quant à Juliette, elle serait toute disposée à le considérer comme un héros.

Pourtant, cette nuit-là, les yeux fixés sur le plafond, ses pensées le ramenaient sans cesse à l'impasse, à la prostituée le narguant sur sa « josepheté ». À vingt-cinq ans, il comptait maintenant parmi les vieux garçons. Combien de ceux qui partageaient sa condition portaient leur pucelage comme une tare ? Aux railleries succéderaient les conversations murmurées sur ses préférences dans le domaine. Les doutes viendraient d'autant plus vite qu'il avait quitté le Grand Séminaire tout juste un an avant de pouvoir accéder à la prêtrise. Sans un mariage venu tout de suite après, chacun pouvait le charger des pires fautes.

L'idée de se présenter au poste le lundi suivant lui pesait déjà. Juste pour échapper au sentiment de honte, convoler avec sa voisine de l'étage supérieur se justifiait.

Les petits déjeuners, dans la maison de chambres de madame Sullivan, ne retenaient guère longtemps les locataires. Chacun se contentait d'un morceau de pain grillé, de fromage, et de jambon les jours de bombance. Les horaires différents, l'obligation de se presser empêchaient de tenir une véritable conversation. Dolan arriva devant la porte en même temps que Juliette Mailloux. Après un premier bonjour, elle remarqua :

— Vous êtes revenu tard à la maison, hier soir.

— Une fois de temps en temps, il convient d'enquêter auprès des oiseaux de nuit. Heureusement, cela ne survient pas trop souvent.

— Finalement, vous êtes de service jour et nuit.

Tous deux marchèrent ensemble jusqu'au coin de la rue. En la quittant, l'inspecteur ironisa :

— Je sais. Cela ressemble à un travail de domestique.

Après tout, ne parlait-on pas de service public ? Il regagna la rue Notre-Dame, puis hâta le pas vers l'ouest. Il atteignait l'hôtel de ville quand les cris d'un gamin attirèrent son attention :

— Le tueur à la hache a été arrêté ! L'inspecteur Dolan l'a capturé seul, sans armes !

Âgé d'une douzaine d'années, vêtu d'un manteau bien trop grand pour lui, au point de lui tomber sous les genoux, il tendait un exemplaire du journal *La Patrie* aux passants. Certains l'acceptaient, puis lui remettaient quelques sous.

— Le tueur à la hache en prison !

Avant d'entendre encore prononcer son nom, Dolan préféra s'esquiver. Le « capturé seul » vexerait certainement les policiers en uniforme qui avaient monté la garde aux portes du bordel. Toutefois, dans le grenier, il s'était bien agi d'un tête-à-tête.

Bientôt, il monta deux par deux les marches de l'hôtel de ville. Dans les couloirs, quelques regards se posèrent sur lui.

C'était inévitable. En entrant dans le poste de police numéro 1, Dolan reçut sa part de bravos, de félicitations et de tapes sur l'épaule. Dans sa jeune carrière de deux ans, pour la première fois, son nom s'étalait dans tous les journaux du matin. Un gratte-papier l'avait même rebaptisé Émile, un prénom certainement plus séduisant qu'Eugène.

— Pourtant, expliquait-il à Campeau, n'importe quel agent aurait pu faire la même chose. Non seulement cet idiot n'a pas quitté la ville, mais il se tenait dans un trou familier.

— Ne crachez pas sur la petite gloire qui vous échoit. Un jour, ceux qui vous encensent aujourd'hui dans la presse vous insulteront, sans avoir de meilleures raisons. Au bout du compte, nous faisons de notre mieux, et quand nous sommes chanceux, le résultat s'avère positif.

Le chef de la police de Montréal faisait naître des espoirs dans son service. Entré dans la police à dix-sept ans à la fin du siècle précédent, il avait gravi tous les échelons jusqu'au premier. Quand une nomination ne tenait pas qu'au seul patronage, chacun pouvait espérer suivre le même trajet.

— Quand il avait un rasoir à la main, hier, je lui ai dit que la meilleure chose à faire serait de se trancher la gorge. De toute façon, son rendez-vous avec le bourreau est inéluctable, et d'ici là, bien des expériences désagréables l'attendent.

— Pour se condamner lui-même aux flammes éternelles ?

Évidemment, l'Église catholique lui promettait d'effacer l'ardoise de ses fautes après une bonne confession. Un suicidé n'avait jamais l'occasion d'obtenir le pardon pour ce geste fatal.

Campeau eut un petit sourire moqueur, puis il déclara :

— Vous aviez un rendez-vous hier, non ?

Il évoquait madame – ou plutôt mademoiselle – Vallerand.

— Je ne me suis jamais senti aussi mal à l'aise : me rendre chez la maîtresse d'un homme marié.

Tout de suite, Dolan regretta d'afficher ainsi son côté « scrupuleux ». Tout le monde semblait se livrer à des galipettes, sauf lui-même.

— La dame vous a semblé digne d'une aussi longue liaison ?

Il lui fallut un moment avant de réaliser que son chef lui demandait son avis au sujet des charmes d'une courtisane.

— Oh ! Elle demeure une très jolie femme. À vingt ans, les hommes se retournaient certainement sur son passage.

« Et encore aujourd'hui », se dit l'inspecteur. Toutefois, jamais il n'aurait formulé son appréciation à haute voix. Sa pudeur l'en empêchait. Pourtant, impossible de repousser l'idée qu'une femme expérimentée saurait s'occuper avec compétence d'un grand puceau.

— Que pense-t-elle de cette histoire de disparition ?

— Elle reprend les arguments de son fils. De peur de se voir déshérités à son profit, les aînés auraient occis leur paternel.

— Pourquoi pas? On voit des gens se faire tuer pour deux dollars. Parfois moins.

«Ou même pour rien du tout», songea Dolan. Il poursuivit sa pensée:

— Tout laisser à l'enfant illégitime, au détriment des rejetons issus du mariage, me paraît tellement improbable.

— Pourtant, ce genre de chose se rencontre. Je me souviens d'une dame qui a tout légué à son chien.

— Aux États-Unis, peut-être. Pas à Montréal.

Campeau s'amusa de la répartie. Les journaux racontaient des histoires carrément loufoques survenues dans le pays voisin. Dolan continua:

— De toute façon, la colère me paraît une motivation plus crédible que l'appât du gain, pour ces deux-là.

— Que voulez-vous dire?

— Il y a deux ans, McDougall a reconnu sa paternité, et il a emmené son plus jeune vivre sous son toit.

— Jésus-Christ!

Ce type de juron indisposait l'ancien séminariste. Pourtant, il l'utilisait parfois pour échapper à sa réputation de religieux dépassé par le monde réel.

— Vous parliez de rasoir tout à l'heure. Madame aurait tranché le cou de monsieur pendant son sommeil et aucun jury n'aurait trouvé à redire, affirma le vieux policier.

— Un jury féminin, certainement. Mais ça n'existe pas, les jurys féminins, et les hommes infidèles en feraient un exemple, au contraire, de crainte de subir le même sort.

Après réflexion, le chef de police dut en convenir. Si toutes les femmes trompées exécutaient leur mari, la population de Montréal aurait considérablement diminué.

— Tout à coup, leur histoire devient doublement plausible, releva Campeau.

— Je m'imagine mal arriver dans leur grande maison et demander : Où avez-vous mis le corps ?

— Il y a peut-être une façon plus subtile d'aborder le sujet.

Dolan hocha la tête. Impossible de se dérober. Malgré sa réticence, il ne pourrait éviter de se frotter aux riches et aux puissants.

Cette fois-ci, pour se rendre à la Dominion Foundry, l'inspecteur prit le tramway. Sa plaque d'identité de la police suffisait comme droit de passage. Devant la guérite du gardien, il indiqua :

— Je viens voir McDougall. Kenneth, cette fois.

— Ah! Là, je vous replace. Alors vous voulez faire le tour de la famille ? Vous aimez le beau monde ? Allez-y, vous connaissez le chemin.

Le ton railleur ajouta au malaise du policier. La richesse continuait de l'impressionner, comme si elle faisait de ses détenteurs des humains d'exception. Une nouvelle fois, il traversa l'usine. Les ouvriers le suivirent des yeux jusqu'à l'escalier conduisant aux bureaux. La secrétaire le reconnut aussi.

— Il n'est pas encore arrivé, déclara-t-elle en le voyant devant son bureau.

Pourtant, il était plus de dix heures. Le benjamin ne se pressait pas pour gagner son poste de travail à peu près vide.

— La ponctualité n'est pas son fort, n'est-ce pas ?

April s'interdit de formuler le moindre commentaire. Dolan lui adressa un demi-sourire, puis précisa :

— Cette fois, je veux voir Kenneth.

— Je ne sais pas s'il a le temps… Depuis l'absence du grand patron, il doit tout faire seul.

Elle faisait bien sûr allusion à Archibald. L'inspecteur joua au naïf.

— Ah! Monsieur McDougall père est malade?

— Non, en voyage plutôt.

— Un voyage d'affaires ou un voyage d'agrément?

La jeune femme haussa les épaules pour signifier son ignorance. Dolan lui mit sa plaque de policier sous le nez, puis expliqua:

— Une petite enquête de routine. Je m'appelle Dolan, je veux voir Kenneth McDougall.

Cette fois, l'employée leva vers lui un visage grave, soucieux même. Elle saisit le téléphone pour joindre le bureau de son patron, puis annonça:

— Monsieur, il y a un policier ici… un certain Dolan. Il souhaite vous parler.

L'instant suivant, elle se levait.

— Je vais vous conduire.

De nouveau, l'inspecteur détailla la fine silhouette. Après avoir parcouru dix verges, elle frappa à une porte et ouvrit sans attendre.

— Monsieur, voici monsieur Dolan.

Kenneth McDougall s'approcha, la main tendue, le sourire aux lèvres. «Quel mauvais comédien», songea le policier. Évidemment, devant la secrétaire, mieux valait présenter la meilleure figure. S'il montrait de l'inquiétude, tout le personnel se demanderait quel crime il avait commis.

— Monsieur Dolan? L'inspecteur Dolan dont tous les journaux parlent ce matin?

Au début de la trentaine, l'industriel paraissait avoir dix ans de plus. Sa taille s'épaississait, la ligne de ses cheveux reculait déjà.

— Demain, tout le monde aura oublié.

Peut-être pas le lendemain, mais dès le prochain fait divers un peu croustillant, Lacaille et celui qui l'avait capturé sombreraient dans l'oubli jusqu'à son procès.

— Je vous remercie, mademoiselle.

La secrétaire comprit qu'on la renvoyait et sortit en fermant la porte derrière elle. Le gérant de l'usine désigna la chaise devant son bureau, puis reprit son siège. Son visage ne portait plus la moindre trace de sourire.

— Vous avez rencontré Andrew il y a deux jours, et moi maintenant. Que se passe-t-il ? Des ouvriers se livrent au commerce de l'alcool frelaté, ou encore à la traite des blanches ?

Il ne se passait jamais une semaine sans que ne circule la rumeur de l'enlèvement d'une innocente jeune femme blanche, livrée comme prostituée à des Asiatiques pervers.

— Votre frère a signalé la disparition de votre père.

— Mon demi-frère.

La précision surgit d'un ton tranchant. L'inspecteur resta silencieux, dans l'attente d'une réponse. Enfin, Kenneth commenta :

— Il ne s'agit pas d'un jeune garçon en fuite de la maison. Mon père n'a pas à rendre des comptes à ce…

Quel mot taisait-il ? Le plus probable était « bâtard ».

— Mais à vous, certainement.

— Que voulez-vous dire ?

— Vous assumez la direction de l'entreprise. Impossible de disparaître et de tout vous laisser sur les bras sans même vous en avertir. Cela demande un minimum de concertation, non ?

Cette fois, McDougall se troubla. Sa voix manquait terriblement de conviction quand il prétendit :

— Ce n'est pas la première fois. Je peux mener l'affaire aussi bien que lui.

— Toutefois, je doute que vous puissiez vous aventurer à signer de nouveaux contrats en son absence, ou à engager des dépenses importantes au nom de la fonderie.

Cette affirmation pouvait facilement se vérifier auprès d'un avocat. En l'occurrence, le silence de son interlocuteur valait un consentement. Dolan poussa son argument un peu plus loin :

— Avec ses responsabilités vis-à-vis de l'entreprise, jamais votre père ne serait parti sans laisser ses coordonnées. Dites-moi où je peux le joindre, et nous pourrons régler cette histoire en un instant. Le temps d'un coup de fil, au pire d'un échange de télégrammes.

— La police n'a pas le droit d'embêter quelqu'un simplement parce qu'il prend des vacances.

Cette fois, Dolan ne sut que répondre. Deux frères, une sœur et une épouse pouvaient signaler cette disparition, mais l'initiative venait du fils illégitime.

— Il est de mon devoir de donner suite au signalement de votre frère.

Kenneth fronça les sourcils, mais se retint de protester.

— Vous ne semblez pas vouloir régler la question de la façon la plus simple. J'en conclus que vous ne savez pas où le joindre. S'il tarde à réapparaître, vous me reverrez.

Debout, Dolan tendit la main. Ne pas répondre à ce geste serait de la dernière impolitesse, Kenneth y consentit mais n'y mit aucune bonne grâce.

Rue Cedar, la maison des McDougall occupait le centre d'un immense parc. Un jardinier entretenait avec soin les pelouses et les plates-bandes, avec quelques aides dans les périodes de grands travaux. La demeure, toute en pierre grise, comptait une vingtaine de chambres réparties sur trois étages. La moitié d'entre elles, placées sous les combles, abritaient une importante domesticité. Vingt personnes, au total, travaillaient au service de six adultes.

Kenneth parcourut toute la longueur de l'allée menant à l'entrée principale d'un pas décidé. Un maître d'hôtel accourut en entendant la porte s'ouvrir et se refermer. Il aida son employeur à se débarrasser de son manteau, prit ensuite son chapeau. Devant le visage renfrogné, le domestique s'abstint de demander, comme à son habitude : « Monsieur a passé une bonne journée ? »

Alors qu'il s'apprêtait à monter l'escalier, Kenneth s'arrêta.

— Monsieur Vallerand est rentré ? s'enquit-il.

Aucun des enfants légitimes ne désignait Andrew autrement.

— Non, monsieur.

Un samedi soir, on pouvait espérer ne pas le voir. Peut-être même son absence se prolongerait-elle jusqu'au lundi. L'aîné monta à l'étage, ouvrit la porte d'une suite de pièces. La première était un petit boudoir. Une femme se leva pour venir vers lui, tendit la joue pour recevoir une bise. L'homme ne fit que l'effleurer.

— Un policier est venu me voir aujourd'hui. Andy lui a signalé la disparition de papa.

— Seigneur ! On n'en aura jamais terminé avec lui.

Manifestement, la haine à l'égard de l'importun s'étendait aux épouses des garçons de la maison. Pamela plissa le front.

— Ils n'ont pas le droit de se mêler ainsi de nos affaires, n'est-ce pas ?

— Je ne sais pas trop. Je verrai auprès de nos avocats lundi matin.

— Tout de même, beau-papa aurait dû nous dire où il allait.

Kenneth serra les dents, puis il alla s'enfermer dans la salle de bain.

À l'heure du souper, tout le clan McDougall se réunissait dans la grande salle à manger. Depuis qu'Archibald était absent, Kenneth prenait la place du patriarche, au bout de la table. Sa femme, Pamela, n'osait pas s'asseoir à l'autre extrémité. Pour cela, il lui aurait fallu déloger Octavia, sa belle-mère. Elle s'était donc placée juste à sa droite. Le frère cadet, Stanley, était rentré depuis quelques minutes seulement. Son épouse, Joyce, se trouvait là également. Le dernier enfant de la famille, né cinq ans après Stanley, était une fille : Éléonore, ou Aliénor – une forme fréquemment utilisée du prénom –, ou encore Nora dans l'intimité.

Quand son aîné eut terminé le récit de la visite du policier à son bureau, elle dit, des larmes sur les joues :

— Mais il ne peut pas être parti comme ça, sans avertir personne !

— Ce ne serait pas la première fois, cracha Octavia d'une voix revêche. En réalité, il nous a quittés il y a plus de vingt ans en allant faire un enfant à cette garce !

Cette presbytérienne stricte n'émaillait son discours de mots sales que lorsqu'il s'agissait de son mari. Dans toute autre circonstance, son langage demeurait châtié.

Sa fille n'en démordit pas.

— Ce n'est pas normal, disparaître comme ça.

— Nora, je sais bien que c'est étrange, intervint l'aîné, mais on ne l'a transporté dans aucun hôpital. Où veux-tu qu'il soit ?

La jeune femme songea : « On peut l'avoir tué pour ensuite jeter son corps dans le fleuve. Ou alors il peut avoir perdu la mémoire. Des hommes connaissent des attaques, parfois. » Plus audacieuse, elle aurait effectué seule le tour de tous les hôpitaux de la ville, jusqu'à l'asile d'aliénés situé à Longue-Pointe.

— Je prie tous les jours pour que ce bâtard disparaisse, gronda Octavia. À la place, c'est Archibald !

En toute sincérité, la femme trompée aurait préféré que tous deux aient connu le même sort.

Chapitre 6

Les inspecteurs partageaient une grande salle au poste de police numéro 1. Ils finissaient par y passer un jour sur deux ; leur tâche exigeait de noircir beaucoup de paperasse. Le lundi 20 novembre, Campeau se campa dans l'entrée :

— Dolan, vous avez une minute ?

La formulation était plus délicate qu'un impératif « venez ici », mais cela voulait dire la même chose, dans la bouche d'un patron. Quand ils furent seuls dans son bureau, le chef s'installa dans son fauteuil et souligna, un brin moqueur :

— Comme ça, vous allez harceler les bourgeois sur leur lieu de travail !

— Mais c'est vous qui m'avez dit...

Le policier s'interrompit quand il vit l'amusement dans les yeux de son supérieur, puis il reprit :

— J'ai vu le fils aîné, Kenneth, samedi. Je ne l'ai pas trouvé fou d'inquiétude pour son paternel.

— Ce qui ne veut pas dire qu'il ne s'inquiète pas pour autre chose. Depuis samedi matin, il a eu le temps de s'adresser à un avocat qui a communiqué avec le maire, lequel m'a téléphoné à la première heure ce matin.

— Cette histoire de harcèlement...

Tout de même, Dolan tenait à son travail. Non seulement les emplois étaient rares, mais il en était venu à y prendre un certain plaisir. Cela devait découler d'un curieux atavisme.

Depuis son enfance, il avait rêvé de fouiller les âmes pour en extirper le péché. Plus modestement, aujourd'hui, il traquait les criminels dans les rues de la ville.

— Vous auriez forcé la porte de l'héritier de la fortune des McDougall pour proférer des soupçons complètement fous...

Le souvenir de l'accorte secrétaire tira l'ombre d'un sourire à Dolan. La porte du directeur ne s'était ouverte qu'au moment où il avait mis un peu de pression.

— ... comme l'idée que les fils auraient fait disparaître leur père.

— Je n'ai rien dit de tel, alors qu'il en parle le premier est intéressant.

— Cela rend vraisemblable l'histoire du plus jeune. On dirait un enfant qui dit «non, ce n'est pas moi qui ai cassé le vase», avant même que quiconque ait parlé du vase.

Campeau oubliait tout de même que l'enfant pouvait avoir vu le vase brisé, sans pour autant être celui qui l'avait fait tomber. De même, Kenneth pouvait constater l'absence de son père sans nécessairement en être responsable.

— Donc, je dois laisser tomber cette histoire.

— Qui a dit ça?

— Le maire.

Aux yeux de Dolan, une intervention du premier magistrat de la ville équivalait à un interdit. Le chef de police se fit plus nuancé:

— Il s'est fait élire en accusant son adversaire d'être au service des capitalistes. Maintenant, il doit prouver qu'il croit réellement à l'égalité entre les citoyens en nous laissant enquêter sur les riches et les puissants. J'ai eu droit à une simple invitation à la prudence.

— Que puis-je faire de plus? Ces gars-là ont bien le droit de ne pas s'alarmer de l'absence de leur père. Je ne pense pas que le deuxième fils, ou l'épouse trompée, aient envie de me parler. Et si je force leur porte, leur accusation de harcèlement sera prise au sérieux.

Les yeux de Campeau se portèrent sur un dossier posé sur la table. L'entrevue prendrait fin dans un instant. L'inspecteur fit mine de se lever.

— Attendez un peu. De toute façon, vous me disiez que le jeune Andy entendait s'adresser aux journalistes. Quand il le fera, les événements s'accéléreront.

Éléonore McDougall tuait le temps. Malgré toute son expérience en ce domaine, elle n'était pas encore très compétente. D'abord, même si la lecture la passionnait, ses yeux se fatiguaient trop vite. Faire la conversation exigeait la présence d'un interlocuteur. Ses frères travaillaient toute la journée, et le soir, ils regagnaient très vite les pièces de la maison qui leur étaient réservées, à eux et à leurs femmes.

Ces dernières, de quelques années plus âgées, auraient pu être des compagnes idéales pour le papotage ou pour des journées de magasinage. Or, dans la grande demeure aux allures de manoir anglais, ces étrangères faisaient front commun sans s'encombrer de leur belle-sœur. Il était difficile de le leur reprocher : leur belle-mère rendait l'endroit austère et les éclats de rire, et même les sourires un peu prononcés, leur valaient des sourcils froncés.

Bref, elles éprouvaient peu de sympathie envers la vieille fille de la maison. Impossible d'avoir de vraies conversations avec elles, puisque leurs seuls sujets d'intérêt étaient les attentions à prodiguer à leurs époux « pour qu'ils ne fassent pas comme leur père », et leurs soucis au sujet des enfants qui tardaient à venir. Éléonore devait tout de

même convenir que les deux femmes se montraient avenantes. Cependant, elles empruntaient volontiers un ton
condescendant, et même chargé de pitié, envers la pauvre
laissée-pour-compte.

Éléonore passait donc beaucoup de temps à marcher
dans l'immense parc entourant la maison, magnifique avec
ses arbres vieux de plus d'un siècle. Son grand-père avait
acheté ce domaine alors que le terrain sur la montagne
ne valait pas grand-chose, afin de s'y livrer à la chasse.
Personne ne pouvait y couper quoi que ce soit. Au moment
de construire la demeure, on s'était efforcé de conserver
le plus grand nombre possible d'arbres. À cent pieds du
chemin public et à la même distance de la maison, on se
serait cru en forêt.

Quelques pouces de neige rehaussaient la magnificence
de l'endroit, sans pour autant nuire à la marche. Une fois le
soleil disparu, l'obscurité ajoutait une touche de magie. Un
bruit léger lui parvint, comme celui d'un cheval au galop.
Puis un énorme chien apparut et vint lui frôler les jambes.

— Apollon, tu vas me faire tomber, protesta-t-elle en riant.

L'animal continua son chemin sans s'arrêter, comme s'il
devait quadriller l'espace pour s'assurer qu'aucun intrus ne
se trouvait sur le terrain. Elle entendit ensuite des aboiements, puis une voix humaine. La jeune femme adopta le
pas de course pour regagner l'allée de plus de cent pieds
reliant la maison au chemin. Andrew avait posé un genou
par terre afin de caresser le chien derrière les oreilles.

— Mon père compte sur ses gros bouviers bernois pour
garder la maison, et toi, tu en as tout de suite fait des amis.

— C'est que je n'ai pas de mauvaises intentions, et ils le
savent.

— La transmission de pensée entre l'homme et la bête,
ironisa-t-elle.

— Plutôt, mon odeur ne lui donne aucune indication de peur ni d'agressivité.

Le garçon se releva, puis remarqua, gouailleur :

— Tu es en beauté, aujourd'hui.

Elle portait un manteau de vison visiblement hors de prix et, sur la tête, une tuque rappelant celle des clubs de raquetteurs. L'ensemble jurait un peu.

— C'est le chapeau de ma femme de chambre, expliqua-t-elle devant son regard narquois. Tous mes chapeaux me laissent les oreilles au froid.

Pour la mettre, il lui avait fallu détacher ses cheveux, habituellement ramassés sur sa tête. Ondulés et châtains, ils lui tombaient jusqu'aux reins.

— Je me demande pourquoi les hommes ne se bousculent pas pour t'inviter à sortir.

— Ne te moque pas. C'est cruel.

— Je ne me moque pas du tout. Tu es ravissante.

Éléonore secoua la tête, sceptique.

— En tout cas, si je n'étais pas ton frère, je ferais partie de tes admirateurs.

— Alors, je dois être très ennuyeuse, puisque les hommes me fuient.

Du scepticisme, elle passait maintenant à la tristesse, effrayée par sa propension à passer à côté de la vie.

— Je commence à avoir froid, je vais rentrer maintenant. De toute façon, je vais devoir me recoiffer pour le souper.

La mode exigeait des constructions compliquées, sur lesquelles les chapeaux paraissaient tenir en équilibre instable. Une femme ne gardait ses cheveux détachés que lors de rencontres très informelles, ou dans l'intimité.

Quand elle prit le chemin de la maison, Andrew lui emboîta le pas, et le chien les suivit. Afin de chasser sa morosité, elle s'enquit :

— Es-tu venu à pied de la ville ?

— C'est bien trop loin, j'ai utilisé un cocher depuis la gare Bonaventure. Tes frères avaient besoin de la voiture, semble-t-il. Je suppose qu'ils ne tenaient pas à me voir assis près d'eux dans un espace restreint.

— J'aimerais que vous vous entendiez mieux...

Le garçon secoua la tête, amusé par la remarque. Il fallait une bonne part de naïveté pour croire que cela soit possible. Sa présence bousculait toutes les certitudes sur lesquelles Kenneth et Stanley avaient construit leur vie. Il passa son bras autour des épaules de sa demi-sœur pour la rapprocher de lui.

— Ce soir, le pria-t-elle, me permets-tu d'aller te parler un peu, dans ta chambre ?

Malgré leur lien de parenté, sa présence dans cette pièce la gênait. Après tout, deux ans plus tôt, elle ne le connaissait pas du tout. Ce n'était pas comme ses aînés, qui étaient déjà là au moment de sa naissance.

— Oui, si tu veux.

— Tu comprends, sous le regard des autres, je ne me sens pas très à l'aise.

— Je comprends.

En arrivant devant la porte d'entrée, ils reprirent leurs distances, mettant quelques pieds entre eux.

Si Andrew ne s'était pas présenté à la maison samedi et dimanche, le lundi soir, il occupait sa place habituelle. Les yeux de ses deux frères, de leur mère et de leurs conjointes exprimaient la plus grande colère. Comme pour les narguer, le jeune homme aborda un sujet de conversation quelconque et termina son commentaire sur ces mots :

— Je me demande ce que papa en penserait.

Sa présence pesait surtout à Octavia. Le garçon lui rappe-lait la trahison survenue plus de vingt ans plus tôt, et réitérée toutes les semaines depuis. Un soir sur deux, Archibald ne rentrait pas directement à la maison, et chaque fois, elle l'imaginait avec cette femme. Dans une situation semblable, la loi ne lui donnait aucun recours. Si un homme pouvait obtenir le divorce à cause de l'infidélité de son épouse, cette dernière ne jouissait du même privilège que lorsque son mari emmenait sa maîtresse vivre sous le toit conjugal. Les légis-lateurs n'avaient rien prévu quant à la présence de bâtards.

La tension à la table familiale nuisait à la digestion d'Éléo-nore. À onze heures, elle cherchait encore le sommeil. N'y tenant plus, elle quitta son lit pour attraper le peignoir posé sur une chaise et sortit de la chambre. Heureusement, le tapis posé dans le couloir la protégeait du froid du parquet.

Elle aperçut de la lumière sous la porte de la chambre d'Andrew. Elle frappa quelques coups qui lui parurent sus-ceptibles d'éveiller toute la maisonnée. Après un moment, Andrew vint ouvrir, lui aussi vêtu d'un peignoir. Tout de suite, son visage exprima sa satisfaction. Il l'invita à entrer, puis referma.

— Prends ma chaise.

Il la déplaça à côté du lit, sur lequel il s'étendit à demi.

— Voilà longtemps que nous n'avons pas eu de conver-sation privée.

De toute la maisonnée, elle était la seule à s'efforcer de maintenir une relation normale avec lui. Après tout, quelles que soient les fautes de ses parents, le pauvre garçon n'était responsable de rien. Jamais il n'avait demandé à venir au monde, et surtout pas dans ces circonstances.

— Un peu plus de deux semaines, dit-elle en esquissant un sourire triste.

Depuis la disparition de son père. Dès le premier jour, Andrew s'était ouvertement inquiété de son sort. Cela avait eu pour effet de dégrader ses relations déjà difficiles avec les autres. Ils lui en voulaient de formuler à voix haute les craintes partagées par chacun.

— Où penses-tu qu'il se trouve?

Andrew secoua la tête de droite à gauche pour exprimer son ignorance.

— Je ne sais pas. Quand je l'ai vu ce jour-là, il ne m'a pas entretenu de ses projets personnels.

— Kenneth a sans doute raison. Papa avait l'air fatigué, il est allé se reposer quelque part, sans doute dans le sud des États-Unis. Le froid de novembre est mauvais pour ses articulations.

De nouveau, son interlocuteur secoua la tête.

— Sans rien dire à personne? Ni à ses fils, ni à sa femme, ni à ma mère?

Maintenant, des larmes coulaient sur les joues d'Éléonore. Ses frères tenaient à garder un visage stoïque, malgré une inquiétude réelle. Personne n'exigeait la même attitude de la part d'une femme.

— Il n'est pas chez sa… maîtresse?

Le mot lui écorchait les lèvres.

— Chez maman? Ça, je peux t'assurer que non.

Son désarroi toucha Andrew au point qu'il se pencha vers elle pour poser la main sur son genou et exercer une légère pression. Elle essuya ses joues du revers de la main, renifla un bon coup.

— C'est ton inquiétude qui t'a poussé à aller au poste de police?

— Après dix jours, puisque eux ne le faisaient pas. Comme s'ils tiraient profit de son absence...

Le soupçon implicite piqua la jeune femme au vif.

— Comment peux-tu dire une monstruosité pareille ?

— Dans ce cas, pourquoi m'en veulent-ils d'avoir demandé l'aide de la police ?

La situation crevait le cœur d'Éléonore. Au moment où le malheur frappait, au lieu de s'entraider, ils étaient à couteaux tirés. Elle se leva pour marcher, la tête basse, jusqu'à la porte. Sans répondre au «bonne nuit» de son demi-frère, elle regagna sa chambre.

Le jeudi suivant, en fin d'après-midi, Andrew McDougall traversa le poste de police sur toute sa longueur sans même prêter attention au planton qui se précipitait à sa suite en criant: «Monsieur! Monsieur!» Il poussa la porte du bureau du chef Campeau, le faisant sursauter.

— Je dois vous parler !

— J'ai essayé de l'arrêter, plaida le sergent qui arrivait derrière lui, mais y a rien voulu savoir.

— Vous n'avez rien fait à propos de mon père !

Le jeune homme paraissait énervé, peut-être même pas tout à fait sobre.

— Dites à Dolan de venir, ordonna le chef au sergent.

Andrew restait debout au milieu de la pièce. Campeau se cala dans son siège, puis désigna la chaise devant son bureau. Quand l'inspecteur arriva, le chef vissait sa plume, bien certain de ne pouvoir reprendre la rédaction de son rapport avant un bon moment.

— Installez-vous, monsieur McDougall semble vouloir nous parler.

Puis il engagea celui-ci :

— Nous vous écoutons.

Andrew les regarda, un peu surpris de ne pas s'être fait tout bonnement jeter dehors après une pareille entrée.

— Dans deux jours, ça fera trois semaines qu'il a disparu, et vous ne faites toujours rien.

— Monsieur Dolan a rencontré votre aîné, qui considère cette absence normale. Quelque chose comme des vacances décidées à la dernière minute.

— Personne ne part ainsi sans rien dire à quiconque.

Dolan observait le visiteur pendant que son patron menait la conversation. Le jeune homme semblait vraiment inquiet, désemparé même. Évidemment, sans son père pour imposer sa présence, sa position au sein du clan devait être intenable.

— Vous seriez étonné du nombre d'hommes respectables qui commettent pourtant cette indélicatesse. Dans cette famille, vous êtes le seul à vous en alarmer.

— Évidemment, si les autres sont responsables.

— De peur d'être déshérités, c'est ça?

Le ton de Campeau exprimait bien combien cette idée lui paraissait farfelue. Il continua:

— Mais nous n'avons pas de corps.

— Ils l'ont fait disparaître.

— Si votre hypothèse est la bonne, ce serait vraiment la décision la plus stupide qui soit. Considérez-vous que vos frères, ou leur mère, sont stupides?

Andrew demeura interdit, puis après un moment il murmura:

— En escamotant le corps, ils pensaient échapper à une enquête policière.

« Et ils avaient bien raison, sous-entendait le fils naturel, puisque vous ne faites rien. » Dolan se demandait où son patron voulait en venir. Ce dernier ne le laissa pas languir.

— Je suppose que vos aînés possèdent quelques notions de droit. Si c'est le cas, ils devraient savoir que pour hériter d'une personne assassinée, le corps de la victime est essentiel. Car selon la loi, quand une personne disparaît, elle est réputée vivante pendant sept ans. Dans le cas présent, l'attente durerait jusqu'en 1912.

Le garçon garda la bouche ouverte un moment, comme si on lui avait asséné un coup dans la poitrine. « Voilà bien pourquoi c'est lui le patron, et moi l'employé », raisonna l'inspecteur. Des avocats occupaient des bureaux dans l'édifice, le palais de justice était juste à côté, pourtant il n'avait même pas songé à s'informer de cela. Bien sûr, Lacaille était au centre de ses préoccupations la semaine précédente. Son manque de rigueur l'affligeait néanmoins.

— Je ne sais pas où est votre père, conclut Campeau. Peut-être avez-vous raison de vous inquiéter pour sa sécurité. Vous pourriez mettre des encarts dans tous les journaux d'Amérique pour le prier d'entrer en contact avec vous.

Une telle démarche était parfois utilisée pour chercher quelqu'un. Dolan se souvenait d'un homme âgé tentant de retrouver ainsi un amour de jeunesse. L'initiative ne donnerait sans doute rien, mais la tenter ne ferait de mal à personne.

— Mais si quelqu'un tue un père ou un oncle pour son héritage, insista Campeau, il doit pouvoir produire un cadavre.

Andrew parut comprendre le message. Il quitta sa chaise et sortit avec un mouvement de la tête qui pouvait passer pour un salut. Quand il fut parti, Dolan laissa échapper un petit juron. Cela lui ressemblait si peu que son chef s'étonna :

— Que se passe-t-il ?

— Les sept ans… Je n'ai même pas pensé à vérifier.

— La prochaine fois, vous le saurez.

— En tout cas, je crois que je devrais réviser mes notions de droit, pour voir combien de renseignements élémentaires j'ignore encore.

Depuis son embauche, il avait croisé des criminels comme Lacaille en grand nombre, mais les millionnaires disparus se révélaient rarissimes. Heureusement, tous les délinquants ne massacraient pas leur famille, mais les mouvements de colère, les délires éthyliques ou la jalousie expliquaient la grande majorité des crimes, et les coupables ne se trouvaient jamais bien loin.

Dolan se ressaisit pour demander :

— Alors, je dois oublier les McDougall pour m'intéresser aux rouleaux de tissu volés dans l'entrepôt d'un importateur ?

— D'accord pour vous confier cette affaire passionnante, mais ne rangez pas cette famille trop loin dans les recoins de votre cerveau. Je serais surpris que nous n'en entendions plus parler.

Devant l'air étonné de son subalterne, Campeau esquissa un sourire amusé.

— Moi aussi, je m'inquiète pour ce bonhomme. Il arrive parfois que des époux et bons pères de famille s'évanouissent ainsi, le plus souvent avec une jeune femme accrochée à leur bras. Et dans ce cas, ils ont d'abord pris soin de se munir d'un magot. Comme le fonctionnement de l'entreprise McDougall risque d'être entravé par son absence, je m'attends à voir les autres fils, et même la mère, nous demander de le chercher.

De nouveau, l'inspecteur mesura combien son expérience était limitée. Bien sûr, ces bourgeois ne devaient pas amasser des fortunes pour ensuite tout risquer en prenant des vacances imprévues, et les héritiers ne détournaient pas non plus les yeux du pactole.

L'ère des journaux essentiellement politiques était terminée. En ce début de siècle, les meilleurs tirages s'obtenaient grâce à des faits divers soigneusement parés de merveilleux ou d'horrible. Avec son roi de l'industrie et ses princes héritiers, l'histoire d'Andrew McDougall fournissait l'amorce d'un merveilleux récit.

— Un millionnaire disparu, et la police ne fait rien!

Le petit crieur tenait un exemplaire du *True Witness* dans sa main droite, et toute une pile sous le bras gauche. Avec une pareille entrée en matière, les badauds lui tendaient les quelques cents demandés pour acheter un exemplaire. Dolan fit de même, puis s'arrêta au pied de la colonne Nelson afin de lire l'article.

Tout y était : la disparition du pauvre Archibald le samedi 4 novembre, après sa journée à l'usine, l'angoisse de la famille éplorée et, quelques jours plus tard, la visite au poste de police. Puis venait l'expression de la plus affreuse déception : après une seule entrevue, l'inspecteur avait abandonné l'enquête.

« Tant qu'à y être, ils auraient pu donner mon nom ! » Ce serait sans doute le cas dans quelques jours. Sa petite gloire après l'arrestation de Lacaille était bien finie. Si jamais un journaliste voulait connaître son point de vue, il ne se gênerait pas pour souligner que la famille avait eu recours à un avocat pour convaincre le service de police de cesser ses efforts.

Peu après, l'inspecteur grimpait l'escalier de l'hôtel de ville pour se rendre directement au bureau du chef Campeau. Aucun son ne parvenait de l'intérieur de la pièce, aussi il frappa pour entrer tout de suite et tendre le *True Witness* à son supérieur.

— Ah! Vous l'avez vu aussi. Passez-le-moi.

Il parcourut rapidement l'article. Quand il replia le journal, ce fut pour commenter :

— Il y a moins de dix minutes, quelqu'un du cabinet du maire m'a téléphoné pour savoir où en était l'enquête.

— Mais ce sont eux…

— Voilà le charme de travailler pour des politiciens. Au début, le maire craignait de perdre cinquante votes si nous dérangions les puissants de ce monde. Aujourd'hui, il s'inquiète d'en perdre le double à cause de notre passivité.

Campeau avait dit cela avec un sourire en coin. Il continua :

— Là, nous avons l'air indifférents au sort d'un bon père de famille, sans doute kidnappé par des anarchistes.

En Europe et même aux États-Unis, ces derniers multipliaient les attentats pour faire avancer une cause d'autant plus terrifiante qu'on ne savait rien de ses objectifs. Dans le pays voisin, le président William McKinley avait été assassiné à Buffalo quatre ans plus tôt, et l'auteur du crime avait été exécuté moins de deux mois plus tard.

— Vous croyez que…

— Non, bien sûr. C'était de l'humour. Dieu protège notre beau pays de toutes les catastrophes de ce genre.

Au cours des deux dernières années, jamais Dolan n'avait ri franchement. Son air maussade devant toutes les blagues – le plus souvent sans intérêt, évidemment – décourageait ses collègues de l'inclure dans leurs activités de loisir.

— Alors, que fait-on ?

— Plus le temps passera, plus le clan McDougall souhaitera nous voir intervenir de nouveau. Attendons qu'il nous y invite.

— Andrew est certainement à l'origine de cet article. Il s'agit d'une invitation, non ?

— Je parlais de la famille légitime.

Une telle éventualité lui semblait bien peu plausible. Lors de sa visite à la fonderie pour interroger Kenneth, celui-ci avait clairement montré sa réticence à voir un étranger se mêler de leurs affaires.

Le samedi, tous les policiers feignaient que leurs enquêtes progressaient assez bien pour leur permettre de terminer un peu plus tôt. Dans le cas de Dolan, il s'agissait de la vérité. Un peu avant cinq heures, il marchait dans la rue Belmont en direction de la maison de chambres de madame Sullivan.

Dans l'entrée, il se débarrassa de ses bottes et de son manteau. Deux chambreurs étaient déjà au salon, des journaux grands ouverts devant eux.

— Bonsoir messieurs! lança-t-il depuis l'entrée.

— Ah! Dolan! s'exclama Collins. Tu n'as arrêté aucun dangereux meurtrier, cette semaine?

L'employé de la maison d'importation se montrait un peu trop ironique. Certain de faire bientôt fortune, il regardait ses colocataires de haut.

— On compte une trentaine de meurtres par année dans la ville, c'est peu pour occuper les cinquante détectives du service de police. Heureusement, les voleurs viennent meubler notre temps.

L'autre se montra plus persifleur encore en demandant:

— Je souhaite obtenir ton avis professionnel. Seuls les voleurs idiots se laissent capturer, n'est-ce pas?

Le deuxième occupant de la pièce, un jeune avocat qui passait ses journées à préparer des plaidoiries que d'autres prononceraient, plia son journal pour prêter attention à l'échange.

— Ceux que l'on attrape sont certainement les moins prudents, confirma l'enquêteur, alors tu as peut-être raison.

Collins eut un petit rire, comme pour signifier : « Si je me trouvais dans une telle situation, tu ne m'attraperais jamais. »

— Tu t'assois un moment avec nous ? proposa O'Neil, le jeune plaideur.

— Non, je vais lire un peu avant le repas.

— Ce soir, te joindras-tu à nous pour prendre un verre ?

Peut-être espérait-il obtenir un emploi au service de la Ville. En tout cas, ses invitations venaient avec une certaine régularité.

— Peut-être, je ne sais pas. À tout à l'heure.

Dolan quitta la pièce pour se diriger vers l'escalier. Quand il fut assez loin, Collins remarqua, gouailleur :

— Tu as du mérite de le convier comme ça.

— Tu ne le trouves pas sympathique ?

— Bof ! Un ancien curé chassé du séminaire. Il promène partout son regard inquisiteur.

O'Neil haussa les épaules.

— Tout le monde a rêvé de se faire curé, un jour ou l'autre. Lui a eu le réflexe de partir avant qu'il ne soit trop tard.

Dans la très catholique province de Québec, peu de familles canadiennes-françaises ou irlandaises échappaient tout à fait aux efforts de recrutement du clergé.

Chapitre 7

Dans sa chambre, Dolan commença par enlever son veston pour le poser avec soin sur le dossier de la chaise, puis desserra sa cravate. Ensuite, il chercha un livre de droit sur sa petite table de travail et s'allongea sur le lit. Toutefois, le courage lui manqua pour ouvrir l'ouvrage. Comme d'habitude, une lecture sérieuse – pas un roman ni une revue, mais un traité utile à son travail – comblerait son samedi soir et toute la journée du lendemain, son seul congé de la semaine.

Autour de six heures, il quitta la pièce pour gagner la salle à manger. Sur le palier, il croisa Juliette Mailloux qui revenait tout juste du travail. La fatigue cerclait ses yeux de noir. Dans quelques minutes, à table, elle tenterait d'accrocher un sourire sur son visage afin de donner le change. Après un échange de politesses, l'inspecteur proposa timidement :

— Accepteriez-vous de venir marcher un peu avec moi, en soirée ?

La secrétaire hésita brièvement avant de répondre :

— Ce sera avec plaisir, Eugène.

— Alors, à tout à l'heure.

Elle le rejoignit bientôt à table avec les autres, cette fois nettement plus souriante que dix minutes auparavant.

Pendant tout le repas, ils échangèrent des bribes de conversation. Dolan se montrait extrêmement réservé, mal à l'aise sous le regard des autres locataires. Les demoiselles Demers, en particulier, murmuraient à l'oreille l'une de l'autre avec un air satisfait, comme des marieuses connaissant enfin le succès. En outre, l'inspecteur était particulièrement sensible à l'opinion de ses trois voisins de sexe masculin. Aucun d'entre eux ne devait offrir son bras à une femme de cinq ans son aînée.

À la fin du repas, au moment de quitter la pièce, Juliette se tint à ses côtés, anxieuse de le voir changer d'idée.

— Nous y allons tout de suite ? interrogea-t-elle.

— Pourquoi pas ? Votre manteau se trouve ici ?

Il désignait la petite pièce près de l'entrée où chacun rangeait ses vêtements. Devant son signe d'assentiment, il la guida dans cette direction, prit son pardessus pour l'aider à le passer. Quand elle s'installa sur le petit banc afin d'enfiler ses couvre-chaussures, Dolan proposa galamment :

— Je vais vous aider.

Il posa un genou par terre pour les lui présenter. Elle chaussa un pied, puis l'autre. Dans l'opération, il eut un regard pour les bottines lacées, serrées sur sa cheville, et l'amorce d'un bas. Peu après, boutonnés jusqu'au cou, ils sortaient.

« Là, je dois lui offrir mon bras. »

À part une ou deux cousines, une douzaine d'années plus tôt, jamais il ne s'était aventuré à inviter une jeune fille à se promener avec lui. À son âge, quelqu'un se doutait-il de sa situation ? Tout le monde, sans doute. Personne ne pouvait ignorer sa gaucherie, son côté pusillanime. La prostituée, dans l'impasse, avait deviné sans mal.

— Prenez mon bras. À ce temps-ci de l'année, le trottoir peut être glissant.

L'éclairage de la rue Belmont ne permettait pas de distinguer le rouge sur leurs joues. Dolan sentit les doigts sur le pli de son coude, il réprima son reflexe de poser sa main dessus.

— Quand je pense que c'est déjà déjà la fin novembre. Hier encore, il me semble que le soleil nous tapait sur la tête.

La météo occupait toujours une bonne partie des conversations entre personnes se connaissant peu. Après une longue pause, Juliette interrogea :

— Savez-vous quel jour nous sommes ?

— Nous sommes samedi...

— Le 25 novembre.

La présence de tire sur la table s'expliquait maintenant. Lui n'y avait pas pensé. Tout à fait inutilement, elle précisa :

— La fête des vieilles filles.

Qu'attendait-elle ? Qu'il dise : « L'an prochain, vous serez mariée ? » Elle ouvrit de nouveau la bouche quand ils passèrent devant la cathédrale Saint-Jacques[1] :

— Votre semaine a été plus facile que la précédente, j'espère.

Elle ne pouvait s'empêcher de faire référence à l'arrestation de Lacaille. Les journalistes avaient déniché des proches ou même de lointains parents du couple pour les interroger sur tous les événements de leur vie. L'intérêt chuterait certainement à l'approche de Noël, puis récupérerait toute sa vigueur au moment du procès devant la cour d'assises, pour culminer au moment de l'exécution.

— Plus facile, je ne sais pas. Plus discrète, certainement.

— Voulez-vous dire que la traque de cet assassin a été facile ?

---

1. Rebaptisée Marie-Reine-du-Monde en 1955.

— Grâce à la sottise de ce type, oui. Évidemment, penser aux victimes était terrible. Maintenant, je m'intéresse à des vols dans une maison de commerce. Voilà un criminel bien plus habile. De votre côté, comment se passent vos journées au magasin Morgan ?

Pendant une heure, chacun parla de son travail. Il existait sans doute des manuels de civilité indiquant les sujets de conversation à aborder avec une femme peu connue. Dolan se renseignerait dès le surlendemain en examinant les rayons d'un bouquiniste.

En revenant dans la rue Belmont, Juliette chuchota :

— Je vous remercie de m'avoir invitée. Je me sentais morose ce soir. Là, ça va mieux.

Simplement après une balade ? Dolan estimait ses vagues à l'âme beaucoup plus tenaces que cela.

— J'en suis heureux. Si vous voulez, nous pourrions parfois renouveler… l'exercice.

Le dernier mot rendait la proposition moins alléchante. Pourtant, Juliette s'empressa de répondre :

— J'accepterais avec plaisir.

Toujours poli, il l'aida à enlever son manteau et l'accrocha dans la penderie, puis s'agenouilla pour ôter ses couvre-chaussures. Après des « bonne nuit » et « à demain » embarrassés, chacun regagna sa chambre.

Depuis trois jours, Dolan se rendait à l'hôtel de ville très tôt le matin pour en ressortir une demi-heure plus tard, vêtu d'un bleu de travail. Il travaillait maintenant dans une petite société de déménagement. Cela signifiait s'esquinter le dos pendant dix heures en écoutant soigneusement les conversations de ses nouveaux collègues.

Cette enquête prenait une curieuse tournure. L'un de ses voisins de pension, Collins, travaillait dans une maison d'importation où les propriétaires signalaient des vols à répétition. Placer des policiers dans l'entrepôt toutes les nuits pour capturer les malfaiteurs aurait été facile. Par contre, une surveillance plus soigneuse permettrait d'arrêter non seulement les cambrioleurs eux-mêmes, mais également leurs complices à l'intérieur de l'entreprise et tous les commerçants peu regardants qui acceptaient d'écouler des marchandises volées.

Après l'avoir regardé de biais les premiers jours, un de ses compagnons voulait maintenant savoir d'où il venait, ce qu'il avait fait avant. L'aveu «J'étais au Grand Séminaire» n'aurait pas été du meilleur effet. Aussi, pour quelques jours, il incarnait un travailleur de l'industrie du textile chassé de Québec par une grève interminable.

— Les crisses de patrons, avait sympathisé le bonhomme tandis qu'ils transportaient un canapé à l'intérieur d'une maison bourgeoise. Ça boit du vin aux repas, ça se baigne dans le gin, pis ça laisse leurs ouvriers crever de faim.

— Pour le vin et le gin, j'sais pas, mais à une piasse par jour, on crevait d'faim, c'est sûr.

Le langage châtié de séminariste ne convenait guère dans ce milieu, aussi Dolan empruntait-il celui de ses nouveaux collègues. Heureusement, ceux-ci n'avaient pas le sens de l'observation très développé, car au même moment, il remarqua la crasse sous les ongles de son partenaire, et la propreté des siens.

— Une piasse. Les gars gagnent pas plus dans les chantiers dans l'bois, mais le coût d'la vie en ville, c'est pas celui d'la campagne.

Inutile de lui expliquer qu'un dollar par jour ne permettait pas de vivre décemment, quel que soit l'endroit. Une grosse dame les surveillait de près. Son unilinguisme ne lui permettait pas de saisir la subtilité de la critique sociale de ses livreurs, mais son air impatient les amena à se taire, le temps de poser le meuble dans un joli salon.

L'inspecteur laissa son compagnon remercier la dame pour son généreux pourboire de dix cents dans un anglais si imprécis qu'on aurait pu croire qu'il parlait espagnol. Lui faisait semblant de n'y rien comprendre. Sa connaissance de l'anglais se serait révélée plus étonnante encore que le dessous immaculé de ses ongles.

— J'aurai même pas de quoi m'payer une bière, avec ça, commenta le bonhomme en sortant.

À ces mots, l'inspecteur devina qu'il ne recevrait pas sa part. Cette indélicatesse lui enlèverait toute sympathie pour lui s'il fallait lui mettre des bracelets de métal dans les jours à venir.

Cette expérience de travail lui permit d'apprendre quelque chose sur lui-même : son grand corps osseux possédait une force certaine. Une douzaine d'années sous la surveillance des curés ne la lui avait pas fait perdre totalement.

L'équipe de déménageurs terminait sa journée quand son collègue lui demanda :

— Toé, t'aimerais ça, faire de l'*overtime* ?

— Là, maintenant ?

— Bin non, pas tu suite. Disons après minuit. Bin sûr, si t'acceptes, demain tu rentreras pas.

Voilà, c'était sa récompense pour ces trois jours passés à déplacer des meubles, des caisses et des barriques. Avant le matin suivant, cette enquête prendrait sans doute fin.

— Faire des déménagements la nuit ?

— C'est ça, la nuit. Écoute, tu dis oui ou non. Si tu veux pas, j'vas en trouver un autre.

— Ça paye combien ?

Un accord trop rapide paraîtrait louche à son interlocuteur. Une hésitation trop longue pousserait ce dernier à chercher de l'aide ailleurs.

— Temps double. Nous aut' on est plus généreux que ton patron de Québec.

— Ça, c'est pas difficile. Oui, j'vas être là. J'me rends où ?

— Même place que tous les matins, à minuit.

Comme son collègue conduisait l'attelage, il était inutile de l'accompagner à l'écurie pour dételer. L'entreprise de déménagement était située au fond d'une impasse, près du port. Il sauta en bas de la voiture dans la rue des Commissaires tout en lançant :

— À tout à l'heure !

— C'est ça, t'à l'heure.

Dolan emprunta des chemins détournés pour retourner à l'hôtel de ville, où il changea de vêtements avant de rentrer à la maison. Madame Sullivan froncerait de nouveau les sourcils à cause de son retard, mais elle lui pardonnerait certainement. Somme toute, un homme qui consacrait sa vie à combattre le crime ne pouvait pas se limiter à des horaires aussi réguliers que ceux des commis.

En entrant au poste de police numéro 1, Kenneth McDougall, apparemment mal à l'aise de se trouver là, contempla les personnes arrêtées la nuit précédente. La vue de quelques mauvais garçons et d'une femme aux mœurs dissolues lui fut pénible. Les policiers et toute l'institution judiciaire existaient d'abord et avant tout pour mettre une distance entre ces gens-là et des hommes comme lui.

Quelqu'un le conduisit au bureau du chef Campeau. Celui-ci quitta son siège pour venir lui serrer la main, puis l'invita à s'asseoir dans l'un des deux fauteuils placés dans un coin de la pièce, de part et d'autre d'un petit guéridon. Cet aménagement lui paraissait nécessaire pour rencontrer des notables. Chacun faisait semblant de se trouver dans un salon.

— Que diriez-vous d'une tasse de thé ? À cette heure-ci, je m'en fais toujours servir.

Tout de même, le fonctionnaire tenait à préciser que la délicate attention n'était pas destinée d'abord au visiteur. Ce dernier refusa d'un signe de la tête. Quand le planton quitta la pièce, tous deux prirent place dans un fauteuil.

— Je vous écoute.

— Vous savez que mon père a disparu il y a plus de trois semaines.

— Depuis le 4 novembre, très précisément.

Le *True Witness* avait rappelé la chronologie des événements à ses lecteurs la semaine précédente. McDougall grimaça devant le reproche implicite. Campeau décida d'enfoncer le clou :

— Dans ce genre de situation, plus vite nous commençons notre enquête, meilleures sont les chances d'un heureux dénouement.

— Nous n'avions aucune raison de nous inquiéter. Après tout, il ne s'agit pas d'un adolescent susceptible de s'engager dans un cirque de passage pour connaître une vie d'aventure.

Les journaux mentionnaient parfois des histoires semblables. La fin se révélait rarement heureuse pour le jeune fugueur.

— Un homme ne disparaît pas comme ça sans rien dire. Votre père a de nombreuses responsabilités, professionnelles et familiales.

— Mon père était susceptible de faire une telle chose.

Devant la mine sceptique du fonctionnaire, McDougall précisa :

— Vous avez vu mon frère Andy. Vous savez donc que mon père avait une autre femme dans sa vie. Il lui est arrivé de partir avec elle une semaine entière sans nous informer de sa destination ni de sa date de retour.

Clairement, l'aveu lui coûtait. La sainteté du mariage n'était pas plus traitée à la légère par les presbytériens que par les catholiques. Campeau hocha la tête pour dire qu'il comprenait.

— Je suppose que la poursuite des affaires est entravée par son absence.

— J'ai l'autorité pour prendre toutes les décisions requises par la gestion quotidienne de la fonderie. Cependant, il me faut sa signature pour les nouveaux contrats et pour les investissements importants.

Plus grave sans doute, des associés devaient imaginer un coup fourré : même si cela survenait rarement, parfois un grand patron s'envolait avec la caisse.

— Je présume qu'un juge acceptera d'élargir vos prérogatives, si nécessaire.

— Ce qui prendra du temps. Mes avocats ont amorcé la procédure ce matin.

— Bon, vous avez déjà rencontré l'un de mes inspecteurs. Il vous verra de nouveau dès que possible. Vous devrez répondre à ses questions de bonne grâce, avec une parfaite candeur. Aujourd'hui, impossible de deviner quelle information nous conduira à la vérité.

Autrement dit, le clan McDougall devrait donner toute sa collaboration, au lieu de chercher à cacher les aspects les moins glorieux de la vie familiale. Le visiteur hocha la tête pour donner son assentiment.

— Vous ne vous chargez pas de l'enquête ?

— Pas dans le cadre de mes fonctions actuelles. De toute façon, Dolan a toute ma confiance.

McDougall opina encore de la tête. Toutefois, il comptait bien tirer les ficelles pour avoir droit aux services d'un policier plus expérimenté, si cet Irlandais ne lui donnait pas satisfaction.

À minuit, l'inspecteur se présenta à la porte d'un petit entrepôt situé dans une impasse, vêtu de ses habits de travail. Afin de ne pas alerter Collins, il n'était finalement pas rentré à la maison de chambres pour souper, se contentant de tuer le temps dans une taverne. Après plus de cinq heures dans cet établissement, son pas était incertain. Cela ne ferait que rendre son personnage plus crédible.

— Te v'là ! J't'attendais, fit son collègue de la journée.

— Y est même pas minuit.

L'ouvrier grimpait déjà sur le siège du camion ; Dolan eut juste le temps de s'asseoir avant que le cheval se mette en marche. Pendant près d'une heure, le conducteur roula dans la nuit. Ils arrivèrent enfin à la maison d'importation, une bâtisse de planches mal ajustées. Quelqu'un devait surveiller leur approche, car une porte s'ouvrit. La discrétion seule permettait la poursuite de ce petit trafic.

— Vous voilà enfin, prononça un homme avec humeur. Dépêchez-vous.

L'inspecteur reconnut Collins. Malgré ses soupçons, trouver son voisin parmi ces voleurs le troubla. Il se pencha vers l'avant, désireux de paraître moins grand. Heureusement, la seule lanterne allumée ne diffusait qu'une faible lumière.

— C'est ça ?

Le déménageur désignait un amoncellement de rouleaux de tissu.

— Oui, de la laine des meilleures manufactures anglaises. Vous savez où apporter ça ?

— Rue Sainte-Catherine, coin Bleury ?

Déjà, le livreur se penchait sur les rouleaux.

— Toé, prends ton boutte.

Dolan ne se fit pas prier. Après quinze minutes, son collègue et lui avaient fini de charger la marchandise et s'apprêtaient à remonter dans le camion.

— Lui, il est fiable ?

L'employé de la maison d'importation s'inquiétait de la présence d'un nouveau venu.

— Y ouvre pas la gueule, tu voué bin.

Après ces mots, Collins déverrouilla la porte de l'entrepôt pour laisser sortir le véhicule, puis la referma. Une fois dehors, l'inspecteur respira mieux. Une heure plus tard, son compagnon et lui déchargeaient la cargaison dans un commerce à l'apparence louche. Avant de quitter les lieux, Dolan reçut deux dollars en guise de salaire pour cette expédition nocturne.

En se réveillant, le policier eut l'impression de s'être couché cinq minutes plus tôt. Deux heures de sommeil, c'était parfois beaucoup, ou alors cela ressemblait à pas de sommeil du tout. Après son passage à la salle de bain, il descendit afin de déjeuner légèrement.

— Vous êtes revenu au milieu de la nuit, remarqua Juliette.

Un peu plus et il croirait qu'elle se préoccupait de sa santé.

— Un autre tueur à la hache ou un millionnaire disparu ? voulut savoir O'Neil, l'employé du cabinet d'avocats.

— Rien d'aussi passionnant. Un petit voleur qui se croit plus intelligent que la police.

Du coin de l'œil, Dolan examinait Collins en train de se verser une tasse de thé. Lui aussi présentait des yeux cernés, comme si tout le monde s'épuisait au travail, dans cette maison de chambres. Curieusement, il ne paraissait pas du tout inquiet, alors que ces mots auraient dû lui mettre la puce à l'oreille.

— Marcherons-nous ensemble ?

Juliette venait de se lever de table, elle espérait faire une partie du trajet en sa compagnie.

— J'en serais ravi, mais je dois d'abord régler quelques affaires. Toutefois, je vais vous accompagner à la porte.

Dolan fit plus que cela. Il l'aida à mettre son manteau, lui souhaita bonne journée.

— Nous pourrons nous reprendre ce soir, l'invita-t-il.

— Ce sera avec plaisir, accepta Juliette avec son plus beau sourire.

Quand la secrétaire sortit, l'inspecteur vit un fourgon cellulaire avancer dans la rue. Inutile de refermer la porte, il la tint grande ouverte pour laisser entrer deux agents en uniforme.

— Dans la salle à manger.

L'enquêteur les guida, prit sur lui de dire :

— Collins, tu es en état d'arrestation.

— Qu'est-ce que tu racontes ?

— Le vol de son patron est toujours considéré comme un crime, tu sais. Tu ne m'as pas reconnu, cette nuit ?

Mieux valait l'informer de la preuve contre lui, sinon son voisin protesterait de son innocence des heures durant.

— Quand ton transporteur arrive avec un nouvel employé, tu devrais te méfier.

Collins ne comprit la situation qu'à ce moment. Sous les yeux d'un O'Neil éberlué, les policiers encadrèrent le malfaiteur pour le conduire vers la sortie. Bons princes, ils le laissèrent mettre son manteau avant de l'amener au poste. Madame Sullivan choisit ce moment pour faire son entrée.

— Qu'est-ce qui se passe ? Que fait la police ici ?

— Vous devrez chercher un nouveau locataire, expliqua Dolan, vous ne reverrez pas celui-là de sitôt.

Il enfila son manteau et s'empressa de regagner le poste de police numéro 1. Restait encore à cueillir son comparse de la nuit précédente ainsi que le commerçant ayant accepté de revendre la marchandise volée. Les autres chambreurs apprendraient le sort de leur voisin par les journaux du soir.

Chapitre 8

En soirée, en marchant dans les rues des environs avec Juliette Mailloux à son bras, Dolan montrait des yeux cernés et un pas hésitant. Il avait droit au regard chargé de sympathie de sa compagne.

— Vraiment, votre chef de service exagère. Vous avez passé la nuit à arrêter des gens, et ce matin vous repreniez du service à la même heure que d'habitude.

En acceptant cette nouvelle promenade bras dessus, bras dessous, la femme semblait désirer en faire une habitude. L'expression de sa sollicitude encouragerait certainement le détective à vouloir recommencer.

— Voilà la difficulté avec les criminels : impossible de les convaincre de faire des journées allant de huit heures du matin à six heures de l'après-midi, comme des employés de bureau.

La raillerie ne la désarçonna pas.

— Au moins, demain, vous devriez pouvoir bénéficier de la matinée, après une nuit et une journée de travail.

Honnêtement, Dolan convint qu'une pause serait la bienvenue. Toutefois, impossible de se dérober : il lui fallait reprendre son enquête chez les notables. Deux heures plus tôt, alors que tous les locataires étaient réunis pour le souper, un gamin avait déposé une note à la maison de chambres pour lui commander de se présenter à la Dominion Foundry le plus tôt possible le lendemain matin, « afin de faire bonne impression sur les bourgeois ».

La fonderie conservait son allure lugubre.

— Bin là, j'vas croire que le boss vous a engagé, se moqua le gardien à l'entrée.

À sa troisième visite, Dolan était devenu un familier de l'endroit.

— Pas encore, mais j'y penserai, si le patron me fait une offre. Il est arrivé ?

— Vous l'savez pas ? Y a disparu, ça commence à faire longtemps.

Spontanément, l'employé identifiait le vieil Archibald comme le véritable dirigeant de l'entreprise, plutôt que Kenneth.

— Ça lui arrive souvent de s'absenter ainsi pendant quelques semaines ?

— Ah ! C'est pour chercher le vieux qu'vous êtes icitte !

Le gardien comprenait enfin la raison des passages répétés de cet inconnu. Comme le regard de son interlocuteur ne le quittait pas, il précisa :

— Une fois de temps en temps. En tout cas, c'est ce que j'ai entendu. Vous comprenez, y passe pas par icitte, y a une porte su' l'aut' rue pour les cravates. Mais ça s'parlait.

Dans ce contexte, le mot « cravate » désignait le personnel œuvrant dans les bureaux.

— Aujourd'hui, c'est le fils aîné qui dirige l'entreprise.

— Ouais, y en a qui disent ça.

Le ton du bonhomme trahissait un certain scepticisme. Dolan se crut autorisé à demander :

— Vous doutez qu'il en soit capable ?

Le gardien haussa les épaules, puis maugréa :

— Si j'pouvais répondre à ça, c'est moé qui s'rais assis dans un fauteuil rembourré.

Dolan toucha le bord de son chapeau pour saluer le vieil homme et traversa le grand terrain de la fonderie. Des enfants auraient pu jouer à cache-cache dans ce capharnaüm. À force d'avoir laissé des pièces de métal sur le sol pendant des décennies, la terre se colorait de rouille.

De nouveau, il parcourut la grande salle où les ouvriers construisaient des moules afin d'y fondre de la fonte. Le travail, effectué dans une chaleur et une poussière malsaines, ruinait certainement leur santé. En haut de l'escalier, la secrétaire le salua aussi comme s'il était un habitué, puis enchaîna en se levant:

— Il vous attend.

April le précéda dans le couloir. Il fut bientôt devant une porte ouverte. Deux hommes se trouvaient à l'intérieur.

— Merci mademoiselle, dit Kenneth en s'avançant pour serrer la main du visiteur. Vous pouvez retourner à votre poste.

Évidemment, si toutes les conversations étaient privées, celle-là l'était plus que d'autres. Une fois la porte refermée, l'aîné présenta son cadet.

— Voici Stanley. Il s'occupe des investissements immobiliers de la famille.

Au tout début de la trentaine, ce dernier était lui aussi gras, sans doute à cause d'une alimentation trop riche et d'une vie sédentaire.

— J'ai pensé vous sauver du temps en l'invitant.

L'initiative déplut à l'inspecteur. Devant témoin, chacun garderait une certaine réserve. Ainsi, au lieu de comparer deux récits, il en entendrait un à deux voix, concocté devant lui.

— Ce qui ne signifie pas que je me priverai de vous parler individuellement, si je le juge nécessaire.

Kenneth McDougall n'appréciait pas que ses décisions soient remises en question. Ce fut avec une mine maussade qu'il indiqua un fauteuil au visiteur. Les deux frères reprirent les leurs, puis demeurèrent silencieux. Voir quel qu'un mettre le nez dans leurs affaires familiales leur pesait.

— Votre père était ici le 4 novembre dernier, commença l'inspecteur.

L'aîné fit oui de la tête, se privant de dire : « Vous le savez déjà ! »

— Ce jour-là, à quel moment vous êtes-vous quittés ? Dans quel contexte ?

— Comme tous les jours.

— Si vous n'avez pas envie de me parler, on fera comme vous le voulez.

Dolan referma son carnet, sans toutefois aller jusqu'à le remettre dans sa poche. Kenneth se le tint pour dit.

— Comprenez-moi, il s'agissait d'une journée comme les autres. Alors, je n'ai pas vraiment prêté attention…

— Puis cela commence à faire longtemps, intervint Stanley.

— En effet. Si la police avait été avertie dès le lundi suivant, cela aurait simplifié les choses pour tout le monde.

Le reproche les mit plus mal à l'aise encore. Le fait qu'ils aient tardé à prévenir les autorités risquait de devenir déterminant. Le gérant de la fonderie prit une grande inspiration, puis expliqua :

— Mon père et moi occupons des bureaux différents. Il arrive que nous ne nous parlions pas pendant des journées entières. Enfin, rien de plus que les salutations d'usage.

— Et ce samedi-là en particulier ?

— Nous avons discuté de problèmes de livraison de charbon au cours de l'après-midi. Je suis parti à six heures, et je lui ai dit au revoir en passant devant sa porte.

Tout de même, la mémoire ne lui faisait pas défaut.

— Au revoir ?

— Je m'attendais à le revoir à la maison.

— Aucune indication qu'il avait l'intention de s'absenter, pour une soirée ou pour plus longtemps ?

Son interlocuteur fit non de la tête, puis baissa les yeux. Après avoir négligé les inquiétudes d'Andrew en évoquant un congé imprévu, il convenait que ce jour-là, son père et lui prévoyaient de se retrouver bientôt.

— Vous ne revenez pas à la maison ensemble, d'habitude ?

— Il semblait avoir encore du travail.

— Vous auriez pu l'attendre.

Stanley commença à s'agiter sur sa chaise, puis il se décida à intervenir :

— Comme Andy vous a parlé, vous connaissez la situation. À la fin de la journée, nous ne savons pas toujours laquelle de ses deux familles il a l'intention de rejoindre. Impossible de poser la question, parce que se faire répondre « je vais chez ma maîtresse » n'a rien d'agréable.

— À la maison, intervint Kenneth, les domestiques mettent son couvert tous les soirs.

L'inspecteur devinait sans mal combien cette situation devait être pénible à gérer. Il hocha la tête pour manifester sa compréhension.

— S'est-il déjà absenté plusieurs jours d'affilée ?

Les deux hommes se troublèrent de nouveau.

— Sans doute, risqua Stanley.

Devant les sourcils en accents circonflexes du policier, il continua :

— Dans un passé récent, non. Quand nous étions plus jeunes, cela lui arrivait, mais maman tentait de donner le change, de faire semblant d'être au courant de ses allées et venues.

— Par exemple, précisa Kenneth, elle nous disait « papa est en voyage d'affaires » quand nous la questionnions après de ne pas l'avoir vu depuis quelques jours.

— Je devrai l'interroger aussi, vous savez.

L'aîné hocha la tête pour signifier qu'il en comprenait la nécessité. Il serait impossible de mettre sa mère totalement à l'abri des indiscrétions policières, dans les circonstances.

— Vous dites « pas dans un passé récent ». Ses absences se sont écourtées ces derniers temps ?

— Écourtées et raréfiées.

— Vous savez pourquoi ?

Le fils haussa les épaules avant de lâcher, méchamment :

— Le bonhomme vieillit, je suppose que ses appétits diminuent.

L'effet de l'âge sur sa libido expliquait sans doute un certain regain de fidélité. Donc, en invoquant un long congé lors de leur première rencontre, Kenneth mentait sciemment. Ou peut-être pas : si profiter d'une escapade en amoureux devenait moins plausible, une cure de repos convenait à un homme vieillissant.

— Avez-vous noté un changement d'attitude dans les semaines ou les jours précédant sa disparition ?

Comme les deux fils se consultaient des yeux en restant muets, le policier insista :

— Semblait-il fatigué ? préoccupé ? inquiet ? tendu ?...

Il préféra ne pas poursuivre l'énumération. Ses interlocuteurs devaient avoir compris.

— Toutes vos suggestions sont bonnes, admit l'aîné. J'ai toujours attribué son changement d'humeur au vieillissement. Mais c'était pire les dernières semaines.

— Depuis qu'il a eu cette idée insensée d'amener Andy vivre à la maison, son état a paru se détériorer, compléta le cadet.

La présence de « l'enfant de l'amour » créait certainement une tension insupportable dans cette famille. Deux ans plus tôt, Dolan se destinait encore à devenir confesseur.

Sa moralité façonnée par les bons curés lui rendait difficilement compréhensible un pareil comportement. Pourquoi diable avait-il tenu à imposer à sa famille légitime les conséquences de sa faute ? Au contraire, la honte aurait dû le pousser à cacher Andrew.

— Sa présence dans votre demeure est assez récente, n'est-ce pas ?

— Cela fait deux ans, grogna Kenneth.

Son ton révélait qu'il considérait ce temps comme une éternité.

— À l'époque, intervint Stanley, il terminait ses études classiques.

— Il a étudié en anglais, je suppose.

Le jeune homme passait d'une langue à l'autre sans aucune hésitation. De sa mère, il tenait sa maîtrise du français, et du collège, celle de l'anglais. Dolan avait connu la situation inverse.

— Au Loyola College, lui confirma Kenneth.

— Et pourquoi votre père l'a-t-il installé à la maison ?

— Pour « lui donner sa place au sein de la famille », déclara le cadet avec colère.

Il reprenait là les mots exacts de son père. Afin d'être plus explicite, il continua :

— C'était très clair dans son esprit. Il avait trois fils, il entendait les traiter sur un même pied.

Les deux fils légitimes évoquaient leur père au présent ou au passé, comme s'ils hésitaient à le considérer comme mort. Seule la vue d'un cadavre permettait d'obtenir une certitude à cet égard.

— Y compris en ce qui concerne son héritage ? voulut savoir l'inspecteur.

— Impossible d'en douter, confirma Kenneth. Une fois comptées les sommes destinées à permettre à notre mère et à notre sœur de vivre convenablement, quelques dons de charité et un petit pécule pour les domestiques, le reste devait être divisé en trois.

— Il vous l'a dit ainsi, clairement?

— Sans la moindre délicatesse.

La scène devait avoir irrité au plus haut point les héritiers peu désireux de diviser le montant en trois parts.

— Sa décision a tellement étonné le notaire qu'il a abordé le sujet avec nous, confessa Stanley.

Il s'agissait là d'une violation pure et simple du secret professionnel. Le jeune homme le comprenait si bien qu'il jugea à propos de préciser:

— Cette décision lui faisait douter de sa santé mentale.

Se soucier ainsi de son bâtard était certes inhabituel, ou peut-être le mot «anormal» convenait-il mieux pour décrire l'initiative.

— Avez-vous pensé à demander une expertise médicale à ce sujet?

Un conseil de famille entraînait parfois la décision de soumettre à un examen l'oncle un brin trop original, ou le fils trop prodigue. Dans ces cas, une interdiction légale pour cause de folie permettait de sécuriser l'héritage à venir, ou d'en hâter le versement.

Les deux frères échangèrent un regard qui valait un véritable acquiescement.

— Tout de même, agir ainsi à l'égard de sa famille n'est pas correct, murmura Stanley.

Andrew avait donc raison de prétendre que ses frères s'inquiétaient beaucoup de l'héritage à venir. Assez pour faire disparaître le paternel? Le droit et la médecine leur procuraient des moyens d'arriver au même résultat sans avoir recours à une action aussi dramatique.

— Pouvez-vous me dire quoi que ce soit qui m'aiderait à retrouver votre père ? Un endroit où il aimait se réfugier, par exemple ? N'importe quel indice susceptible de vous permettre de deviner une destination ?

Les deux McDougall secouèrent la tête.

— Normalement, je devrais montrer un portrait de lui dans les restaurants où il avait ses habitudes, de même que dans les gares de Montréal, l'afficher dans les écuries afin que tous les cochers le voient, peut-être même le montrer à des voisins qui auraient pu remarquer sa présence quelque part depuis le 4 novembre. Un jour ou deux après cette date, cela aurait pu fonctionner. Mais après quatre semaines…

Dolan fit une moue exprimant son scepticisme sur l'utilité de la démarche.

— Je le ferai, bien sûr, mais sans grand espoir. Pouvez-vous me remettre une photographie récente ?

— Nous en avons certainement à la maison, l'avisa Kenneth.

— J'aimerais aussi avoir la liste des endroits qu'il fréquentait avec une certaine assiduité. Il faisait sans doute partie de la chambre de commerce, de l'association des manufacturiers…

Soigneusement, le policier nota chacune des indications des deux frères. Il termina avec les noms des amis les plus proches du disparu, ceux ayant pu obtenir ses confidences, et même l'identité de son médecin.

— Je vais tout de suite aller rencontrer votre mère, leur apprit Dolan en se levant.

Il ne lui était pas possible d'utiliser le mot « interrogatoire » en parlant de cette entrevue. Les deux frères quittèrent également leur siège pour lui tendre la main.

— Nous nous doutions que vous en aviez l'intention, ajouta Stanley. Nous avons demandé au cocher de vous attendre en bas, rue Abbott.

— Je vous remercie de l'attention.

Quelques minutes plus tard, il montait dans une voiture noire. De la banquette, il voyait le cocher devant lui, les guides bien en main. Ce genre de véhicule marquait le statut social de son propriétaire. En voyant l'élégante carrosserie et les deux beaux chevaux noirs, les badauds concluaient : « Voilà un type qui a de l'argent. »

— Comme ça, y se sont décidés à chercher le vieux...

Pour la seconde fois, Dolan entendait un employé d'Archibald reprocher implicitement aux fils leur négligence à signaler l'absence de leur père. Évidemment, eux n'avaient pas à craindre d'attirer l'attention sur les turpitudes de leur paternel.

— Il s'absentait souvent, je pense.

— Pas tant que ça, ces derniers temps.

— Vous, vous devez connaître bien des aspects de sa vie.

Le vieil employé laissa échapper un rire chargé d'ironie.

— Vous parlez de l'autre femme ? Ouais, je savais, à force de le conduire rue Sherbrooke. Des fois, je me chargeais même d'aller chercher le p'tit à son école.

— Il la voyait fréquemment ?

Les garçons avaient parlé d'un jour sur deux. Pareille assiduité témoignait d'un engagement affectif sérieux. Il ne s'agissait pas là d'une simple passade.

— Y a vingt ans, il passait jamais plus de deux jours sans aller la voir. Depuis deux ans, mettons deux fois par mois.

Tout indiquait un intérêt décroissant. Le bonhomme avait les moyens de faire défiler toutes les courtisanes de Montréal dans sa vie, se lasser d'Annie Vallerand ne le condamnait pas à la solitude.

— Pi, depuis quequ' temps, ça dev'nait plus rare encore, précisa le cocher.

— Pouvez-vous me dire quels autres endroits il visitait ?

— Des places où ne vont pas les bons chrétiens.

Voilà qui s'éloignait quelque peu des déclarations des enfants. Malgré son insistance, le cocher n'ajouta plus rien. Comme si parler d'une maîtresse était acceptable, mais pas d'en mentionner plusieurs. D'un autre côté, peut-être évoquait-il simplement des péchés autres que ceux de la chair. Le policier abandonna ce sujet pour embrayer sur un autre.

— Conduisez-vous aussi les autres membres de la maisonnée ?

— Bin sûr. Mais à part les magasins pis l'office religieux, y sont pas sorteux. R'marquez, installés comme y sont, moé aussi j'resterais à la maison. Y a juste le jeune…

— Andrew ?

— Ouais, lui y connaît pas mal de monde.

Il eut un sourire entendu, celui d'un homme sans doute jaloux de la vie d'autrui.

— Dans quel genre d'endroit se rend-il ?

— Ceux où y a des jeunesses avec d'l'argent.

Pendant un moment, Dolan prit en note les noms et les adresses des lieux à la mode. Un bordel figurait dans la liste. Pas un établissement sordide comme celui où il avait cueilli Lacaille, mais plutôt un hôtel d'allure chic où les clients pouvaient manger et boire en abondance, avant ou après un passage dans l'une des chambres à l'étage.

Au gré de la conversation, la voiture s'était engagée sur le flanc du mont Royal. Les nantis s'y installaient afin d'éviter la proximité des quartiers populaires. Ils s'épargnaient ainsi le bruit, la saleté, les odeurs nauséabondes, voire les miasmes mortels. Après tout, la dernière épidémie de variole datait tout juste de vingt ans.

L'entretien avec les deux frères lui avait paru un exercice plutôt intimidant. En fait, il les contraignait à laisser un étranger mettre le nez dans leurs affaires les plus intimes. Toutefois, ce n'était rien en comparaison d'une conversation avec l'épouse trahie.

Archibald McDougall possédait une magnifique demeure rue Cedar, près de l'intersection avec la Côte-des-Neiges. L'imposant bâtiment de pierre grise se trouvait au milieu d'un grand parc planté de pins magnifiques. À une autre saison, Dolan aurait distingué deux ou trois jardiniers occupés à entretenir les massifs floraux et la pelouse serait sans doute aussi drue que la barbe d'un homme. Maintenant, avec la légère couche de neige tombée la nuit précédente, l'endroit prenait l'allure d'une jolie gravure de Noël publiée dans un grand magazine américain.

Dès que la voiture se fut engagée dans l'allée, deux énormes chiens, des bouviers bernois, vinrent aboyer après elle. Les chevaux se cabrèrent un peu, le cocher lâcha quelques jurons et essaya de les calmer de la voix. Finalement, il s'arrêta devant l'entrée principale. Les deux côtés de la porte s'ornaient de colonnes. L'ensemble rappelait les gravures de manoirs anglais reproduites dans les suppléments de fin de semaine des journaux.

Après avoir pris une grande inspiration, l'inspecteur descendit de la voiture. Les deux molosses demeuraient à trois pas, les babines retroussées sur leurs dents. Ils émettaient un grondement continu. Devinant son malaise, le cocher lança :

— Y vous mangeront pas.

— Comment pouvez-vous en être certain ?

L'homme s'amusa de sa répartie, puis se reprit :

— Pour dire vrai, je sais pas, mais j'suis encore en un morceau.

— Bon, je n'ai pas le choix.

— Y a juste une personne qu'y laissent passer sans montrer les crocs, c'est le bel Andy. Lui, ils lui font la fête.

Ainsi, le charme du jeune homme n'opérait pas seulement sur la secrétaire de la Dominion Foundry. Le cocher semblait disposé à se payer sa tête :

— Si t'as peur des chiens, attends de voir la patronne !

Sur ces mots, il fit claquer sa langue pour faire avancer les chevaux et se dirigea vers l'arrière de la demeure, où se situaient les écuries. L'inspecteur agita un heurtoir de bronze sur la porte, puis attendit. Un grand majordome à la livrée toute noire vint ouvrir et le toisa de la tête aux pieds.

— Monsieur Dolan ?

— Oui, c'est moi, je voudrais voir madame McDougall.

Les traits du domestique trahirent un certain mépris pour le visiteur. Les policiers ne comptaient pas parmi les habitués du lieu. L'inspecteur se demanda si on allait le faire passer par la porte de service afin qu'il rencontre la maîtresse de la maison. Le majordome lui épargna cet affront.

— Suivez-moi.

Quand Dolan fut à l'intérieur, le serviteur tendit les mains pour prendre son manteau et son chapeau. Le visiteur s'inquiéta de son veston de tweed usé, de sa cravate souvent de travers. À tout le moins, sa chemise revenait de chez le Chinois, bien propre et empesée.

Déjà, le hall respirait l'opulence. La salle de séjour où ils passèrent ensuite débordait d'un mobilier richement sculpté et de plantes vertes posées dans des pots de laiton. Une jeune bonne agenouillée sur le sol passait une brosse sur les chenets du foyer.

Ils passèrent par un couloir, et le policier aperçut deux bourgeoises de trente ans environ assises dans un boudoir. Sans doute les épouses des fils aînés. «Où diable me conduit-il?» se demanda Dolan. Le nombre de pièces ouvrait beaucoup de possibilités, mais jamais il n'avait anticipé de déboucher dans une serre, cette fameuse *greenhouse* qui flanquait les plus grandes demeures.

Au milieu des fleurs et des plantes vertes, une table de fonte et des chaises du même métal donnaient l'illusion d'être dans un jardin, quelle que soit la saison. Deux femmes se tenaient là, l'une deux fois plus âgée que l'autre. L'aînée se leva la première pour lui tendre la main la paume vers le bas. S'attendait-elle à un baisemain? Dolan ne lui fit pas cette grâce.

— Madame McDougall, je vous remercie de me recevoir.

Son regard lui signifia qu'elle n'en éprouvait aucun plaisir.

— J'ai prié ma fille d'être avec moi, car je suppose que de toute façon, vous auriez demandé à la voir.

Une grande jeune femme de vingt-cinq ans environ lui tendit la main à son tour. Comme la maîtresse de maison ne jugea pas utile de la présenter, elle ajouta, timidement:

— Je m'appelle Aliénor.

Elle utilisait une forme différente du prénom de la reine Éléonore qui, des siècles auparavant, avait apporté l'Aquitaine à l'Angleterre. Pour plus de familiarité encore, elle ajouta:

— Nora.

Le « Mademoiselle » de Dolan fut prononcé si bas que personne ne l'entendit. Heureusement, il l'accompagna d'un signe de la tête et d'un mince sourire. Madame McDougall – Octavia, se souvint l'enquêteur – reprit sa chaise, donnant le signal aux deux autres de s'asseoir.

— Je vous remercie de me recevoir dans des circonstances aussi difficiles, répéta le visiteur.

Son regard se portait en même temps sur la fille de la maison. Sa robe grise lui donnait un air sérieux, de même que ses cheveux châtain foncé attachés sur la nuque. De chaque côté de l'arête du nez, il apercevait une petite marque. « Elle porte un pince-nez », remarqua-t-il. Sur la table, il aperçut le lorgnon.

— Je suppose que ni vous ni moi n'avons le choix, soupira son hôtesse.

À tout le moins, ni cette dernière ni son visiteur n'affichaient la moindre joie. Le domestique choisit ce moment pour rappeler sa présence :

— Madame, dois-je faire apporter du thé ?

Une théière se trouvait déjà sur la table. La vieille dame tendit la main pour la poser contre la porcelaine.

— Non, ça ira.

Parfait employé de maison, le majordome savait quand s'esquiver. Madame McDougall entreprit de verser la boisson chaude dans les tasses, ignorant le « Je vais m'en occuper » de sa fille. Dolan chercha une façon délicate d'aborder le sujet de la disparition d'un époux infidèle, sans succès. Autant plonger.

— Le 4 novembre dernier, quand votre mari ne s'est pas présenté à la maison, vous êtes-vous inquiétée ?

Une fois les mots prononcés, il regretta son entrée en matière. Le visage de son interlocutrice se crispa.

— J'ai mis vingt ans à apprendre à me montrer indifférente à ses allées et venues.

Après une pause et une grande inspiration, elle reprit :

— Aussi indifférente que lui l'est à l'égard de sa famille.

Ses yeux devenus durs cherchèrent les siens, puis elle reprit :

— Vous savez à quoi vous en tenir au sujet de mon mariage. Alors, posez vos questions sans vous embarrasser de formules, je tenterai de répondre franchement.

Au moins retint-il que cette femme ne s'était pas alarmée.

— Son absence vous a-t-elle surprise ?

— Pas du tout. J'en ai pris l'habitude.

Comme il n'enchaînait pas, elle se résolut à préciser :

— Toutefois, la durée de celle-ci est tout à fait inhabituelle. Je m'inquiète de ses conséquences pour l'entreprise, et pour mes fils.

La précision valait sans doute aussi pour Kenneth et Stanley. La vie était peut-être plus agréable sans la présence du patriarche, mais l'impact sur les affaires les effrayait assurément.

— Rien ne vous laissait présager son départ ?

La femme secoua la tête.

— Aucun indice ? Vous n'avez pas aperçu un sac de voyage ?…

— Nous ne partageons plus la même chambre depuis la naissance de ma fille.

Les yeux du policier se portèrent vers cette dernière, pour voir le rouge lui monter aux joues. La mention des turpitudes familiales lui faisait assurément honte.

— Et même si nous incarnions la félicité conjugale, son valet saurait ces choses-là mieux que moi.

Dolan venait de se faire rappeler dans quel milieu social gravitait cette famille. Ces gens ne s'habillaient même pas tout seuls. Les domestiques devaient sans doute être au courant de la moindre pellicule tombée sur les épaules de leurs vestes.

— Le *butler* pourra vous ménager une entrevue avec lui tout à l'heure.

Il s'agissait du majordome lui ayant ouvert la porte. Le policier aurait souhaité voir l'employé au plus tôt afin de fuir le visage lugubre de cette épouse. En plus, elle avait revêtu une robe noire, comme pour porter le deuil d'Archibald.

Depuis le début de la conversation, la contribution de Nora s'était limitée à porter sa tasse de thé à ses lèvres une demi-douzaine de fois, pour se donner une contenance. Les deux autres n'avaient pas touché à la leur.

— Et vous, mademoiselle, êtes-vous en mesure de me fournir une information susceptible de m'aider dans mon enquête ?

Elle se redressa sur sa chaise, intimidée. Alors qu'elle s'apprêtait à ouvrir la bouche, sa mère intervint :

— Ma fille ne connaît certainement pas les activités de son père, assura-t-elle d'une voix cassante.

Cette fois, les joues de la demoiselle prirent une teinte d'un rose soutenu, sa main droite se crispa sur l'anse de la tasse au point où Dolan craignit de la voir se briser.

— Possédez-vous une photographie de votre mari ?

— Jones, le valet de chambre, saura vous le dire.

Elle entendait souligner à grands traits son ignorance de tout ce qui concernait Archibald.

— Il serait peut-être bon de la publier dans le journal, avec en dessous quelque chose comme : "Avez-vous vu cet homme depuis le 4 novembre ? Connaissez-vous ses habitudes ?"

— Voilà qui passionnera les voisins ! Tout Montréal fera des gorges chaudes de notre famille.

Devenir le sujet des conversations chuchotées dans toutes les maisons construites au flanc du mont Royal ne pouvait plaire à personne, surtout quand il était question des aventures sexuelles d'un époux indélicat. L'inspecteur haussa les épaules afin de signifier son impuissance à ce sujet.

— Si vous en avez terminé avec nous, fit la maîtresse de la maison en se levant, je vais demander au *butler* de vous envoyer Jones. Autant lui parler ici.

La serre offrait toute la discrétion possible, aucune bonne ne pourrait tendre l'oreille. Toutefois, dans les quartiers des domestiques, les hypothèses ne devaient pas manquer. Garder des secrets tout en partageant la même demeure s'avérait impossible.

— Nora, viens-tu avec moi?

La forme interrogative ne trompait ni la fille, ni l'enquêteur. Dolan quitta aussi son siège tout en murmurant un «Mademoiselle» empreint de respect. Elle lui répondit d'un signe discret de la tête. Des yeux, il poursuivit la silhouette élancée. Dans la famille, elle seule conservait une taille fine. Le pas lui parut un peu trop appuyé, un signe de colère, sans doute.

Chapitre 9

Quand il fut seul, l'inspecteur se dirigea vers le mur de verre le plus proche pour contempler le parc. La vitre était couverte de déjections d'oiseaux et d'une poussière de charbon noirâtre dans laquelle la pluie traçait des lignes parallèles. Les jours d'humidité, l'usage de ce combustible dans la majorité des foyers et des entreprises entraînait la formation d'un nuage jaunâtre au-dessus de la ville.

Il réprima un petit frisson. Début décembre, le froid commençait à prendre la ville sous sa coupe. Il revint vers la table de fonte, examina des roses rouges et des jaunes au passage. Lors des occasions importantes, la table des McDougall s'ornait certainement des fleurs cultivées sur place.

Une toux attira son attention. Un homme déjà courbé par l'âge se tenait dans l'entrée.

— Monsieur Jones, je présume.

— Jones… Juste Jones.

« C'est comme dans la police, songea l'inspecteur. Je suis Dolan, juste Dolan. » De toute façon, prononcé à l'anglaise ou à la française, Eugène lui paraissait toujours ringard.

— Venez vous asseoir. Si vous le voulez, vous pouvez avoir du thé, mais je pense qu'il est plutôt tiède.

Le domestique refusa de la tête. L'enquêteur lui désigna une chaise, puis en prit une autre. Jones lui tendit une photographie de trois pouces sur cinq. Sa patronne lui avait sans doute demandé de la lui remettre. Elle montrait un homme gras, l'air satisfait de lui, le menton couvert par une barbe courte. Tout à fait l'allure d'un bon paroissien élu marguillier par ses voisins. Enfin, la version presbytérienne de cette institution.

— Je vous remercie. Votre patron ressemble toujours à ça ?

— Avec un an ou deux de plus, oui.

Évidemment, un barbu pouvait changer considérablement son apparence en se coupant les poils, et un imberbe en les laissant pousser. Rien ne garantissait qu'on le reconnaisse.

— Que pensez-vous de l'absence prolongée de monsieur McDougall ?

Le valet haussa les épaules, comme s'il ne lui appartenait pas de penser quoi que ce soit du comportement de son employeur.

— Pour vous, ce fut une surprise ?

— Oui et non.

Lui aussi expliqua que cette situation se produisait régulièrement des années auparavant, mais pas récemment. L'âge semblait avoir dompté ce jouisseur. Cependant, le vieil homme donna une autre dimension à sa réponse :

— Il n'a rien pris avec lui.

— D'habitude, vous lui prépariez une valise ?

— Un homme comme lui ne peut pas porter le même linge pendant un mois.

Pour la plupart des travailleurs de la ville, pareil manquement à l'hygiène n'était pas chose rare.

— Lors de ses départs, vous prépariez donc son bagage ?

— C'est mon travail, monsieur.

Donc, quelqu'un dans la maison connaissait le moment de chacune de ses petites désertions, et aussi de ses retours.

Tous les occupants pouvaient les connaître aussi, à moins que ce vieux serviteur ne garde scrupuleusement les secrets de son maître – ce qui était sans doute le cas.

— Ne lui arrivait-il jamais de partir à l'improviste ? Je veux dire sans que vous le sachiez ?

— Pour une nuit, deux, tout au plus.

— Alors que pensez-vous de son absence d'un mois ?

Jones se troubla ; pendant un instant, Dolan craignit de le voir verser une larme.

— Ce n'est pas lui, ça, laisser ses gars se débrouiller tout seuls.

Donc, au moment de sa première rencontre avec Kenneth, l'aîné lui cachait son inquiétude. Ou alors l'hypothèse d'Andrew devenait plus plausible : cette disparition ne le tracassait pas, car il en était responsable.

— Avez-vous la moindre idée d'où il peut se trouver ?

— Non, pas du tout.

La voix contenait assez d'anxiété pour qu'il prenne la réponse au pied de la lettre.

— Pas d'endroit où il aurait pu aller se reposer ? Pas de personne susceptible de retenir toute son attention ?

— Sans emporter une seule chemise ? Qu'il soit n'importe où, ce n'est pas par sa propre volonté.

Pour la première fois, Dolan entendait un témoin dont il ne doutait pas de la sincérité. Tous les autres semblaient si désireux de lui mentir, ou du moins de lui cacher quelque chose.

— Je vous remercie, Jones. Vous pouvez certainement me raccompagner jusqu'à la sortie sans déranger le majordome.

Le vieil homme se leva en même temps que le visiteur, tout disposé à lui servir de guide. Une fois dehors, l'inspecteur trouva le cocher perché sur son véhicule.

— Vous allez où, à c't'heure ?

— À l'hôtel de ville.

— Alors, montez.

Voilà que la vie des privilégiés faisait envie à Dolan. Il suffisait de demander pour que ses désirs soient comblés.

Finalement, les McDougall avaient occupé la majeure partie de son samedi. Après avoir effectué des tâches administratives, le policier était rentré à la maison assez tôt pour s'offrir une petite sieste avant le souper. Son expédition nocturne de l'avant-veille l'avait épuisé.

Dans toutes les villes du monde, le quartier autour du port proposait des services d'un genre particulier. L'arrivée quotidienne de centaines de matelots, souvent en déplacement depuis des mois, expliquait la présence de débits de boisson peu regardants sur la qualité du produit, et de femmes aux charmes souvent très défraîchis se vendant pour le prix d'un verre de gin. Les transactions se réglaient en quelques mots, l'échange très bref de caresses se déroulait dans l'embrasure d'une porte, dans la cour crasseuse d'un commerce ou tout bonnement près des latrines situées à l'arrière de l'estaminet.

Parmi cette faune humaine, on apercevait parfois des manteaux de qualité, des melons à la dernière mode, des vestons du meilleur tweed. Des gens au tournant de la vingtaine, jeunes travailleurs ou étudiants, venaient s'encanailler dans ces mauvais lieux. De temps à autre, l'un d'eux récoltait une bosse sur le crâne, un œil au beurre noir ou même une estafilade causée par un manieur de rasoir. Les blessures demeuraient légères, ajoutaient du piquant à la soirée. Les petits truands retenaient les coups fatals, sachant bien que tuer un habitant des beaux quartiers leur vaudrait une traque sans merci et une danse au bout d'une corde.

— Vallerand, comment c'est de travailler dans une usine ? cria quelqu'un depuis l'extrémité d'une longue table de bois.

Pour ses anciens camarades du collège Sainte-Marie, André portait toujours ce patronyme ; la plupart ignoraient qu'il s'agissait de celui de sa mère. Mieux valait demeurer discret sur une naissance illégitime. Longtemps, il avait évoqué un père décédé peu après sa naissance. À l'approche de ses vingt ans, toutefois, il s'aperçut que le qualificatif d'« enfant de l'amour » lui plaisait assez et lui donnait une petite aura auprès de ses camarades, élevés dans des familles catholiques plutôt collet monté. Sans s'en vanter, il ne mettait pas beaucoup d'effort pour préserver son secret. Cependant, cela lui enlevait toutes ses chances de convoler un jour avec la sœur de l'un de ses collègues. Il était devenu un très mauvais parti aux yeux des gens respectables.

Depuis plus d'un an, il se présentait sous le nom d'Andrew McDougall. Parfois, il unissait les deux patronymes pour obtenir Vallerand-McDougall, ou Andrew V. McDougall. La forme française du prénom s'effaçait. Ses diverses identités le laissaient perplexe. Et, pour ses camarades de collège, il demeurerait toujours le Vallerand pas très sérieux mais toujours charmant, à qui il arrivait une histoire rocambolesque.

— Je travaille dans les bureaux d'une fonderie, pas dans une usine.

— Puis un jour, il deviendra propriétaire de la fonderie, lança un autre d'un ton railleur. Imaginez, la population canadienne-française de Westmount va doubler d'un coup : ils seront deux !

Andy leur précisait parfois que cet héritage serait nécessairement divisé en trois. Ce qui n'empêche qu'il aimait bien s'imaginer comme le seul bénéficiaire de toute la fortune, passant d'un coup de garçon à l'origine douteuse à homme d'affaires en vue, capable de parler d'égal à égal avec Wilfrid Laurier, le premier ministre du Canada.

— La maison n'est pas à Westmount, précisa-t-il avec une pointe d'impatience dans la voix, mais à l'extrémité ouest de Montréal.

Les deux jeunes hommes occupant avec lui un bout de la table étudiaient la médecine à l'Université Laval à Montréal. L'établissement possédait en effet une succursale dans la métropole. L'un de ceux-ci, Angers, remarqua à voix basse :

— Laisse-les parler, ils sont tout simplement jaloux.

— Après un an, ça devrait leur passer !

— Tout de même, ton histoire n'est pas banale.

Elle s'apparentait aux aventures du capitaine Fracasse : un père venu de nulle part pour changer la vie de son fils. En réalité, ce parent lui était bien familier. Depuis sa naissance, « tonton Archibald » avait été présent lors des anniversaires, et il avait dû lui présenter son bulletin scolaire chaque mois. D'ailleurs, sa mère faisait explicitement un lien direct entre son comportement, sa performance à l'école, et l'allocation qui leur permettait de vivre tous deux agréablement. Ces dernières années, sa seule présence, plutôt que celle d'Annie, justifiait les visites du vieil industriel, et sa générosité. Cela l'incitait à brider un peu son caractère fantaisiste.

— L'autre soir, confia Angers, j'ai été surpris que tu te joignes à nous.

— Tu veux dire lors de notre expédition au cimetière de Côte-des-Neiges ? Ce n'était pas la première fois. On a commencé ça en classe de philo.

D'un geste de la main, son camarade lui fit signe de baisser le ton.

— Je sais, intervint Desjardins, mais maintenant, une dizaine de dollars ne doivent pas faire une très grande différence dans ton train de vie.

— Personne n'a jamais trop d'argent.

Leur amitié datait du début de leur cours secondaire. Les pères des deux autres étaient des praticiens bien au fait des besoins en cadavres des facultés de médecine, mais aussi des étudiants eux-mêmes. Chacun devait obtenir le sien, souvent à grands frais. Des jeunes gens entreprenants pouvaient tirer trente dollars d'une visite nocturne dans un cimetière.

— Tout de même, je m'étonne que ce soit encore nécessaire de les voler, remarqua Vallerand. Le vingtième siècle est celui de la science, non ? On ne devrait plus faire comme au Moyen Âge.

— Ça ne veut pas dire que les familles seraient heureuses de savoir que la dépouille de grand-papa sera bouillie pour être ensuite réduite à l'état de squelette, souligna Angers.

— Encore moins une douce épouse ou une fille chérie, renchérit Desjardins. Vous rappelez-vous de la phtisique ?

Les étudiants esquissèrent une grimace, puis firent signe au serveur d'apporter la tournée suivante.

— Pas plus de dix-huit ans, je gage.

À l'idée de mettre la main sur une défunte de leur âge, même le cynisme de la fin de l'adolescence ne les avait pas empêchés de verser une larme... Et alors que les autres regardaient ailleurs, chacun avait saisi l'occasion de mettre la main à des endroits choisis de son anatomie. Dans une société où le corps des femmes demeurait caché des chevilles jusqu'au cou, les plus jeunes en arrivaient à cet expédient pour satisfaire leur curiosité.

Une fois les nouvelles bières vidées à moitié, Vallerand revint sur le sujet.

— Jamais personne ne se rend compte de l'absence du corps dans le cercueil?

— Pas si on le leste avec un sac de sable, affirma Desjardins.

— Tout de même, quelqu'un pourrait faire ouvrir la bière pour un dernier au revoir à un parent ou un ami.

— Crois-moi sur parole, insista son interlocuteur, personne n'a envie de voir le corps d'un proche qui a passé quatre ou cinq mois dans un charnier.

— Les cadavres sont abîmés au point d'empêcher de les reconnaître, renchérit Angers.

Les employés des cimetières refusaient de creuser des tombes de novembre à la fin de l'hiver, car la terre gelée devenait aussi dure que la pierre. Les cercueils s'entassaient donc dans une petite cabane – le charnier – jusqu'au printemps. Beaucoup de malades souhaitaient mourir avant le premier gel, ou alors après avril, pour éviter de servir de festin aux rats pendant de longs mois.

— Je veux bien croire qu'il soit amoché, mais supposons qu'un parent exige de voir le corps, il le reconnaîtrait.

— Sans doute, mais ce ne serait pas beau, répéta Angers.

Desjardins ricana avant de remarquer:

— Cela pourrait même survenir dans la classe d'anatomie. Imaginez Hector Lapointe qui regarde sur ma table et crie: "Mais c'est mon oncle Gérard, ça!"

L'humour de potache n'amenait plus la même hilarité à Andrew. Angers continuait de réfléchir à la possibilité d'identifier un macchabée.

— Il paraît que la police peut identifier des corps réduits à l'état de squelettes grâce au dossier du médecin ou du dentiste.

— Dans ce cas, Hector dirait : "Tiens, v'là la dent en or de mon oncle Gérard !"

Enfin, l'un des futurs disciples d'Esculape se leva de sa chaise.

— Bon, si vous n'avez plus d'autre sujet de conversation que les cadavres, moi je vais au lupanar.

Angers châtiait parfois son langage. Desjardins s'en tenait à un vocabulaire plus familier.

— Paraît qu'au grand bordel de la rue Saint-Laurent, ils ont reçu une cargaison de Chinoises. Je ne veux pas rater ça.

Les jeunes messieurs étaient trop distingués pour se satisfaire d'une passe rapide dans un coin sombre d'une ruelle. Ils réclamaient de l'exotisme, et des draps à peu près propres.

Même les étudiants de la très catholique Université Laval à Montréal fréquentaient les lieux glauques de la rue Saint-Laurent et des alentours. Le trio se présenta à la porte de la maison close pour buter contre un videur aux muscles dignes des artistes du parc Sohmer. Si les deux premiers entrèrent sans mal, le bonhomme arrêta Andrew en lui posant la main sur la poitrine.

— Toé, tu rentres pus icitte.

— Pourquoi ? Je suis un bon client.

— La dernière fois, tu t'es battu. La patronne veut pus te voir.

Pour attirer une bonne clientèle de bourgeois, il fallait garantir une atmosphère aussi sécuritaire que celle de leur salon, avec de jolies femmes en petite tenue en plus. Les fauteurs de trouble restaient dehors.

— Voyons, intervint Angers, regardez-le. Bâti comme ça, il ne fera de mal à personne.

Le cerbère détailla le jeune homme des pieds à la tête, enclin à partager cet avis. Toutefois, son sens du devoir prévalut.

— La patronne décide qui va rentrer ou pas. Vous aut', vous pouvez y aller. Pas lui.

Andrew secoua la tête, frustré par cet entêtement, mais il céda :

— Allez-y, les gars. Je donnerai ma clientèle à un autre établissement, désormais.

Puis, en rejetant la tête en arrière d'une manière qu'il voulait hautaine, le jeune homme continua son chemin dans la rue Saint-Laurent.

Le lundi suivant, Dolan vérifia d'abord si son chef ne lui avait pas confié une tâche urgente. Les grandes enquêtes – la recherche du bourgeois disparu risquait d'en devenir une – s'émaillaient souvent de plus petites, comme celle concernant les voleurs de poules assez audacieux pour venir vendre le résultat de leurs larcins au marché Jacques-Cartier, juste sous les fenêtres du poste de police numéro 1.

L'inspecteur se dirigea vers un petit restaurant où il s'installa à une table avec vue sur la colonne Nelson. Comme il était devenu un habitué au cours des deux dernières années, le serveur déposa une bière devant lui en disant :

— Alors, chef, pas de tueur armé d'une hache à attraper cette semaine ?

— D'abord, je ne suis le chef de personne.

Le garçon ricana dans sa barbe. Des agents en uniforme faisaient partie de la clientèle. Souvent, ils maugréaient contre le « curé », cet inspecteur venu tout droit du Grand Séminaire. On le disait à la fois froid et distant.

— Ensuite, heureusement, l'envie de massacrer leur famille ne vient pas souvent aux travailleurs canadiens-français.

— Ouais. Ma femme a eu l'air de me soupçonner pendant une semaine, à cause de Lacaille.

Après sa capture, dans toutes les tavernes, dans tous les restaurants de cette partie de la ville, on se racontait avoir déjà vu le meurtrier. Plusieurs voisins se souvenaient – ou alors inventaient sans vergogne – des scènes où le tueur avait révélé ses tendances sanguinaires. Avec sa carrure de videur de bordel, armé et en colère, ce serveur aurait fait des ravages. Heureusement, plutôt placide, l'homme ne paraissait guère menaçant.

— Parmi tous les cultivateurs qui dînent ici, vous n'avez pas remarqué de nouveaux venus ? interrogea le policier.

Comme l'employé fixait sur lui des yeux intrigués, il précisa :

— Je veux dire des gars jamais vus auparavant, désireux de vendre de la volaille à bon prix...

Cette fois, le garçon eut un sourire entendu. Lui aussi avait eu vent des activités de ces criminels.

— Bin là, chef, j'connais pas tout le monde qui vient icitte. Pis comme le frette revient et que ce s'ra Noël betôt, y a plus de monde que d'habitude. Ça veut pas dire qu'c'est des voleurs.

Puisque la température ne risquait plus de dépasser les 32 degrés Fahrenheit avant le printemps prochain, la conservation des aliments était facilitée. Les agriculteurs faisaient boucherie afin d'offrir aux ménagères des moitiés de porc ou des quartiers de bœuf, ainsi que des oiseaux dûment plumés et vidés. Les repas des fêtes faisaient une bonne place aux poulets, aux oies ou aux canards.

Tout de même, le serveur ouvrirait désormais l'œil. Surtout, le mot se passerait parmi le personnel et la clientèle : des habitants présentaient-ils un comportement louche ? Avec un peu de chance, quelqu'un lui signalerait un suspect. D'ailleurs, Dolan eut la preuve de l'efficacité de sa stratégie avant même d'avoir fini son steak. Un bonhomme d'une cinquantaine d'années vint se planter devant lui.

— La police, c'est toé ?

— Pas à moi seul, mais j'en fais partie.

— Bin, y a quequ'un qui fait des prix pas catholiques. Y a un berlot rouge, par là.

Le cultivateur désignait l'autre côté de la place, en direction du fleuve.

— Je termine, puis je vais jeter un coup d'œil de ce côté.

L'habitant le regarda de haut, déçu de son peu d'empressement à profiter de l'information. Pourtant, moins de vingt minutes plus tard, Dolan marchait dans une affreuse bouillie de neige fondue et de crottin de cheval. En ce début d'après-midi, de nombreux vendeurs démontaient déjà leurs tréteaux.

Le berlot – un traîneau capable de transporter une petite charge – de couleur rouge était bien stationné à l'endroit indiqué. Une dame souffrant d'embonpoint tâtait une volaille tout en disant :

— Bin, vous l'avez pas nourri, c't'oiseau.

— Il a mangé comme les autres. C'est sûr, à c't'heure-citte, les plus grosses sont vendues.

La ménagère partit bientôt avec sa poule rachitique, après avoir forcé le cultivateur à réduire son prix de quelques cents. Pour accepter, il devait avoir hâte de rentrer à la maison. Quand l'inspecteur s'approcha, il déclara :

— J'en ai pus, vous d'vrez revenir l'an prochain.

— Je viens juste pour parler un peu. D'où venez-vous ?

Le marchand le toisa de haut en bas, prêt à l'envoyer paître. Cependant, Dolan ressemblait assez à un fonctionnaire municipal pour l'amener à plus d'aménité.

— De Longueuil.

— Ça vous fait une longue distance à parcourir.

— Pas tant que ça. Y en a qui viennent d'aussi loin que Chambly.

Des navires permettaient aux cultivateurs de traverser le fleuve afin de vendre leurs produits dans la ville la plus populeuse du Canada. Dans un mois, tout au plus six semaines, un pont de glace faciliterait le passage d'une rive à l'autre. Alors, les producteurs viendraient surtout écouler du bois de chauffage pour les maisons et du foin pour nourrir les chevaux.

— Dommage que j'arrive trop tard. Quelqu'un m'a dit que vous faisiez les meilleurs prix, aujourd'hui.

Le marchand secoua la tête.

— V'là qu'les jaloux se plaignent, à c't'heure.

Dolan ne relevait aucun malaise chez ce cultivateur, rien qui laissait supposer que ses volailles venaient d'ailleurs que de sa ferme. Tout de même, il nota son nom et son adresse, juste au cas. Pendant les prochains jours de marché, des policiers en uniforme accosteraient tous les agriculteurs. Mais les voleurs, s'il y en avait, se seraient sans doute déjà envolés à ce moment.

L'enquêteur se rendit ensuite à pied à la gare Bonaventure. Rien ne pressait, d'autant que sa démarche lui semblait maintenant tout à fait inutile. Dans le grand hall de l'édifice, il se dirigea vers les guichets où des commis, derrière des grilles de bronze, vendaient des billets.

— Vous vous souvenez de ce visage ?

Le jeune préposé accepta de se pencher sur la photographie d'Archibald McDougall, pour faire non de la tête et demander :

— Je devrais savoir qui c'est ?

— Cet homme a disparu depuis un mois. Je me demande s'il a pris un train pour gagner d'autres cieux.

— Un mois ? Monsieur, j'ai sans doute vu passer cinq mille voyageurs devant moi, depuis ce temps. Je vais demander à mes collègues.

Élevant la voix, il les invita à venir le rejoindre. Bientôt, quatre employés placés épaule contre épaule examinaient le portrait tout en échangeant des commentaires.

— Ça, c't'un gars de Westmount, remarqua l'un d'eux en levant la tête vers le policier.

— Pas tout à fait, mais il vit cependant à flanc de montagne. Vous l'avez vu ?

— Sa face me dit quelque chose, mais j'peux pas dire quand je l'ai vu. Pis ça peut être un autre. Ces bourgeois se ressemblent tous : gros et gras avec du beau linge, pis une montre en or icitte.

De la main, l'employé désignait son gousset. Il avait bien raison : McDougall ne présentait aucun trait susceptible de marquer la mémoire. Au grand plaisir des clients qui maintenant formaient une queue devant les guichets, Dolan remit la photographie dans sa poche, remercia les préposés puis alla répéter le même scénario avec les employés affectés aux quais d'embarquement. Il ne s'attendait à aucun résultat, mais la démarche devait être faite.

En marchant rue Sherbrooke, l'inspecteur traînait curieusement les pieds sur le trottoir, allant même jusqu'à s'arrêter pour racler ses semelles contre l'arête de celui-ci. Elles gardaient des traces de son passage dans le crottin de cheval du marché Jacques-Cartier, et il ne souhaitait pas en souiller le petit appartement en forme de bonbonnière d'Annie Vallerand.

Dans le hall d'entrée, le gardien l'accueillit de nouveau avec une mine méfiante. Cette fois, la dame ne l'attendait pas, mais après un coup de fil du planton, elle accepta de le recevoir. Dans l'entrée de son appartement, elle l'accueillit avec un ton railleur :

— Si j'avais su que vous reviendriez me voir, j'aurais fait préparer un *high tea*.

— Ce serait un peu tôt dans l'après-midi pour autant de cérémonie. Mais j'admets que j'aurais dû vous avertir de ma venue. Je vous prie de m'excuser pour cette indélicatesse.

— Ne craignez rien, vous ne bouleversez pas ma vie mondaine. Mes journées sont bien ennuyeuses.

Pendant cet échange, Dolan avait remis son manteau à la bonne. Maintenant, il enlevait ses couvre-chaussures crottés. Il eut l'impression, sans doute fausse, que son hôtesse plissait le nez avec dégoût. Jamais il ne s'était interrogé sur le quotidien d'une femme entretenue. Bien sûr, une fois Andrew arrivé à l'âge adulte, Annie Vallerand devait meubler son temps en lisant des journaux, des revues ou des romans. Ses revenus ne lui permettaient sans doute pas de parcourir les magasins de la ville, et aucune société de bienfaisance n'aurait accepté une pécheresse comme bénévole.

— Apportez-nous du thé, ordonna-t-elle à la domestique tout en guidant le visiteur vers le petit salon.

L'inspecteur s'installa dans le même fauteuil que lors de sa visite précédente, son hôtesse aussi. Toujours ironique, elle commença :

— Je crois comprendre que les fils aînés d'Archibald se sont enfin souciés de la disparition de leur père.

— Ils ont contacté la police il y a quelques jours seulement, mais cela ne signifie pas qu'ils n'étaient pas inquiets auparavant.

Son interlocutrice reçut la précision avec un battement de cils et un sourire amusé.

— Si vous le dites. Moi, je suis portée à penser qu'ils savent depuis le début où est leur père.

De nouveau, elle reprenait la théorie de son fils : Kenneth et Stanley, pressés de toucher leur héritage, avaient fait disparaître l'auteur de leurs jours.

— Mais cela ne leur rapporterait rien. La difficulté avec une telle stratégie, c'est la disposition du code civil sur les personnes disparues. Il faut attendre sept ans avant que leur décès soit reconnu.

Annie Vallerand se troubla devant la précision. Elle devait ignorer cette subtilité de la loi.

— Pendant ce temps, les héritiers profitent tout de même de la fortune du disparu, objecta-t-elle.

— Ils en sont les fiduciaires, en quelque sorte, mais ils ne peuvent prendre de décisions importantes. À toutes fins utiles, leur situation ne diffère pas de ce qu'elle était en présence de leur père.

La jeune domestique entra à ce moment, un plateau dans les mains. Annie Vallerand versa elle-même le thé.

— Si un crime était découvert, continua l'inspecteur, la situation serait pire encore. Reconnus coupables, les héritiers seraient déclarés indignes et ne toucheraient rien.

— Indignes ?

— Les législateurs voulaient sans doute s'assurer que si un de leurs rejetons les supprimait pendant leur sommeil, au moins il n'y gagnerait rien.

Dolan aurait pu jurer que la femme avait fait une petite grimace. Son argument visait à la déstabiliser, mais après un instant de réflexion, il s'avérait vain. Une fois capturé et pendu, l'assassin n'avait que faire de cette clause de la loi. Tout l'intérêt d'une entreprise d'assassinat était de ne pas se faire prendre.

— Alors, si les aînés ne sont pour rien dans cette disparition, où se trouve Archibald?

— Justement, pourriez-vous me dire quand vous l'avez vu pour la dernière fois?

Cette fois, un pli se forma au milieu du front de son hôtesse.

— Cela fait longtemps, vous savez.

— Bien sûr, mais dans les circonstances, difficile d'oublier...

Pour une maîtresse, la dernière rencontre avec un amoureux avant sa disparition devait laisser un souvenir impérissable.

— Je ne saurais pas donner une date précise, mais c'était un mercredi...

— Le 1ᵉʳ novembre.

— Je veux bien vous croire.

Visiblement, elle n'entendait pas se livrer facilement sur ce sujet. Pourtant, lors de la première visite de Dolan, elle n'avait pas fait mystère de son statut de courtisane.

— Comment l'avez-vous trouvé?

— Comme d'habitude...

— Rien qui laissait présager un départ?

Annie Vallerand lui montra un visage maussade. Il ne restait rien de la minauderie de leur première rencontre.

— Non. Je vous l'ai déjà dit. Dans le cas contraire, ni moi ni mon fils ne nous serions inquiétés.

— Écoutez-moi bien. Aussi longtemps que nous n'aurons pas trouvé de cadavre, cette affaire sera traitée comme une disparition. J'ai compris que monsieur McDougall n'a annoncé à personne son intention de partir en voyage. Toutefois, un homme peut aussi mettre fin à ses jours en sautant dans un cours d'eau, ou alors en allant se pendre au fond d'un bois. Si je vous demande comment vous l'avez trouvé le 1er novembre, il ne s'agit pas de curiosité malsaine de ma part.

L'allusion à un suicide amena la maîtresse du disparu à une attitude plus conciliante. La mine préoccupée, elle prit sa tasse de thé pour en boire une gorgée, le temps de rassembler ses souvenirs.

— Vous savez, les hommes dans la cinquantaine deviennent souvent moroses.

L'inspecteur renonça à lui demander où elle avait acquis son expertise dans ce domaine. Qui sait, au cours du dernier mois, elle avait peut-être occupé ses grandes journées avec une nouvelle conquête.

— Je suppose qu'au moment où les signes du vieillissement deviennent évidents, continua-t-elle, ils ressassent toutes les occasions ratées et réalisent que le temps leur manquera désormais pour mener à bien leurs derniers projets.

— McDougall ne paraît pas si vieux sur les photographies que j'ai.

— Croyez-moi, il avait vécu ses meilleures années.

Dolan se sentit gêné, car cette remarque lui semblait faire allusion aux performances déclinantes de son amant lors d'activités horizontales.

— Il en était affecté au point de vouloir en finir ?

— Ce n'est pas ce que j'ai dit.

Cette rencontre n'allait nulle part, aussi le policier se résolut à l'abréger. Tout en remettant son carnet dans la poche de son veston, il questionna encore :

— Quand deviez-vous vous revoir ?

— Le samedi, après sa journée à l'usine.

Kenneth lui avait dit qu'il s'attendait à retrouver son père à la maison. Ce samedi soir, l'homme était donc attendu dans ses deux familles.

— Vous vous êtes tourmentée tout de suite ?

— Non, bien sûr que non. Les femmes dans ma situation passent toute leur vie à attendre le bon vouloir de monsieur.

Le dépit marquait la voix. Évidemment, les maîtresses vivaient de temps volé aux épouses légitimes. Cela signifiait une existence entre parenthèses. Dolan se leva tout en disant :

— Je vous remercie... mademoiselle.

Le mot, à l'égard d'une femme de plus de quarante ans et mère de surcroît, fut balbutié. Pour un ancien séminariste formé à s'insurger contre toute pensée impudique, les siennes ou celles des autres, ses semblables lui paraissaient être des pécheurs avérés. Depuis son entrée dans la police, il se faisait l'impression de marcher dans les rues de Sodome.

Annie Vallerand le raccompagna jusqu'à la porte. Comme avertie par un signal secret, la domestique apparut avec son manteau et son melon dans les bras. Dolan remit d'abord ses couvre-chaussures. Maintenant, l'odeur de crottin ne le gênait plus. Il s'agissait d'une petite vengeance pour l'outrecuidance de son hôtesse. Quand il tendit la main, son « au revoir » eut l'heur de la faire grimacer.

Chapitre 10

Une enquête comme l'affaire McDougall ne pouvait se dérouler autrement que sous le regard constant du chef de police. La moindre erreur de son inspecteur pourrait lui valoir une intervention de la part de gens haut placés, amis de la famille ou simples relations. Aussi, le matin du 5 décembre, Dolan se présenta d'abord au bureau de son supérieur pour rendre compte de ses activités de la veille auprès des deux fils aînés, de l'épouse trompée et de la maîtresse entretenue.

— La rencontre avec Annie Vallerand n'a servi à rien.

— Elle a refusé de répondre?

— Pas tout à fait. Mais j'ai l'impression qu'il nous manque un grand bout de son histoire.

— Si nous lui demandions de venir ici pour une nouvelle série de questions?

Les véritables criminels considéraient les postes de police, et même les prisons, comme des résidences secondaires. Au commun des mortels, ces endroits inspiraient une véritable terreur.

— Pas tout de suite. J'aimerais d'abord parler un peu avec le gardien de son édifice.

— Vous pensez qu'il voudra se confier?

— Si je peux bénéficier d'un budget, oui.

Le service de police possédait une petite caisse destinée à couvrir des dépenses inhabituelles. La plupart du temps, il s'agissait de payer des informateurs. Comme les délinquants étaient mus par la recherche d'un gain facile, les volontaires ne manquaient jamais pour trahir leurs compagnons. Des personnes dans d'autres secteurs d'activité acceptaient aussi une petite obole pour devenir bavards.

— Si cela peut vous aider, allez-y.

Olivier Campeau se penchait déjà sur les papiers posés sur son bureau. Dolan lâcha très vite :

— J'aimerais aussi publier une annonce dans les journaux, avec une photographie de McDougall.

La proposition retint toute l'attention du chef de police.

— Pour demander des informations sur ses déplacements, au début du mois dernier.

— Personne ne se souviendra de lui, après tout ce temps.

— Qui sait ? Il a pu se produire un incident quelconque, par exemple une engueulade avec un porteur au moment de monter dans un train, une scène susceptible de demeurer dans les souvenirs...

— Cela signifiera aussi des dizaines de réponses d'individus souhaitant se rendre intéressants.

Juste pour obtenir l'attention d'une personne détenant une autorité, certains n'hésiteraient pas à concocter une histoire. Les plus imaginatifs croiraient même mordicus à leur invention.

— Dans le lot, peut-être quelqu'un nous apprendra-t-il quelque chose sur ses habitudes. Une autre maîtresse, par exemple, ou une propension à se rendre dans de mauvais lieux.

Dolan reprenait les mots les plus pudiques des prêtres pour parler des bordels. Il continua après une pause :

— Je me demande pourquoi un homme riche et respecté peut vouloir disparaître. Des dettes de jeu? Une dépendance à l'opium?

— Pourquoi pas simplement un meurtre?

— Nous n'avons pas de corps!

Il en revenait toujours à cette réalité toute simple : sans cadavre, l'homme serait présumé vivant pendant sept ans. Il reprit :

— Je suis prêt à endurer toutes les personnes qui s'ennuient au point de raconter des fables à un policier, si cela peut me rapporter le moindre indice.

Son supérieur avait l'air sceptique, mais il hocha la tête pour donner son assentiment.

Les transports en commun n'allaient pas au-delà de Verdun. Dans les circonstances, la petite caisse permettrait à Dolan de se payer une longue balade en voiture. Des cochers attendaient en permanence devant l'hôtel de ville, car de nombreux notables s'y présentaient toute la journée, des gens pour qui le tramway était trop populeux.

— Vous connaissez l'hôpital sur le chemin menant vers LaSalle? demanda-t-il à l'un d'eux.

— L'hôpital des fous?

— Plus précisément le Protestant Hospital for the Insane, le corrigea l'inspecteur.

— C'est ce que j'ai dit.

Derrière le conducteur, la banquette était couverte. À moins d'un fort vent de face, les passagers échappaient aux intempéries. Ce ne serait pas un problème ce jour-là : la température, quoique anormalement froide, s'accompagnait d'un beau ciel bleu.

Pendant les premières minutes du trajet, le cocher tenta d'établir une conversation, curieux de savoir si Dolan se rendait là-bas pour visiter un parent. Le visage fermé de ce dernier l'incita à cesser ses efforts. Le vieux bonhomme dut se contenter de commenter les points les plus intéressants du trajet pour le bénéfice de son cheval.

L'hôpital pour aliénés avait été construit au milieu d'une immense propriété. La science médicale soutenait qu'un travail régulier, au grand air, faisait beaucoup de bien aux malades. D'ailleurs, le policier remarqua quelques-uns d'entre eux affairés dans les champs. À cette période de l'année, il se demandait bien en quoi consistait leur travail.

Au bout d'une allée ombragée d'arbres se dressait un grand édifice de brique rouge flanqué de deux tourelles décoratives en façade. L'établissement avait été fondé vingt-quatre ans plus tôt, après une grande souscription populaire pour amasser des fonds. Les milieux d'affaires protestants montréalais ne manquaient pas de ressources. Au bout de cinq ans, leur générosité avait mené à l'inauguration de ce magnifique hôpital.

Le cocher s'arrêta devant la porte. En posant le pied à terre, l'inspecteur demanda :

— Vous pouvez m'attendre ici pour me ramener en ville tout à l'heure ?

— Dans combien de temps, patron ?

— Moins d'une heure.

— D'accord, mais c'est vous qui paierez pour ma p'tite sieste. J'vas me mettre de ce côté.

Il montrait un bâtiment modeste à l'écart, une écurie sans doute. Finalement, ce policier taciturne lui procurerait une journée de travail pas très harassante.

Dolan grimpa les quelques marches donnant accès à l'entrée principale. Sans surprise, un gardien l'accueillit à l'intérieur. Il devait surtout être là pour empêcher les pensionnaires de sortir, car personne ne devait vouloir forcer la porte dans l'autre sens.

— J'aimerais parler au docteur Burgess.

— Le directeur est très occupé…

— Il m'attend, j'ai téléphoné ce matin.

— Dans ce cas, montez. Son bureau est juste au-dessus.

Thomas Burgess dirigeait l'établissement depuis quelques années. Dans l'escalier, le visiteur croisa des employés en veste blanche. Les épaules larges, les bras solides lui firent penser aux portiers des établissements louches. Dans son esprit, les asiles de ce genre devaient être le lieu des plus grands désordres ; les préposés devaient surtout être chargés de ramener les occupants au calme par la force.

Comme prévu, l'aliéniste, un homme affublé d'énormes moustaches, se tenait dans sa pièce de travail. En lui serrant la main, Dolan remarqua :

— Voilà un endroit étrangement paisible, pour un…

— Pour une maison de fous !

Le praticien l'invita à s'installer sur une chaise devant son pupitre. Un instant, Dolan examina la pièce. De grandes fenêtres l'éclairaient, de très nombreuses fougères faisaient penser à un sous-bois en plein été, et des peintures sur les murs présentaient des scènes pastorales.

— Je ne l'aurais pas dit de cette façon mais, oui, pour une maison de fous. Il s'agit d'un préjugé, sans doute.

— Pas totalement infondé. Certains de ces établissements sont dantesques. En ce qui me concerne, je ne crois pas aux camisoles de force, aux malades attachés à leur couchette, aux douches froides, ce genre de choses.

— Certains sont sûrement agités…

— Et les façons de faire que je viens d'évoquer les rendent plus agités encore. Une atmosphère très calme a l'effet inverse.

Burgess fit une pause, puis il admit :

— Bien sûr, dans certains cas, je dois mettre de côté ces principes. Heureusement, cela n'arrive pas si souvent. Mais vous n'êtes évidemment pas ici pour m'entendre discourir sur mes méthodes de traitement. Soupçonnez-vous l'un de mes pensionnaires d'avoir fait un mauvais coup ?

L'inspecteur fouilla dans sa poche tout en disant :

— En réalité, je viens à la pêche.

Il posa le portrait d'Archibald McDougall sur le bureau, juste sous les yeux du médecin.

— Cet homme a disparu il y a un mois. Il y a peut-être une chance sur un million qu'il ait été interné après avoir perdu la mémoire.

— Pas sur un million, mais cela survient très rarement. Et dans ce cas, j'aurais fait appel au public pour tâcher de découvrir son identité. Toutefois, je n'ai pas vu un cas semblable depuis bien longtemps.

Tout de même, l'aliéniste prit la photographie pour la contempler un moment.

— Je connais ce gars. Un industriel de Montréal, n'est-ce pas ?

— Vous avez raison.

Dolan lui révéla le nom du disparu, puis il s'enquit :

— Comment l'avez-vous connu ?

— Ce bel hôpital a été payé par de généreux donateurs. Il compte parmi eux. Nous tenons de petites soirées une fois de temps en temps afin de conserver leur soutien.

Ainsi, l'industriel se laissait gagner par certaines bonnes causes. Jusque-là, l'inspecteur se faisait une bien mauvaise opinion du bonhomme, compte tenu de ses incartades extraconjugales. Bien sûr, sa propre attitude en ce domaine, extrêmement pudibonde, tenait à son éducation aux mains des bons prêtres.

— Il a disparu depuis un mois, disiez-vous?

— Un mois et quelques jours. Aucun des membres de sa famille ne l'a vu depuis. Je tente de le retrouver, mort ou vivant.

— Il est peut-être parti en voyage?

— Justement, dans quelles circonstances un homme prospère comme lui voudrait-il partir ainsi, sans avertir personne?

Thomas Burgess demeura songeur un moment, puis il déduisit:

— À vos yeux, le fait qu'il soit prospère devrait le retenir ici.

— Je vois des gens partir au loin pour trouver du travail. Quand on ne manque de rien, pourquoi aller ailleurs?

— On peut inverser la proposition. Combien de gens iraient sous d'autres cieux, s'ils en avaient les moyens? Ses ressources financières lui permettent justement de partir. Quant aux raisons pour disparaître ainsi, elles peuvent être nombreuses. S'il n'a pas volé de collaborateurs, s'il n'a pas mené l'entreprise à la faillite, peut-être sa famille lui est-elle devenue insupportable...

Dolan admettait que la situation complexe de McDougall pouvait avoir pesé sur son moral. Nul besoin d'une boule de cristal pour deviner que la venue d'un fils illégitime dans le domicile conjugal avait suscité tout un lot de tensions. D'un autre côté, comme l'industriel avait lui-même pris l'initiative de l'y emmener, il pouvait tout aussi bien le renvoyer chez sa mère si la situation devenait intolérable. Inutile de s'enfuir.

— Que ferez-vous maintenant?

Le médecin devenait curieux : cette histoire pouvait peut-être éclairer certains aspects de la nature humaine.

— En sortant d'ici, j'irai directement à Saint-Jean-de-Dieu, ensuite à la morgue.

— Vous allez continuer de pêcher.

— L'idée de négliger une piste, pour ensuite découvrir que c'était la bonne, me serait insupportable.

Le visiteur s'était levé, le médecin aussi, en lui tendant la main.

— Alors je vous souhaite bonne chance. Il faut être un peu obsessif pour faire votre métier.

L'inspecteur quitta les lieux très mal à l'aise. Ce médecin venait-il de lui coller un diagnostic ? Il se promit de faire un crochet à la bibliothèque Saint-Sulpice afin de chercher les mots « obsessif », « obsession » et « obsédé » dans le plus gros dictionnaire disponible.

Pour le cocher, aller de l'extrémité ouest de l'île de Montréal à son extrémité est représentait une belle promenade. Il choisit de prendre la rue Notre-Dame afin d'apercevoir le fleuve. Jusqu'à récemment, on parlait surtout de l'asile de Longue-Pointe. Le nom de la paroisse Saint-Jean-de-Dieu s'imposait maintenant de plus en plus. C'était une drôle de paroisse, dont la majorité des habitants étaient des aliénés.

La conversation se répéta avec la religieuse des sœurs de la Providence occupant le poste de directrice. Aucun amnésique n'avait été admis depuis des lustres. L'établissement parut à Dolan terriblement plus agité que celui des protestants, et les ressources, fort limitées. Les congrégations féminines, tout comme les paroissiens sollicités à la porte des églises pour des campagnes de financement, n'étaient pas nantis comme les riches habitants de l'ouest de Montréal.

Sur le chemin du retour, Dolan quitta sa voiture et son cocher devant la morgue de Montréal. De là, il pourrait rentrer à pied à la maison de chambres. Le bonhomme encaissa son paiement et son pourboire.

— Bin si vous avez encore besoin de moé, chus souvent d'vant l'hôtel de ville, lui rappela-t-il.

— Je penserai à vous, mais le plus souvent, je vais à pied.

Alors que la voiture s'éloignait, l'inspecteur demeura un long moment planté devant une maison pareille à ses voisines. Si un écriteau au-dessus de la porte n'avait pas annoncé « Morgue », il l'aurait prise pour un logis d'artisan. Ses coups contre la porte ne reçurent d'abord aucune réponse. À force d'insister, un vieillard se manifesta enfin.

— Vous allez défoncer, à cogner comme ça, grogna-t-il en ouvrant.

Il parlait si fort que Dolan comprit avoir affaire à un sourd. Il haussa la voix pour être entendu.

— Je peux entrer ?

— Y a jusse des morts, icitte.

— Justement, j'en cherche un.

La répartie réussit à convaincre le vieux gardien de reculer pour le laisser passer. L'inspecteur fut conduit dans une petite salle d'attente où s'alignaient une douzaine de chaises dépareillées. À côté, il devinait une seconde pièce deux fois plus grande, mais aussi pauvrement meublée. À un bout, une table permettait à un fonctionnaire de prendre des notes. Les enquêtes du coroner pouvaient se tenir à cet endroit, si nécessaire. Dans les cas où une plus grande affluence était à prévoir, le palais de justice, situé à moins de deux mille pieds, offrait tout l'espace requis.

Des gouttes d'eau tombaient du plafond pour finir dans un seau métallique, produisant un bruit régulier.

— D'où est-ce que ça vient ? demanda le policier.

— Bin, c'est les morts. Vous, vous êtes de l'hôtel de ville ? V'nez vouère.

L'employé le prenait sans doute pour un important fonctionnaire. Il s'engagea dans un escalier sans attendre de réponse. Dolan n'eut d'autre choix que de le suivre. À l'étage, sous le toit à larmiers, il aperçut de curieux meubles de six ou sept pieds de long, quatre de haut et autant de large. Il en compta une demi-douzaine. Des ouvertures étaient pratiquées dans le bas, et un grand couvercle faisait penser à celui d'un coffre.

— La glace, ça fond. Pis ces boîtes-là, c'est pas étanche. L'eau coule en bas. Betôt, les gens devront assister aux enquêtes avec leur parapluie.

Comme pour le lui prouver, le vieil homme ouvrit une petite porte, dans le bas d'un des meubles. Sur un tapis de sciure de bois, Dolan aperçut de gros glaçons. On utilisait les mêmes dans les maisons, pour garder la nourriture au frais.

— Imaginez ça en juillette ! J'leu z'ai dit de faire que-qu'chose, pis y font rien !

L'inspecteur se réjouit que l'on soit en décembre et qu'il gèle dehors. À l'intérieur de la maison, la température était de quarante, quarante-cinq degrés.

— Je vais le leur répéter, mentit Dolan. En attendant, ce monsieur est-il passé par ici ?

Le policier sortit la photographie de la poche intérieure de son veston pour la lui montrer en précisant :

— Comme cadavre, je veux dire. Cet homme a disparu, alors je me demandais…

L'obligation de crier pour être sûr d'être compris l'agaçait. Il lui pressait de mettre fin à l'échange.

— Jamais vu un gars qui r'semble à ça.

— Mort, il pouvait présenter une autre allure.

— Bin j'la connais, moé, l'allure des morts. En v'là une.

Dans son mouvement d'humeur, le vieux gardien ouvrit l'une de ces énormes glacières. Machinalement, Dolan jeta un coup d'œil à l'intérieur pour découvrir une jeune fille de seize ou dix-sept ans négligemment enveloppée dans un drap. Même défaits, les traits demeuraient beaux. Cependant le visage offrait une vilaine teinte grise, et l'odeur qui émanait d'elle soulevait le cœur.

— A s'est j'tée dans l'fleuve. D'après le docteur, a l'était en famille. C't'à ça qu'ça r'semble, un corps abandonné icitte.

Le policier comprit l'inutilité de ses démarches de la journée. On ne laissait pas traîner un amnésique dans un hôpital, ou un cadavre à la morgue, sans remuer ciel et terre pour les identifier. Sauf dans de rares cas de personnes – souvent des jeunes filles – venues de l'autre bout du monde, on devait découvrir leur identité.

Il abrégea ses remerciements au vieil homme, puis quitta les lieux.

Certains journaux paraissaient le matin, et des hommes les achetaient en chemin vers le travail. D'autres sortaient en fin d'après-midi, ils fournissaient une distraction pour la soirée. Quelques-uns avaient deux éditions quotidiennes, afin de profiter des deux clientèles.

En passant près de la cathédrale Saint-Jacques, Dolan entendit un petit vendeur de dix ans s'époumoner :

— Un richard est disparu ! Si c'est votre oncle, dépêchez-vous, y a un héritage à aller chercher !

« Voilà quelqu'un qui deviendra riche, songea le policier, s'il s'ouvre un magasin et fait sa propre réclame. » Il lui acheta un exemplaire, chercha le portrait de McDougall pour le découvrir en page 7, juste avant les annonces classées. Le procédé d'impression des photographies laissait beaucoup à désirer, au point que les journaux se limitaient à la reproduction de gravures. Tout de même, on le reconnaissait bien.

L'inspecteur regagna ensuite la maison de chambres de la rue Belmont. Debout dans l'entrée du salon, James Devlin lui lança, tout de suite après l'échange de civilités :

— Toi aussi, tu as vu le journal ? Le gars qui a disparu, je le connaissais.

— McDougall ?

— Oui, ce gars-là. Enfin, je le voyais à la banque, parfois.

Voilà que la « connaissance » s'avérait finalement bien superficielle. Un homme d'affaires de cette envergure fréquentait certainement la Banque de Montréal avec une certaine assiduité.

— Tu l'as vu depuis le début de novembre ?

— Dans le journal, ils disent qu'il s'est envolé le 4. Me semble que je l'ai aperçu après ça.

— Pourrais-tu vérifier ?

Voilà des lieux où l'inspecteur pourrait poursuivre son enquête : les banques, la Bourse de Montréal, les sociétés avec qui la Dominion Foundry entretenait des relations d'affaires. Puis il se ravisa : le mieux était d'attendre que des témoins se manifestent. Si Devlin avait remarqué le bonhomme, il en irait de même pour d'autres employés de l'une ou l'autre de ces institutions.

— Ah! Monsieur Dolan, vous êtes déjà là! s'exclama madame Sullivan en entrant dans la pièce.

Depuis que son travail de limier lui avait valu la perte d'un pensionnaire, elle le regardait avec méfiance. Son «Jamais je n'aurais pensé ça de lui, un jeune homme si tranquille», au souper suivant son arrestation, se teintait d'une note d'anxiété. Que pouvait encore découvrir cet enquêteur sur les gens de son entourage?

— Un petit congé pour compenser les nuits ou les soirées que je passe dehors.

— J'ai reçu un monsieur d'une cinquantaine d'années, respectable comme tout. Vous n'allez pas l'arrêter, là!

— S'il ne vole rien, ne tue pas, ne viole personne, ni ne fomente une révolution anarchiste, je vous jure que non.

Son ton moqueur ne rassura la logeuse qu'à demi. Autant changer de sujet.

— Je vous vois avec ce journal. Vous a-t-on confié aussi cette histoire d'industriel disparu?

— Des fois, je me demande si je ne suis pas le seul à travailler pour le service de police!

La répartie s'accompagnait d'un ricanement d'autodérision, mais son interlocutrice choisit de le prendre au pied de la lettre.

— En tout cas, vous faites plus que votre part.

L'inspecteur haussa les épaules et lui souhaita bonne nuit, pressé de regagner sa chambre.

Un peu après huit heures, Dolan tenait le manteau de Juliette Mailloux afin de l'aider à l'enfiler. Quand il avait eu cette attention la première fois, son trouble l'avait étonné. Sa raideur au bas-ventre lui faisait honte. Pourtant, sa réaction se comprenait sans mal : de toute sa vie, jamais une femme ne s'était tenue aussi près de lui. La troisième fois, l'émotion continuait de l'envahir, mais pas au point d'attirer l'attention.

Une fois dehors, sur le trottoir, il lui offrit son bras. Cette initiative aussi l'intimidait. Sa compagne ne paraissait pas plus assurée. Au fond, tous deux avaient été oubliés par l'amour. Des laissés-pour-compte, en quelque sorte. Aussi, il eut le réflexe de vouloir en connaître un peu plus sur sa compagne.

— Vous ne quittez jamais la pension, le dimanche. J'en déduis que vous n'avez aucune famille à Montréal.

— Décidément, rien ne vous échappe, répliqua-t-elle, amusée. D'abord Collins, puis moi.

L'inspecteur comprit qu'en son absence, madame Sullivan avait partagé avec ses pensionnaires son inquiétude devant la présence d'un fin limier dans son établissement. Personne ne voudrait plus partager ses petits secrets avec lui.

— Inutile d'être policier pour remarquer que ce jour-là, vous êtes toujours présente au dîner et au souper.

Tous les autres locataires partageaient de temps à autre un repas avec des parents ou des amis. Même les vieilles sœurs Demers réussissaient parfois à se faire inviter quelque part. Un moment, Dolan eut envie de dire : « Oubliez ma question, si vous ne souhaitez pas en parler. » Elle le prit de vitesse :

— J'ai été élevée en partie aux États-Unis. Après le décès de mes parents lors de la dernière épidémie de grippe, j'ai décidé de revenir. Certains de mes frères et sœurs sont restés là-bas, nous échangeons des cartes de vœux à Noël.

Même en ce début du vingtième siècle, témoin de progrès rapides en médecine, une maladie aussi banale que la grippe faisait parfois de véritables ravages.

— Voilà qui explique votre connaissance de l'anglais.

— J'ai fait mes études secondaires à Lowell, au Massachusetts.

Cela en faisait une femme relativement instruite. Bien sûr, aux États-Unis, les adolescentes accédaient plus souvent à ce niveau d'enseignement qu'au Québec. Les Canadiens anglais profitaient d'une situation identique.

— Elles vous permettent de bien gagner votre vie...

Un emploi de secrétaire du directeur du magasin Morgan était une belle position. Cela lui valait d'occuper une petite chambre sous les combles d'une maison de pension bourgeoise. À cet étage, ses voisines immédiates étaient les domestiques, bien sûr, mais l'endroit la mettait tout de même en contact avec quelques célibataires à la carrière prometteuse.

Après un silence, elle le relança :

— Et vous, vous me dites pourquoi vous êtes le second des deux seuls pensionnaires à dîner et à souper dans la rue Belmont tous les dimanches ?

— J'ai perdu mon père très tôt. L'année de mes douze ans, en fait. La générosité d'un prêtre de Morin Heights m'a permis d'étudier. J'étais enfant unique.

— Un père irlandais ?

— Et une mère canadienne-française.

Les mariages entre les membres de ces deux communautés catholiques étaient assez fréquents, alors qu'avec des Anglais ou des Écossais, cela s'avérait presque impossible à cause de la différence de religion.

— Comme vous ne rendez jamais visite à votre mère, je suppose qu'elle est décédée aussi ?

— Deux ans après mon père.

L'émotion affectait sa voix. Cette perte l'avait beaucoup peiné. Sa compagne exerça une pression sur son avant-bras, pour lui exprimer sa sympathie. Après cette petite exploration réciproque de leur vie privée, elle s'empressa de revenir sur un terrain plus sûr.

— L'histoire de cet homme d'affaires me paraît tout à fait incroyable. Personne ne se volatilise ainsi.

— Pourtant, à lire les journaux américains, cela survient assez souvent. Dans le cas présent, j'espère toujours le retrouver.

« Mort ou vivant », songea-t-il. Toutefois, autant ne pas s'étendre sur cette triste affaire avec sa voisine. Tous deux s'efforcèrent de choisir des sujets de conversation plus légers pendant le reste de leur promenade. Comme toujours dans ce genre de situation, la météo des jours passés et à venir les occupa pendant un long moment.

Malgré tous les efforts de Dolan, Archibald McDougall continuait de se dérober. Dès le mercredi matin, les premiers badauds commencèrent à parader au poste de police numéro 1. Comme il s'agissait de son enquête, ses collègues se faisaient un plaisir de les lui laisser. Le premier visiteur amorça ainsi la conversation :

— Il y a certainement une récompense pour la découverte de ce gars ?

— La famille n'a pas pensé à une mesure incitative de ce genre.

— Voyons, ces richards en offrent même pour retrouver les chiens perdus !

Le quidam paraissait soupçonner le policier de vouloir garder pour lui la gratification offerte. Ce témoin donna le ton de la journée. Les Américains avaient lancé la mode des chasseurs de prime pour arrêter les criminels lorsque les forces de police étaient trop peu nombreuses. Ces récits faisaient rêver un certain nombre de ses compatriotes.

Les McDougall en viendraient peut-être à proposer de l'argent pour toute information susceptible de clarifier le mystère de la disparition du chef de famille. Comme ce n'était pas encore le cas, la réponse de Dolan stoppait habituellement le désir de ses interlocuteurs de se rendre utiles. En fin de journée, son chef répondit à ses récriminations par ces mots:

— Je vous l'avais bien dit!

Le ton laissait tout de même poindre une certaine sympathie, aussi l'inspecteur choisit de ne pas trop s'en formaliser.

— Maintenant que l'affaire s'étale dans les journaux, je ne peux pas négliger ces informateurs à l'imagination fertile, sinon demain ce sera en première page.

Les conversations dans le tramway, dans les trains, les cafés ou les tavernes indiquaient qu'aucun autre sujet n'intéressait plus les Montréalais. Chaque citoyen se croyait désormais autorisé à critiquer le travail de la police.

— Recourir à la presse, c'était votre idée.

Si jamais l'affaire tournait mal, ce serait la façon de son patron de s'en laver les mains. Les subalternes servaient à cela, finalement: être les personnes sur le dos de qui mettre les fautes.

Chapitre 11

L'être humain s'adapte à différentes conditions de façon étonnante. La jolie April, malgré le vacarme venant du plancher de la fonderie, entendit sans mal la demande du vieil homme.

— Je vais tout de suite voir s'il peut vous recevoir, monsieur.

Sa démarche ondulante captait l'attention de tous les mâles, quel que soit leur niveau de décrépitude physique. Le visiteur ne la perdit pas des yeux un seul instant. Elle frappa chez le directeur – depuis quelques jours, il avait fait retirer le mot « adjoint » de sa porte – et murmura dès qu'il ouvrit :

— J'ai monsieur Thompson devant mon bureau. Il souhaite vous voir.

— Il n'a pas de rendez-vous, n'est-ce pas ?

Kenneth McDougall consultait le programme de sa journée dès son arrivée chaque matin, pour n'en oublier aucun.

— Non, monsieur.

Le directeur poussa un soupir, puis murmura :

— Dites-lui d'entrer.

Quelques instants plus tard, le visiteur entrait dans le bureau. Il accepta la main tendue et s'assit dans le fauteuil à l'écart que lui montrait Kenneth. Il plaça sur la table basse posée entre eux *The Gazette*, pliée de façon à montrer le portrait d'Archibald.

— Que se passe-t-il ?

— Ce qui est écrit. Père est parti du bureau le 4 novembre dernier, et personne ne l'a vu depuis, confirma McDougall.

— Vous ne savez pas où il est ?

Le directeur secoua la tête de droite à gauche. Il présentait des yeux cernés, son corps paraissait écrasé, comme sous un poids trop lourd à porter.

— Voilà de quoi inquiéter les actionnaires. En ce moment, leur investissement perd de la valeur.

Kenneth le savait bien. Son premier souci en arrivant le matin avait été de vérifier les cours de la Bourse. En un jour, les actions de la société avaient baissé de quinze pour cent.

— Rien n'a changé. La valeur de l'immobilisation reste la même, tous les contrats sont honorés, tous les paiements versés aux dates prévues.

— Dans les affaires, tout est une question de confiance. Là, non seulement le capitaine ne tient plus la barre, mais personne ne sait où il est.

— Ce n'est pas la première fois que je prends la relève.

C'était vrai, mais la situation présente ne se comparait pas avec les périodes de dix jours que le grand patron passait parfois à La Malbaie.

— Personne ne met en cause votre compétence, mais avec l'incertitude qui prévaut actuellement, la Bank of Montreal devra revoir votre marge de crédit à la baisse.

Protester de sa bonne foi ne servirait à rien. Une fois l'information devenue publique, de telles réactions étaient inévitables. Avant la fin de la journée, il aurait sans doute la visite de quelques clients soudainement frileux à propos de la date de livraison des marchandises.

Le banquier dit encore :

— Bien sûr, dès que l'horizon deviendra plus clair, nous vous donnerons de nouveau toute notre confiance.

— Mes avocats se préparent à demander une intervention des tribunaux afin que je puisse assumer tous les pouvoirs de mon père, le temps que durera son absence.

Comme Thompson ne paraissait pas plus rassuré, il insista :

— Vous savez comme moi qu'en cas de disparition, il faut compter sept ans avant d'obtenir une déclaration de décès. Je recevrai toutefois les pleins pouvoirs en tant qu'administrateur.

Kenneth affichait trop d'optimisme. Dans le meilleur des cas, il administrerait la compagnie sous tutelle judiciaire, afin qu'il ne dilapide pas le patrimoine. Le banquier connaissait aussi cet aspect de la loi.

— Cette normalisation de la situation rassurera les investisseurs, convint-il. Nous verrons alors. Je ne vous ferai pas perdre plus de temps ; je vous laisse prendre connaissance de ces documents.

Thompson parti, l'aîné des McDougall eut l'impression de se retrouver dans la peau d'un enfant placé sous la garde d'un tuteur. Il estimait la situation d'autant plus injuste que les absences répétées de son père l'avaient forcé à se charger la plupart de ses tâches depuis des années.

Le lendemain matin, au poste de police numéro 1, le scénario de la veille se répéta, quasiment identique. Des serveurs, des employés des chemins de fer, des commis de commerce ou de banque vinrent raconter avoir aperçu une personne ressemblant au disparu. Au gré de la conversation, il s'avérait toujours que la ressemblance avec la photographie de McDougall était ténue, ou alors la date de la rencontre imprécise au point de rendre le témoignage inutile.

Vers dix heures, le sergent Panneton se donna la peine d'escorter lui-même une vieille dame jusqu'au bureau de l'inspecteur.

— Madame a des choses à vous révéler, annonça l'agent avec un sourire en coin.

— Je vais m'en occuper.

Le sergent se retourna deux fois en quittant la pièce, comme pour profiter un peu plus du mauvais tour qu'il venait de jouer à son supérieur.

— Madame, voulez-vous vous asseoir ?

Une chaise se trouvait juste devant son pupitre, pour les visiteurs.

— Pas devant tous ces gens !

Deux autres inspecteurs occupaient leur bureau, des agents en uniforme allaient et venaient.

— Je vous assure qu'aucune de vos paroles ne sortira de ces murs.

— Ceux-là aussi penseront que je suis une vieille folle. Votre agent ferait mieux de lâcher la bouteille, au lieu de porter des jugements sur les choses qu'il ne comprend pas.

Elle parlait du sergent Panneton. Le gros nez de celui-ci, tout violacé, laissait deviner de bien mauvaises habitudes. Ainsi, rien n'échappait à cette femme. Autant se donner la peine de l'écouter.

— Venez avec moi. Nous avons une salle à côté.

Sans fenêtre, ce réduit servait entre autres choses à annoncer de très mauvaises nouvelles à des personnes affolées. Si jamais il devait informer les frères McDougall du décès de leur père, il le ferait peut-être à cet endroit. Quatre chaises entouraient une table. Dolan invita la vieille dame à s'asseoir, puis s'installa en face d'elle, son carnet ouvert devant lui, son crayon à la main.

— D'abord, pouvez-vous me dire votre nom ?

— C'est vraiment nécessaire ?

Elle demeura silencieuse un moment, puis reconnut :

— Bien sûr, c'est nécessaire. Madame veuve Augustus Radcliffe.

La forme latine du prénom Auguste amusa le policier. Les parents de cet homme étaient évidemment convaincus de la remarquable destinée de leur rejeton.

— Alors, que savez-vous de monsieur McDougall ?

— Je le voyais assez régulièrement. Une fois par mois, parfois deux.

Une autre maîtresse ? La supposition était ridicule. Cette femme de plus de soixante ans ne devait pas intéresser les bourgeois en quête d'amours illicites. L'imaginer en concurrence avec Annie Vallerand était totalement impossible.

— L'avez-vous rencontré depuis le 4 novembre ?

— Oui. Enfin non, pas dans le sens où on l'entend habituellement.

Elle marqua une pause, puis reprit :

— Dolan, c'est un nom irlandais. Vous êtes catholique, je suppose...

L'inspecteur se raidit en entendant la remarque. Certains Anglais refusaient totalement d'entrer en contact avec des Irlandais. D'autres ne toléraient leur présence qu'à titre de domestiques.

— Oui, c'est vrai, admit-il froidement.

— Les catholiques condamnent les séances de spiritisme. Vous ne me croirez pas.

Le spiritisme ! Cette femme parlait aux esprits ! Pour le policier, les adeptes de cet étrange culte devaient avoir des yeux fous et une coiffure en désordre, comme il convenait aux personnes connaissant des transes. Il ne s'agissait pas de charmantes vieilles au sourire de grand-mère.

— Dites toujours, nous verrons bien.

— Archibald venait à nos séances avec régularité. Au début en simple curieux, plutôt hostile d'ailleurs. Cela a changé quand il a pu parler à son père.

— Ces séances se passent chez vous ?

— Je les dirige.

Non seulement croyait-elle à ces fables, mais elle agissait comme médium. Dolan eut envie de refermer son carnet, mais cela lui sembla indélicat. Pour la forme, il prendrait encore des notes.

— Il a parlé à son père ?

— Oui. Enfin, pas comme vous l'imaginez sans doute. Il a posé quelques questions auxquelles lui seul connaissait la réponse, et son père s'exprimait par ma bouche.

Le policier hocha la tête, comme s'il comprenait très bien.

— Que pensez-vous de McDougall ?

Aussitôt, l'inspecteur se sentit ridicule. Comme si cette femme pouvait se faire la moindre idée de l'état de l'un de ses semblables.

— Un homme comme tous les autres, un peu plus vain, peut-être. À son âge, la peur de mourir commençait à le torturer. Il est arrivé totalement sceptique, mais tout de même désespéré de découvrir s'il existait une autre vie après celle-ci.

« C'est ce désespoir qui les rend crédules au point de faire confiance à un médium », réfléchit Dolan. Il se demanda vaguement si on voyait ce même comportement parmi les bons catholiques, avant de poursuivre :

— Vous ne l'avez pas trouvé déprimé ? Vous n'avez pas détecté chez lui de maladie grave ? Assez grave pour lui donner envie de disparaître ?

En évoquant la question de cette manière, Dolan suggérait un suicide.

— Les hommes paraissent bien effrayés à l'approche de leur soixantième anniversaire. Mon mari était comme ça. Remarquez, il avait bien raison : il est mort deux jours avant de l'atteindre.

Elle afficha un demi-sourire, une expression d'affection assaisonnée d'ironie.

— Et après le 4 novembre ?

— Vous ne croyez pas à ce que je vous dis...

— Ce qui ne m'empêche pas de vous écouter avec attention.

Cette fois, le sourire de la vieille femme fut chargé de reconnaissance. Ce respect implicite lui faisait plaisir.

— Lors d'une séance, je l'ai rencontré dans l'au-delà. Il ne m'a dit que quelques mots : *"Et tu, Brute."*

Comme le policier ne bronchait pas, elle crut utile de préciser :

— C'est dans une pièce de Shakespeare.

— Je sais. Dans *Jules César*. "Toi aussi, Brutus." Les derniers mots d'un empereur mourant à son fils qui comptait parmi ses assassins.

La pythie hocha la tête en souriant, comme une institutrice devant un bon élève. Puis elle quitta son siège en concluant :

— Voilà tout ce que j'avais à vous dire.

Dolan se leva pour lui ouvrir la porte, puis il l'escorta jusqu'à la sortie du poste de police.

— Je vous remercie, madame Radcliffe, la salua-t-il en lui tendant la main.

— J'espère vous avoir été utile.

Sur ces mots, elle partit, petite silhouette au pas sautillant. L'inspecteur secoua la tête, songeur. Dans l'entrée, le sergent Panneton demanda :

— Pis, elle vous a dit où était le millionnaire ?

— Pas tout à fait, mais elle m'a dit que vous devriez lâcher la bouteille.

Le planton demeura interloqué. Quant à Dolan, il laissa échapper un long soupir en retournant à son bureau. Le fantôme de McDougall donnait raison à Andrew, finalement. Ses fils étaient les assassins. Bien sûr, le policier n'en croyait pas le moindre mot.

L'inspecteur Dolan continuait de recevoir des informateurs, au rythme d'un toutes les heures environ. Après chaque rencontre, il relisait ses notes et consignait le renseignement obtenu dans un rapport écrit. Cela se limitait à faire la part des personnes affirmant avoir aperçu Archibald McDougall à bord d'un train ou dans un restaurant, et de celles désireuses de connaître le montant de la récompense avant de donner le plus petit indice. S'il avait tendance à accorder plus de crédit aux premiers qu'aux seconds, bien entendu, le riche industriel n'était plus dans le wagon ou dans le restaurant. À la question : « A-t-il donné sa destination finale ? », on lui répondait invariablement : « Je ne m'en souviens pas. » Aucun témoin n'estimait que le disparu avait l'air particulièrement déprimé.

Que ses collègues s'amusent de cette parade d'individus dans son bureau n'améliorait pas l'humeur de Dolan. Pour eux, on ne faisait pas une enquête de police avec des annonces dans les journaux, et il était bien près de leur donner raison. Même le chef lui adressait un sourire moqueur quand il traversait la salle où se trouvaient les pupitres des inspecteurs.

Un peu avant midi, l'officier supérieur lui demanda de venir le voir dans son bureau. Ses premiers mots furent :

— Et puis?

— Rien de vraiment utile.

— Bon, au moins, personne ne nous reprochera de n'avoir pas tout tenté. Toutefois, je pense que ceci est plus prometteur.

Il poussa vers lui une feuille de papier. Comme le chef ne lui avait pas proposé de s'asseoir, Dolan resta debout en lisant les quelques mots : «Éléonore McDougall, hôtel Windsor, quatre heures cet après-midi.»

— Je lui ai offert de la recevoir, ou de la rejoindre à ce lieu de rendez-vous, mais elle a insisté pour que ce soit vous.

Campeau semblait réellement vexé de se voir préférer un subalterne. Pour se consoler, il ajouta :

— Bon, comme vous êtes chargé de l'affaire, je suppose que ce sera plus simple ainsi.

— Qu'est-ce qu'elle me veut?

— Prendre le thé avec vous!

L'inspecteur fronça les sourcils. La jeune femme lui avait semblé dominée par sa mère, au point de laisser celle-ci parler pour elles deux. Son désir de le voir en dehors du domicile familial se comprenait sans mal.

— Elle aurait pu venir ici, tout simplement.

— Je suppose que les filles de notables ne veulent pas risquer de rencontrer de mauvais garçons entre nos murs.

C'était probable, en effet. Dolan en convint.

— Bon, j'irai la rencontrer là-bas, même si je préférerais lui parler dans un lieu qui m'est familier.

Il se dirigeait vers le couloir quand son supérieur demanda :

— Qu'entendez-vous faire, d'ici là?

La question signifiait clairement que le défilé des informateurs dans son bureau devait s'achever. Un agent en uniforme prendrait le relais de bonne grâce, heureux de s'épargner les patrouilles dans les rues enneigées pendant tout un après-midi.

— Il faudrait aller rencontrer le portier de l'édifice de mademoiselle Vallerand.

— Vous la soupçonnez de quelque chose ?

— Pas vraiment, mais cet homme n'ignore sans doute rien de la vie des locataires… et de leurs visiteurs.

D'ici là, toutefois, le policier irait manger dans un restaurant de la place Jacques-Cartier. Le hasard le mettrait peut-être sur le chemin du voleur de poules. Finalement, ce genre d'enquête lui était plus familier que celles impliquant les grands de ce monde.

Encore une fois, le hasard ne le servit pas. Si des volailles avaient bien été dérobées, le coupable devait les avoir écoulées dès le jour suivant.

Dolan décida d'effectuer à pied le trajet jusqu'à l'immeuble de la rue Sherbrooke. De nouveau, il apprécia le beau bâtiment au revêtement de pierre très pâle. Les journaux signalaient la construction de ces nouveaux immeubles en soulignant la présence de « tout le confort moderne ». Cela signifiait sans doute des toilettes dans chacun des appartements plutôt que sur le palier, l'électricité dans chaque pièce, un ascenseur et un service de traiteur au sous-sol, pour la préparation des repas. Jamais son salaire de fonctionnaire ne lui permettrait de vivre dans un luxe pareil.

Le gardien se tenait toujours derrière son bureau, dans le petit hall. Il le reçut avec un sourire ironique :

— Une nouvelle visite à madame Vallerand, je présume.

Évidemment, les convenances voulaient qu'on la présente comme « madame », et non « mademoiselle ». Autrement, avec la présence d'un enfant, personne ne l'aurait traitée avec respect. Dans cet immeuble, on la considérait sans doute comme une veuve.

— Non. Cette fois, je voudrais que vous me parliez d'elle.

— Je ne peux rien vous dire.

Dolan tira sa plaque de sa poche pour la lui mettre sous les yeux. Juste à ce moment, un couple de personnes âgées sortit de l'ascenseur. Le portier se leva pour les saluer par leur nom. Il dut se contenter d'un grognement en guise de réponse.

— Si les locataires me voient parler à un policier, je vais perdre mon emploi.

— Alors, ne leur dites pas ce que je fais dans la vie.

Comme l'employé gardait le silence, l'enquêteur posa un billet de deux dollars sur le sous-main du bureau. Le gardien l'escamota très vite. Malgré l'uniforme lui donnant l'allure d'un portier d'hôtel, il ne recevait certainement pas une somme aussi importante pour une journée de travail entière. Toutefois, son attitude de domestique soumis, sa politesse et les petits services rendus lui valaient probablement des pourboires et un cadeau pour le jour de l'An.

— Pas ici. Il y a une petite pièce juste à côté.

Son engagement à demeurer discret avait son prix. Le minuscule espace fermé servait à entreposer une pelle, des balais et des brosses. Le concierge devait s'assurer que le hall reste impeccable.

— Je ne peux pas vous dire grand-chose à son sujet.

— Depuis quand habite-t-elle ici?

— Depuis l'ouverture du bloc, il y a deux ans.

Donc McDougall la logeait ailleurs avant 1903. Peut-être vaudrait-il la peine de chercher où.

— Elle habite seule?

— Avec son grand garçon au tout début, pendant un mois ou deux. Depuis, il vient la voir deux ou trois fois par semaine.

— A-t-elle d'autres visiteurs réguliers ?

— Vous cherchez le vieux qui a disparu, c'est bien ça ?

Dolan acquiesça. Il avait fallu tout ce temps au gardien pour comprendre. Évidemment, comme tout le monde à Montréal, il avait vu le portrait de McDougall dans les journaux.

— Oui, c'est lui, l'autre visiteur de madame Vallerand, confirma-t-il.

— Si vous l'avez reconnu, pourquoi ne pas avoir contacté la police ?

— Bin, l'papier disait qu'il avait disparu le 4 novembre, et moi, je l'ai pas vu après cette date-là.

Il semblait assez sûr de lui. Pourtant, il était facile de se tromper, un bon mois plus tard.

— Vous êtes certain de la date ?

Un bruit résonna dans le hall. Tout de suite, l'employé empoigna un balai et quitta le réduit. Le policier entendit :

— Ah ! Bonjour, madame Johnson.

— Je suis heureuse de vous voir nettoyer un peu. Parfois, je trouve l'entrée plutôt malpropre.

— Avec la neige fondante, madame…

Le reste de la justification lui échappa. Le gardien tarda avant de revenir, un gros cahier à la main.

— La vieille peau ! C'est jamais assez propre pour elle.

Tout en grommelant, il cherchait une page, qu'il montra à l'inspecteur.

— Vous voyez. Le 1er novembre dernier, le matin, le vieux bonhomme est venu la voir.

La date figurait en haut du feuillet, suivie de quelques entrées. La première évoquait une livraison de charbon à huit heures du matin. La troisième indiquait « AM au 406 ».

— Vous prenez en note les allées et venues de tous les visiteurs ?

— L'administrateur du bloc veut que j'inscrive toutes les livraisons, toutes les visites d'ouvriers pour l'entretien, de même que celles des domestiques qui vont chez les locataires pour faire le ménage.

— Et les visiteurs dans les divers appartements, comme dans le cas de McDougall ?

Le planton marqua une hésitation avant de dire :

— Ça, c'est parce que je veux pas avoir d'ennuis, si y a un vol.

Le motif était légitime. D'un autre côté, une précaution de ce genre pouvait aussi servir à connaître les habitudes de chacun, de façon à pouvoir s'introduire chez quelqu'un sans risque. Le gardien était bien placé pour commettre de petits larcins. De nouveau, du bruit dans le hall attira son attention. Il allait partir quand Dolan le retint :

— Laissez-moi regarder ça tout seul. Je vous dirai quand j'en aurai terminé.

Il parlait du cahier. L'inspecteur entendait prendre son temps. Le gardien le lui abandonna à regret. D'abord, le policier chercha la date de sa propre visite, le 18 novembre. « Un gars veut voir AV. Veut pas se nommer, a l'air d'un croque-mort. » Il pencha la tête pour regarder sa longue silhouette vêtue de noir. Oui, on pouvait le confondre avec un entrepreneur de pompes funèbres.

Ensuite, il entreprit de remonter le temps. McDougall était venu le premier jour du mois de novembre. Andy se montrait un visiteur très régulier : jamais plus de trois jours ne passaient sans une entrée à son sujet. Toutefois, il fallait remonter au début d'octobre, puis au début de septembre avant de trouver une autre entrée signalant la présence de «AM» entre ces murs. Le mois d'août avait été une période faste, il était venu deux fois.

À moins que, pour pimenter la chose, les amants n'aient pris l'habitude de se retrouver à l'hôtel, ce relevé ne témoignait pas d'un amour fou. Cela donnait plutôt l'impression de visites d'affaires, par exemple afin de remettre une allocation à une maîtresse maintenant négligée. Pour sa part, Andy se montrait un fils très attentif.

Ayant terminé son examen, l'inspecteur quitta le cagibi pour revenir devant le bureau du gardien. Celui-ci récupéra son cahier avec un soulagement visible.

— McDougall ne vient plus lui rendre visite très souvent.

— Bin à son âge, bander une fois par mois, c'est pas si mal!

L'usage du gros mot déplut au policier. Il ne put s'empêcher de songer combien entendre des confessions l'aurait gêné. Heureusement, cela se déroulait toujours derrière un écran, les paroissiens des deux sexes n'auraient pas remarqué le rouge sur ses joues.

Devant son regard sévère, l'employé se reprit:

— Au début, il venait peut-être toutes les semaines. Depuis un an, le bonhomme a réduit ses ardeurs. Ces derniers temps, il venait une fois par mois, toujours le 1er ou le 2 du mois.

À peu près au moment où il installait sa maîtresse dans cet édifice, il emmenait son fils illégitime vivre sous son toit. S'il négligeait l'une, il se montrait généreux avec l'autre. Peut-être s'agissait-il d'un désir de rédemption, pour se faire pardonner de délaisser la mère.

— Avec ces bourgeois, jugea le gardien, c'est toujours la même chose. Quand une femme devient trop vieille, ils en prennent une nouvelle. Remarquez, la Vallerand a du mérite d'avoir gardé ce type aussi longtemps. C'est vrai qu'elle sait comment plaire à un homme...

Dolan se souvint de son attitude de séductrice. Sur son passage, tout le monde devait avoir droit aux battements de cils et aux mouvements appuyés des hanches. Pour elle, il s'agissait de compétences professionnelles, après tout.

Les portes de l'ascenseur s'ouvrirent. L'inspecteur salua son interlocuteur d'un mouvement de la tête, puis sortit.

Dehors, le policier tenta de mettre de l'ordre dans ses idées. La femme si inquiète de la disparition de son amant lui avait caché que leur relation se dégradait. Le bel Andy n'avait pas été plus précis. Évidemment, cela n'empêchait ni l'un ni l'autre de s'alarmer vraiment, mais ces dernières informations jetaient un nouvel éclairage sur l'affaire.

Tout à coup, il s'arrêta sur le trottoir, au risque de se faire bousculer par les passants de la rue Sherbrooke. Il n'avait pas du tout prêté attention à l'existence d'autres visiteurs venus rencontrer Annie Vallerand. Les visites beaucoup moins nombreuses de McDougall pouvaient aussi tenir à la présence d'un autre amant. Ou alors le désintérêt de l'amant en titre forçait la femme à en chercher un autre, à qui elle pourrait monnayer ses charmes.

L'hypothèse ne lui paraissait pas tellement plausible. Évidemment, elle devait chercher une autre source de revenus. Mais recevoir quelqu'un chez elle aurait été très imprudent. L'inspecteur savait que le gardien montrerait son cahier à n'importe qui pour deux dollars. Toute nouvelle rencontre devait avoir lieu ailleurs que dans son appartement.

L'hôtel Windsor était tout près de chez Dolan, à l'opposé du square Dominion. À mesure qu'il en approchait, un doute envahissait son esprit. Le gardien de l'immeuble où logeait Annie Vallerand l'avait comparé à un croque-mort. Les portiers de ce palace risquaient-ils de lui en interdire l'accès ? La clientèle habituelle de l'hôtel portait des costumes coupés sur mesure à New York ou à Londres, pas dans les ateliers du magasin Dupuis Frères.

Un peu honteux de sa tenue et de lui-même, il se tint sous la grande coupole de l'hôtel, devant la réception. Sa pire crainte sembla sur le point de se réaliser lorsqu'un cerbère vêtu d'un uniforme chamarré s'approcha de lui.

— Monsieur, je peux vous aider ?

Dans les circonstances, il lui restait une seule ressource : se prévaloir de l'autorité que lui conférait son statut de policier. En présentant sa plaque, il annonça :

— Je dois prendre le thé avec une femme.

Comme le garde, incrédule, fronçait les sourcils, il précisa :

— C'est pour une enquête.

— La salle à manger est de ce côté.

De la main, il lui désigna la droite. L'entrée majestueuse de la grande salle accentua le malaise de Dolan. D'imposants lustres de cristal pendaient du plafond à caissons. Des colonnes s'élevaient tous les quinze pieds. Surtout, au moins cinquante personnes s'y trouvaient, des femmes pour la plupart. Et au centre de ce grand espace, lui sembla-t-il, se tenait Éléonore McDougall. Après avoir reculé jusque dans le hall, il se présenta devant le vestiaire pour y déposer son manteau et son chapeau. Le préposé lui donna l'impression de les tenir du bout des doigts, comme s'il était dégoûté.

Un regard sur sa montre de gousset apprit au policier qu'il était en retard de deux minutes. Cela augmenta encore son malaise. En s'engageant de nouveau dans la salle à manger, il regarda ses manches, à la recherche d'une tache ou d'une déchirure. À son arrivée près de la table, la jeune femme se leva de son siège.

— Je vous demande pardon, je suis en retard.

Il tendit la main, elle y posa ses doigts gantés pour exercer une légère pression.

— Et moi, j'étais un peu en avance...

D'une manière qu'il souhaitait discrète, Dolan examina Éléonore. Il la trouva grande, plus que la plupart des femmes. Elle portait une jupe et une veste gris métallique. Sous la veste, un chemisier crème lui montait jusqu'au milieu du cou. Elle portait une toque en vison, un indice de sa richesse. Dessous, ses cheveux châtains coiffés d'une manière complexe donnaient un volume imposant. Détachés, ils devaient lui aller à la taille. Elle tenait la tête bien droite, comme pour affirmer son habitude de l'opulence.

Chapitre 12

Éléonore McDougall, maintenant rougissante à cause du regard scrutateur de son vis-à-vis, reprit sa place à table. L'inspecteur occupa la chaise en face d'elle. Sous les yeux bruns de Dolan, la jeune femme peinait à récupérer sa contenance. Cherchait-il à imprimer son image dans sa mémoire ? Son regard avait quelque chose de terriblement expressif. De la sollicitude, certainement, une certaine fièvre aussi. À la fin, la pauvre baissa les yeux.

— Après avoir pris ce rendez-vous, je me suis demandé pourquoi je l'avais fait...

Dolan réalisa toute l'impolitesse de son examen. La nouveauté de la situation lui enlevait ses moyens. Évidemment, c'était la première fois qu'il se joignait à une jolie femme pour prendre le thé dans un hôtel de luxe. À moins de le lui expliquer, elle conclurait à un manque total de savoir-vivre. D'un autre côté, pareil aveu le rendrait encore plus risible. Autant en venir au plus vite au sujet de leur rencontre.

— Je suppose que vous voulez me parler de la disparition de votre père. L'autre jour, votre mère ne vous a pas laissé le temps de placer un mot...

Ce souvenir mit du rose aux joues d'Éléonore. Se faire traiter ainsi comme une petite fille la blessait sans doute.

— Voilà une maîtresse femme, commenta-t-il avec un sourire en coin.

L'insinuation rasséréna la demoiselle.

— Votre remarque lui ferait certainement plaisir.

Ses yeux gris s'harmonisaient parfaitement à ses vêtements. Un instant, il imagina son allure avec une toque en renard argenté. L'effet serait saisissant. Peut-être pour paraître assurée sous le regard insistant de l'inspecteur, elle prit le menu sur la table.

— Ils ont toujours un excellent choix de gâteaux ici.

La jeune femme tint le carton au bout de son bras, fronça les sourcils. De nouveau, l'inspecteur remarqua les traces sur l'arête de son nez.

— Vous seriez tout aussi bien de le mettre.

Comme elle levait les yeux sur lui, il précisa :

— Votre pince-nez. Vous devriez le mettre, ou alors me demander de tenir le menu quelques pieds plus loin.

— Je me sens comme une petite vieille, avec ça.

— Un lorgnon ne gâchera certainement pas vos jolis traits.

Elle fouilla dans la poche de sa veste tout en esquissant un sourire. Dolan rougit. « Qu'est-ce qui me prend ? »

— Je vous demande pardon. Je ne voulais pas…

— Vous ne vouliez pas me dire quelque chose de gentil ?

— Non, ce n'est pas ça !

Il devenait ridicule. Autant accepter son malaise, sourire franchement et parier sur la candeur.

— Je le répète, et cette fois je ne m'en excuserai pas : un pince-nez ne gâchera pas vos jolis traits.

Elle le lui prouva en le posant sur son nez, le temps de parcourir le menu, puis releva la tête pour le regarder. Toute cette maladresse de la part d'un homme pourtant réputé pour être courageux ne s'expliquait pas.

— Vous êtes bien celui qui a arrêté à mains nues un meurtrier armé d'une hache, n'est-ce pas ?

Il comprit sans mal à qui elle faisait allusion.

— Pas une hache, un rasoir. Je me sentais pourtant plus à l'aise que maintenant.

Heureusement, la jeune femme ne lui demanda pas pourquoi. Qu'aurait-il répondu ? « Me trouver au milieu de gens très riches me rend nerveux ? Ou devant une jolie femme ? » Le serveur se présenta heureusement à ce moment, offrant une diversion opportune. Éléonore commanda une théière, le consulta du regard avant d'ajouter « Du oolong », puis une pâtisserie française. Le silence du policier équivalait à une approbation. Quand l'employé fixa ses yeux sur lui, il dit :

— Je me contenterai d'une tasse de thé.

En remettant le pince-nez dans sa poche, elle précisa :

— Je vois très bien de loin, au point d'avoir un bon coup de fusil. Mais de près, ce n'est pas brillant, alors que je suis une passionnée de lecture.

— Avec l'âge, cela se rééquilibrera sans doute.

— Voilà une pensée réjouissante. Ma vision sera parfaite quand je serai vieille !

« Autant rire franchement de l'accumulation de mes maladresses », songea Dolan. Cela suffit à le détendre.

Annie Vallerand ne cachait pas son plaisir d'avoir de la compagnie pour le souper. Toutefois, elle ne pouvait dissimuler tout à fait une pointe d'inquiétude.

— Tu es certain que ton absence du bureau aujourd'hui ne te causera pas d'ennuis ?

André lui adressa son plus beau sourire avant de répondre :

— Quand le chat est sorti, les souris dansent.

Son attitude ne rassurait pas du tout sa mère, aussi il se reprit, plus sérieux :

— Quand… je ne sais trop comment l'évoquer. Mon oncle, papa ?

— C'est ton père.

— Même quand papa était là, ils tentaient de me tenir à l'écart des affaires. Maintenant, ils n'ont plus aucune raison de se gêner.

Alors que Stanley ne se mêlait pas vraiment de la gestion de la fonderie, André les évoquait toujours comme s'ils formaient une entité unique : les deux fils légitimes ligués pour priver le bâtard de ses droits.

— Tout de même, ils continuent de te payer, j'espère.

— Pour le moment, Kenneth n'a pas l'autorité pour prendre des décisions. La banque lui permet tout juste de régler les factures et de payer les employés. Il doit être surchargé de travail, car dans le lot, il m'a oublié.

— Tu veux dire que tu ne reçois plus d'argent !

Le garçon haussa les épaules, comme s'il lui répugnait d'évoquer une situation désagréable.

— Si tu veux, je peux t'en prêter. Au fil des ans, j'ai réussi à en mettre un peu de côté.

— Moi aussi, lui confia-t-il en souriant.

La relation entre eux avait toujours été excellente, comme s'il leur fallait faire front commun dans un monde hostile. Une ombre passa sur le visage du jeune homme.

— Je crains toutefois que ma position devienne intenable si le tribunal lui donne le droit de mener l'entreprise à sa guise.

— Il irait jusqu'à te jeter dehors ?

— Entre nous, ce n'est pas l'amour tendre.

— Moi qui pensais te dire de quitter leur maison pour revenir habiter avec moi. Avec ton salaire, nous aurions pu nous débrouiller.

La disparition d'Archibald ne gâchait pas seulement la vie de la famille légitime. Au début du mois de décembre, aucune somme n'avait été versée à Annie Vallerand. Si le loyer avait été réglé plusieurs mois à l'avance, il n'en allait pas de même pour ce qu'elle appelait pudiquement son «allocation mensuelle». André ne tenait pas du tout à devenir responsable d'une femme d'âge mûr, fût-elle sa mère.

— Nous nous tourmentons sans doute trop, avança-t-il. Comme je figure sur le testament de papa, Kenneth doit tout de même faire attention.

— Si je comprends bien, son héritage ne sera pas partagé avant que le tribunal ne déclare Archibald mort. Dans sept ans.

— La fortune de ces gens repose sur la confiance de leurs relations d'affaires. S'ils nous maltraitent, ils risquent de récolter un article de journal exposant au grand jour tous les squelettes de leurs placards. Nous ne leur coûtons pas cher, quand on sait combien nous pourrions nuire à leur réputation.

André avait déjà utilisé cet argument pour forcer la main de la police. Sans doute pouvait-il encore l'employer. Son attitude dérangeait Annie. Au début de la conversation, il l'avait plongée dans la crainte, pour ensuite lui annoncer que tout irait sans doute bien. Cet effort pour la rassurer venait trop tard.

Après quelques échanges sur les problèmes oculaires et les prothèses permettant de les corriger, Dolan se décida à relancer la conversation sur le motif de leur rencontre.

— Que m'auriez-vous dit, l'autre jour, en l'absence de votre mère ?

— Rien de bien intéressant, je crois. Je vous aurais parlé de l'atmosphère irrespirable de la maison.

— La présence d'Andrew doit envenimer la situation.

— Oh ! Même auparavant, c'était insupportable. Au moins, avec lui, je peux discuter sans me sentir ridicule.

L'ineffable Andy dispensait sans vergogne sur l'univers entier, dont sa demi-sœur, l'immense charme dont la nature l'avait gratifié. En toutes circonstances, devant n'importe quelle femme, il devait toujours avoir les bonnes paroles pour plaire.

Éléonore enchaîna :

— Quand une phrase ne contient pas au moins un chiffre, mes frères ne l'entendent pas. Papa aussi était comme ça... Enfin, il l'était avec moi.

Ce bourgeois avait néanmoins trouvé les bons mots pour séduire une jeune femme de vingt ans. Ou peut-être pas. Pour qui n'a pas d'argent, les chiffres peuvent avoir une grande élégance.

— Dans une certaine mesure, avec Andrew dans la maison, la vie est devenue plus facile pour moi.

— Que pouvez-vous me dire de votre père ?

L'arrivée du thé et des pâtisseries fournit une diversion momentanée. Le serveur emplit les tasses, puis s'esquiva.

— Je le connais surtout par le portrait qu'en faisait ma mère. Même quand j'étais très jeune, elle le décrivait comme un homme infidèle, disposé à suivre le premier jupon passant à sa portée. À l'époque, je ne comprenais même pas de quoi elle parlait.

Si ces paroles avaient maintenant un sens, il s'agissait sans doute d'une connaissance bien théorique. Les jeunes filles de ces milieux bourgeois apprenaient les réalités du mariage le soir de leurs noces, alors que les garçons vivaient leurs premières expériences dans les bordels. À vingt-cinq ans, l'inspecteur s'avérait presque aussi néophyte qu'une jeune fille de bonne famille. Il avait deviné certains aspects des mystères de la vie par déduction devant les questions de ses directeurs de conscience, et d'autres en parcourant les manuels de confession lors de son séjour au Grand Séminaire.

— À cause des commentaires de ma mère, mais aussi de la froideur de mon père, je tenais mes distances, je ne lui adressais jamais la parole la première. Je me sentais devant un étranger.

— Il s'absentait souvent de la maison ?

— Au moins un soir sur deux, et cela, depuis aussi loin que je me souvienne.

— Et ces derniers temps ? Je veux dire au cours des mois précédant sa disparition.

La question la surprit.

— C'était la même chose.

Donc, l'hypothèse du portier au sujet d'une nouvelle femme dans la vie de l'industriel était peut-être juste. Ou peut-être l'âge avait-il conduit le vieil homme à des occupations plus morales, comme les longues beuveries dans son club, une de ces institutions où les nantis se réfugiaient loin des yeux de leur famille, ou alors la participation à un cercle politique.

— Comment a-t-il présenté la venue d'Andrew dans la maison ?

— Comme s'il commentait la température.

Éléonore mordit dans sa pâtisserie. Dolan fut troublé par son geste. Il en serait bientôt à réciter son acte de contrition, si ses pensées vagabondaient trop. La jeune femme tenta d'imiter une grosse voix masculine pour enchaîner :

— J'ai un autre garçon, il a presque vingt ans. À partir du mois prochain, il logera dans la chambre verte et prendra ses repas avec nous. Kenneth, tu lui montreras le travail de la fonderie.

Finalement, l'inspecteur en venait à croire qu'Octavia McDougall possédait une patience d'ange. Dans les mêmes circonstances, bien d'autres auraient profité de la nuit pour ouvrir la gorge d'un pareil époux avec un rasoir.

— Quand il est arrivé, demanda le policier, le climat a dû s'envenimer ?

Dolan revenait à son idée, de nouveau elle le contredit.

— En réalité, non. Souriant, il adressait la parole à tout le monde comme si de rien n'était. Mes frères serraient les dents, et les soirs où papa était à la maison, ils essayaient de participer aux échanges avec Andrew, pour se gagner ses bonnes grâces, sans doute.

— Vous savez pourquoi votre père a fait ça ?

La jeune femme haussa les épaules pour exprimer son ignorance, et prêta toute son attention au plateau de pâtisseries devant elle. Dolan lui versa du thé, puis proposa une explication :

— Il désirait peut-être prendre ses responsabilités à l'égard de ce garçon.

— Vous voulez dire commettre une bonne action tout en ignorant totalement les sentiments des autres membres de la maisonnée devant le résultat ? Voilà une curieuse façon d'obtenir la rédemption de ses fautes.

En bonne presbytérienne, Éléonore savait parler de salut et de perdition. Offrir une place à Andrew à la fonderie se comprenait fort bien, il s'agissait d'assurer un avenir à ce garçon. L'imposer à ses proches tenait de la perversité.

— Vous savez qu'Andrew a été le premier à signaler la disparition de votre père. L'initiative aurait dû venir de vos aînés, ou même de votre mère.

L'inspecteur hésita un instant avant d'aller plus loin :

— Comme s'il était le seul à s'en soucier.

— N'allez pas croire ça. Papa s'occupait des relations avec les fournisseurs et les clients. La situation les alarme vraiment. L'entreprise souffre déjà de son absence.

Après coup, elle se rendit compte que sa présentation des événements donnait une bien mauvaise image de l'amour filial de Kenneth et de Stanley. Comme si leurs soucis se limitaient aux conséquences financières de la défection de leur père. Au lieu de tenter de corriger cette mauvaise impression en insistant sur le chagrin de ces derniers, elle paria sur la franchise :

— Vous comprenez, la plupart du temps, papa n'était pas à la maison. Cela ne veut pas dire que nous n'étions pas préoccupés par son absence, mais nous avons l'habitude de ne pas le voir à table, ou au salon. Cependant, il prenait beaucoup de place au bureau. Mes frères craignaient l'effet de la nouvelle de sa disparition sur la prospérité de l'entreprise. D'ailleurs, ils avaient bien raison.

Comme Dolan haussait les sourcils pour exprimer son incompréhension, elle précisa :

— Vous n'avez pas réfléchi aux conséquences qu'allait avoir la publication de la photographie dans le journal, n'est-ce pas ? Tant Kenneth que Stanley ont vu défiler des associés inquiets. Certains réclament le paiement comptant de toutes les matières premières livrées à la fonderie ou sur les chantiers de construction, d'autres s'inquiètent des dates de livraison des rails, des roues ou d'autre chose. Demain, mes frères doivent se présenter devant les administrateurs de la Banque de Montréal.

Le policier ne connaissait rien au domaine des affaires. Éléonore lui laissait entendre que le crédit et la confiance y jouaient un rôle central.

— Je ne veux que retrouver sa trace, vous savez. Quiconque se souvient de l'avoir vu doit m'informer de la date et de l'endroit. Pour l'instant, je n'ai aucune piste. En ce qui concerne l'incertitude pour l'entreprise, un tribunal devra bientôt reconnaître sa disparition, et fixer les conditions de fonctionnement.

— Les fameux sept ans !

Elle aussi connaissait le long délai nécessaire avant de convenir du décès de quelqu'un. Pour le bien des affaires, mieux valait trouver très vite un cadavre. Bientôt, la jeune femme repoussa le plateau de pâtisserie, jugeant sans doute que sa taille élancée n'en tolérerait pas plus.

Après cet échange sur la vie dans le grand manoir des McDougall, le silence se prolongea au point de les embarrasser tous deux. Personne n'aimait parler d'un foyer d'où la tendresse était absente, et Dolan détestait aborder des questions si intimes. Pourtant, il ne pouvait faire autrement que de chercher des réponses à toutes ses questions.

— C'est tout cela que vous vouliez me dire, lors de ma visite chez vous ?

— Non. Enfin, pas seulement cela. Je sais qu'Andrew soupçonne mes frères d'avoir… fait disparaître mon père. C'est impossible. Ils ne sont pas comme ça.

Kenneth et Stanley l'envoyaient-ils en mission pour détourner ses soupçons ? Tout le monde aurait donné le bon Dieu sans confession à cette grande femme réservée.

— Vous avez fait allusion au tueur à la hache. Aucun de ses proches n'imaginait qu'il en viendrait là. Sinon sa femme et ses enfants auraient pris la fuite.

— Je me suis dit cela aussi, croyez-moi. Malgré tout, je ne peux envisager une telle chose.

Elle posa sa main droite sur sa poitrine, pour désigner son cœur. L'inspecteur pensa à ses seins. Le silence dura long-temps, au point qu'il eut le temps de vider sa tasse de thé et de s'en reservir. Enfin, pour alléger l'atmosphère, il demanda :

— Vous parliez de lecture, tout à l'heure. Partagez-vous les goûts d'Andrew pour les romans de Conan Doyle ?

Elle lui adressa un sourire amusé :

— Selon lui, vous faites un curieux Sherlock Holmes.

En l'occurrence, le mot « curieux » ne devait pas être un compliment. Peut-être son interlocutrice entendait-elle lui rendre toutes ses maladresses du début de la conversation. Elle se donna la peine de préciser :

— Personnellement, je suis contente de ne pas être devant quelqu'un d'inhumain dont l'intelligence fonctionne comme le mécanisme d'une horloge.

Le compliment lui fit chaud au cœur… et aux joues. Il devait rougir comme le séminariste qu'il n'avait jamais cessé d'être, au fond.

— Vous intéressez-vous aux livres ? demanda-t-elle.

— Moins que je ne le voudrais. En réalité, mes lectures concernent surtout mon travail. Ces derniers temps, je me suis penché sur des ouvrages de droit.

« Et pendant une bonne dizaine d'années, sur d'autres traitant de théologie », pensa-t-il. Dolan se découvrait le désir de faire bonne impression.

— Tout de même, j'aime bien le théâtre et les romans.

C'était exagéré. La dernière pièce à laquelle il avait assisté, dans la salle académique du collège Sainte-Marie, mettait en scène le martyre du père Isaac Jogue. Cela n'impressionnerait guère une presbytérienne née dans l'ouest de la ville.

— Parfois, une enquête comporte des surprises. Hier, quelqu'un m'a cité le *Julius Caesar* de Shakespeare.

Heureusement, elle ne lui demanda pas dans quelles circonstances. En outre les mots cités, « *Et tu, Brute* », ne lui remonteraient pas le moral. La suite le prit tout à fait au dépourvu.

— Savez-vous qu'il y a deux jours, Sarah Bernhardt était sur scène à Québec ?

— Comment l'ignorer ? Les évêques de Québec et de Montréal ont condamné sa prestation, et pour les remercier de leur charmant accueil, elle a déclaré aux journalistes que le clergé faisait reculer la société canadienne-française.

La jeune femme accueillit sa réponse avec un sourire gêné, et pourtant elle osa rétorquer :

— Ces mots ont été publiés dans tous les journaux de langue anglaise. Tout le monde les a accueillis comme l'expression de la vérité.

— Il existe un océan d'incompréhension entre nos deux communautés, lâcha Dolan d'un ton grinçant.

Le thème du retard des Canadiens français, dans tous les domaines, revenait sans cesse parmi les membres de la « race choisie ». Lors de la publication des données du recensement de 1901, la question de la sous-scolarisation des francophones avait entraîné de multiples débats.

— Elle est allée plus loin en disant que le Canada français manquait d'hommes, souligna la jeune femme.

En disant cela, la célèbre comédienne ne parlait pas de démographie, mais plutôt de l'absence de courage d'une population tout entière soumise aux porteurs de soutane.

— Qu'en pensez-vous ? demanda-t-elle.

Dolan pencha la tête un moment, puis répliqua sur un ton un peu sec :

— Croyez-vous vraiment que je peux avoir une opinion neutre sur la question de la virilité de mes compatriotes ?

Éléonore se figea, visiblement déstabilisée.

— Je suis désolée, je suis bien indélicate. Je n'ai pas l'habitude de bavarder avec les hommes. Ni avec les femmes, d'ailleurs.

Elle aussi était passée dans la catégorie des vieilles filles. À son âge, toutes ses amies de jeunesse devaient être devenues mères. Cette demoiselle ressemblait beaucoup à une châtelaine esseulée. Dolan fit un petit geste de la main, comme pour chasser le malaise croissant entre eux, sans toutefois abandonner le sujet.

— Si la présence de Sarah Bernhardt sur scène à Québec vous intéressait à ce point, vous auriez dû assister à ses représentations.

— Vous savez bien que c'était impossible...

L'inspecteur fut tenté de la contredire en disant : « Pour vous, un aller-retour à Québec ne représente pas une grande dépense. » La tristesse sur le visage d'Éléonore l'en empêcha. Elle continua :

— Une femme seule, effectuer une expédition de ce genre ? Vous n'y pensez pas. Ce serait ruiner ma réputation. Je ne pourrai prendre une telle liberté avant d'avoir cinquante ou soixante ans.

Elle voulait dire à un âge où aucun homme ne s'intéresserait plus à ses charmes. À présent, il lui aurait fallu un chaperon capable de défendre sa vertu, et d'en témoigner ensuite.

— Vous avez raison. Il est certain que vous auriez attiré l'attention de tous les charmeurs de Québec.

Juste à ce moment, l'inspecteur remarqua que le nombre de couples venus prendre le thé avait augmenté. Les hommes se montraient aux petits soins envers leurs compagnes. Sa propre maladresse n'en devenait que plus manifeste.

— Peut-être que votre mère y serait allée avec vous.

La supposition était saugrenue, il le savait bien. La vieille femme acrimonieuse ne devait jamais mettre les pieds dans un théâtre. Éléonore le séduisit définitivement avec son éclat de rire en guise de réponse. Même la trace de chocolat sur ses dents lui parut charmante. Il ne se souvenait pas d'avoir ressenti une émotion semblable au cours de sa vie.

— Alors, conclut-il, j'imagine qu'il n'y a aucune chance qu'elle accepte de vous accompagner aux combats de lutte du Français Émile Maupas, ou alors aux films qui seront présentés d'ici deux semaines dans l'établissement de monsieur Ouimet.

— Pourtant, ce serait certainement plus agréable que mes soirées habituelles.

Avec Juliette Mailloux, sa voisine de la maison de chambres, il aurait peut-être eu l'audace de lancer une invitation. Dans la situation présente, sa compagne incarnait tout ce qui lui était inaccessible. Il se faisait penser à ses camarades de pensionnat quand, des années plus tôt, ils revenaient fiévreux d'un séjour à la maison à cause de la rencontre fortuite d'une femme. Les plus romantiques se mettaient à écrire des poèmes, les plus audacieux optaient plutôt pour des lettres… que les écclésiastiques attentifs interceptaient toujours.

À son retour dans sa chambre, ce soir-là, se répandrait-il en alexandrins? Il se sentait stupide de se trouver si ému devant une inconnue.

Comme il ne disait rien, elle reprit:

— Pour ma mère, ce serait pire encore que d'aller voir Sarah Bernhardt à Québec. Je n'oserais même pas lui en parler. Elle risquerait d'appeler un médecin sur-le-champ.

L'image du docteur Burgess, du Protestant Hospital for the Insane, surgit dans son esprit. Lui-même ne valait pas mieux. L'aliéniste les traiterait sans doute tous deux avec une douche froide.

De meilleure humeur, elle demanda :

— Dolan, c'est un nom irlandais, n'est-ce pas ?

La question se répétait comme une malédiction. L'inspecteur examinait à la dérobée les autres convives, leur attribuant un charme, une prestance autrement plus grands que les siens. Policier sans importance, pauvrement rémunéré, il n'appartenait pas à la bonne nation ni ne pratiquait la religion convenable.

— Oui, mon père était irlandais et ma mère, canadienne-française.

Une autre caractéristique susceptible de le rendre tout à fait inintéressant. Le ton cassant de sa répartie heurta Éléonore. Il revenait à la mine fâchée qu'il avait eue lors de son allusion aux paroles blessantes de Sarah Bernhardt, alors qu'elle ne voulait que le connaître un peu mieux. Autant ignorer le sous-entendu et satisfaire sa curiosité.

— Donc, vous avez fait vos humanités classiques, comme Andrew.

Après une hésitation, Dolan répondit en esquissant un sourire.

— Le chemin habituel des catholiques qui dépassent l'école primaire.

— Alors, de la littérature…

— Et pas assez de science.

De nouveau, il eut droit à un sourire charmant.

— Andrew dit la même chose de sa formation. Il éprouve des difficultés à s'habituer au travail de la fonderie. Il serait peut-être plus à l'aise dans le développement immobilier.

Le policier devina qu'au cours des deux dernières années, elle s'était vraiment attachée au jeune homme. Cela tenait à l'attrait de son nouveau frère, bien sûr, mais aussi à l'absence de toute autre figure sympathique dans son univers.

Éléonore jeta un regard rapide à la petite montre attachée à son corsage. Le temps fuyait. Maintenant tout à fait sérieuse, elle lui demanda :

— Pouvez-vous me tenir au courant de vos progrès dans l'enquête ?

Devant son visage étonné, elle affirma :

— Je ne répéterai rien, je vous assure. Je ne ferai rien pour influencer vos conclusions. Dites-moi ce qui se passe, simplement... par amitié.

Ainsi, cette longue conversation ne visait qu'à cela, lui tirer les vers du nez. Pourtant, il lui était impossible de lui en vouloir. Il hésita juste un moment avant de répondre :

— Par amitié, oui.

Tous deux rougissaient, maintenant. Pour rompre le malaise, elle se leva en expliquant :

— Maintenant, je dois rentrer à la maison.

Dolan quitta aussi son siège.

— L'addition…

— … sera envoyée à mon frère aîné. Il a un compte ouvert, ici. Il paraît que les contrats se signent plus facilement au restaurant ou au bar de cet hôtel qu'à l'usine.

— Au vacarme qui règne là-bas, je n'en doute pas un instant.

Le policier se sentait à la fois soulagé de ne pas avoir à assumer la dépense et honteux de ne pas pouvoir le faire. Elle le précéda entre les tables et il apprécia de nouveau sa silhouette. La mode de ces dernières années soulignait les fesses et les seins des femmes. Au passage, elle s'arrêta pour signer la note que lui présentait le maître d'hôtel, tout en échangeant quelques mots avec lui. Dès qu'ils furent sortis de la salle à manger, le préposé au vestiaire déclara en la voyant :

— Je vous apporte votre manteau, mademoiselle McDougall.

On la connaissait très bien à cet endroit, nul besoin pour elle de présenter un coupon. À sa grande surprise, l'employé tendit le vêtement à Dolan, afin qu'il aide la jeune femme à le mettre. Cela signifiait se tenir tout près d'elle, au point de sentir son parfum discret. Très nerveux, il l'aida à enfiler une manche, puis l'autre.

Sous la coupole majestueuse, dans le hall où les notables de la ville commençaient à arriver pour le souper, l'image d'un domestique escortant sa patronne lui vint à l'esprit. Le *first footman* devait porter les paquets et éviter les rencontres gênantes à sa maîtresse. Tout de même, les hommes affectés à ce rôle devaient être grands et avoir une belle allure. L'opinion de cette femme à son sujet s'avérait peut-être moins médiocre qu'il ne se l'imaginait.

Dehors, elle lui tendit la main pour lui souhaiter une bonne soirée. Il lui retourna son souhait. Quand il abandonna ses doigts, elle les posa sur son poignet, les serra en confiant :

— Vraiment, je suis certaine qu'aucun de mes frères ne souhaitait du mal à mon père.

Au lieu de répondre quelque chose comme « on ne connaît jamais vraiment ceux qui nous entourent », il se tint coi.

— Vous accepterez de me rencontrer encore, j'espère ? s'enquit de nouveau Éléonore.

— Oui, ce sera avec plaisir.

— Je pourrai vous envoyer un télégramme à votre bureau, n'est-ce pas ?

L'idée que la communication ne passe pas par les mains de son patron le réjouit. Il acquiesça d'un signe de la tête.

— Si vous souhaitez me parler, vous pourrez faire de même.

— Bien sûr.

«Jamais je n'oserai», songea-t-il. Évidemment, il ne devait pas entretenir de relation personnelle avec des membres de la famille de suspects. Surtout, l'idée qu'on le prenne pour le *footman* de cette lady ne lui disait rien, fût-il le premier.

La domestique ne se révélait pas une très bonne cuisinière, et l'appartement n'était pas équipé pour préparer un véritable repas. Aussi, vers six heures trente, un employé avait monté des cuisines un souper fort passable. Deux heures plus tard, la mère et le fils avaient repris leur place au salon, avec chacun une boisson à la main.

— Si je résume ta pensée, tu crois que notre situation à tous les deux est difficile, mais pas désespérée.

— Les frères McDougall ont la possibilité de nous affamer, mais nous pouvons leur faire beaucoup de tort en étalant leurs histoires familiales au grand jour.

Ces turpitudes, Annie en était la pièce centrale. Si on en venait là, elle aurait intérêt à se dénicher un refuge à l'extérieur de Montréal. Déjà, des locataires de l'édifice lui jetaient des regards méprisants… alors que la plupart des hommes, seuls avec elle dans l'ascenseur, lui faisaient une cour appuyée. Si elle était présentée comme femme adultère dans un journal, la vie deviendrait intenable.

— Les tribunaux leur donneront le pouvoir de gérer les affaires de leur père pendant sept ans. Quand un autre scandale attirera l'attention, plus personne ne s'intéressera à notre sort.

— Tant que la preuve de sa mort n'est pas établie, l'administration de mes frères se fera sous la supervision de la justice ; ils ne pourront ignorer les intentions exprimées dans le testament.

— Tu hériteras, pas moi.

— Tu sais bien que je ne te laisserai pas tomber.

Un sourire chargé d'amour maternel lui répondit. Tous deux se soutiendraient réciproquement dans ces circonstances difficiles. Pourtant, André gâcha ce moment en demandant :

— Personne n'a voulu te faire une place dans sa vie, ces derniers jours ?

Il faisait allusion à un homme généreux, désireux de prendre le relais d'Archibald. C'était l'identifier clairement comme une courtisane.

— Cet aspect de ma vie ne te concerne pas, trancha-t-elle d'un ton abrasif.

— Je comprendrais, tu es toujours une belle femme.

Le sous-entendu était limpide : « Tu ne le seras pas éternellement. »

— Tu n'aimerais pas avoir un compagnon près de toi ?

Le garçon évoquait un époux, que l'union reçoive ou non la bénédiction de l'Église. Oui, elle pourrait gagner l'affection durable de quelqu'un. Bien sûr, il faudrait une personne à l'esprit ouvert. La suggestion de son fils la réconcilia avec lui.

— Crois-tu vraiment qu'Archibald soit parti de Montréal ? l'interrogea-t-elle. Avec quelqu'un d'autre ?

De nouveau, Annie revenait à l'hypothèse d'une fuite de son amant. Après l'avoir négligée, il avait totalement disparu, peut-être pour vivre une dernière passion. Sa mort serait moins blessante pour elle, au fond.

— … Il en a les moyens, non ?

L'hésitation d'André ne lui échappa pas, ni une certaine colère dans sa voix. Le jeune homme haussa les épaules. Le geste pouvait signifier : « Cela fait des mois qu'il t'a remplacée, ne crois-tu pas ? » Elle marqua le coup et murmura :

— S'il vit toujours, souhaitons qu'il réapparaisse très bientôt. Et s'il est mort, il faut que l'on découvre son corps au plus vite. Une attente de sept ans avant de clarifier la situation serait insupportable.

Un long hochement de la tête lui répondit. Effectivement, les dernières semaines en fournissaient la preuve, la précarité les menaçait tous deux. Dans un coin de son esprit, Annie conservait un espoir. Puisqu'elle lui avait donné sa virginité, plus de vingt ans de sa vie et un beau garçon, Archibald avait dû réserver une petite provision dans son testament afin d'assurer ses vieux jours, même si ces derniers temps, son intérêt s'était probablement porté ailleurs.

Sinon, cela signifierait qu'elle n'avait compté pour rien.

Chapitre 13

Andrew McDougall décida de retourner à la maison paternelle à pied. Il était un peu plus de dix heures et les cochers se tenaient à proximité des hôtels, des salles de spectacle ou des édifices publics pouvant accueillir des réunions. Attendre le passage de l'un d'eux devant le logement sa mère serait trop long.

De toute façon, la distance ne posait pas de problème pour un homme encore jeune avec de bonnes chaussures aux pieds. Il pesta juste un peu contre la pente assez raide et les endroits où la glace rendait la progression plus risquée. Lorsqu'il franchit la grille de la vaste propriété, il fut accueilli par les deux gros chiens.

La main tendue vers eux, il intima à voix basse :

— Shhhh ! Ne faites pas de bruit, sinon vous allez réveiller tout le monde.

Les aboiements joyeux n'avaient pas alerté le gardien logé dans une minuscule maisonnette près de la grille. Le vieil homme était sourd comme un pot. Le renvoyer après plus de cinquante ans de service dans la famille ne se faisait pas, et de toute façon les deux bouviers suffisaient à la tâche. Pour le moment, ils faisaient la fête au nouvel arrivant. Apollon réussit même à dénicher un bâton dans les taillis près de l'allée pour venir le poser aux pieds du jeune McDougall.

— Si je le lance, tu ne vas pas alerter la maisonnée ?

L'animal s'agitait devant lui, résolu à profiter du moment. Son insistance fut récompensée, puisque Andrew jeta le bout de bois le plus loin possible. À cause des six bons pouces de neige accumulée qui rendaient la recherche plus difficile, le garçon eut le temps d'atteindre les grandes portes de la demeure avant que le bouvier ne dépose de nouveau le bâton à ses pieds.

— Là, c'est trop tard. J'ai les pieds mouillés et le bout du nez froid.

Il avait la clé, alors inutile de réveiller le majordome. L'obtenir avait été toute une affaire. La proposition de Kenneth avait été de lui remettre celle de l'entrée des domestiques. Seule l'intervention de son père lui avait évité cet affront.

À onze heures, plus personne n'occupait le salon ou la bibliothèque. Les McDougall se retiraient d'habitude assez tôt dans « leurs appartements ». Les aînés menaient leur vie conjugale en privé, la vieille Octavia ressassait sa haine de son mari dans l'intimité. Restait Éléonore. La pauvre regagnait sa chambre pour ne pas demeurer seule dans les pièces communes.

Le jeune homme monta l'escalier en multipliant les précautions pour ne pas faire de bruit. À l'étage, il distingua un rai de lumière sous la porte de la chambre de sa demi-sœur. Après deux coups légers, il entendit :

— Oui, qu'est-ce que c'est ?

— Je m'excuse de venir te déranger ainsi aussi tard.

Le temps d'enfiler un peignoir, elle vint lui ouvrir.

— Ni moi ni mon livre ne souffriront vraiment d'une interruption.

Elle lui montra le gros volume posé sur sa table de chevet, ouvert la face contre le bois. Ainsi, elle retrouverait sans mal sa page.

Une fois assise sur son lit, Éléonore questionna :

— As-tu passé une bonne soirée ?

— Maman s'inquiète de ce qu'il adviendra d'elle. Pour décembre, elle n'a rien touché.

Andrew l'avait déjà informée du mode de vie particulier de sa mère. Au début, le sens moral de la jeune fille s'était insurgé à l'idée que son père utilisait une part – aussi modeste soit-elle – du patrimoine familial pour entretenir une maîtresse et un fils naturel. Puis, en comparant le sort de cette inconnue avec celui de l'épouse légitime, elle était devenue plus tolérante. Au fond, si ce n'est l'absence d'un contrat en bonne et due forme, où se trouvait la différence ?

— Et si ça continue, ma propre situation deviendra tout aussi précaire. Depuis la disparition de papa, Kenneth ne manque pas une occasion de souligner à grands traits ma complète inutilité. Il espère sans doute que je quitte mon emploi sans avoir à me renvoyer.

— Tu ne crois pas qu'il irait jusque-là ?

— Je ne crois pas que mon absence de la Dominion Foundry l'attristerait beaucoup.

Tout en parlant, le jeune homme avait pris la chaise devant le petit pupitre pour la placer près du lit. Plus tôt en soirée, sa demi-sœur avait détaché ses cheveux afin de les brosser longuement. Cent fois de chaque côté, recommandait-on aux jeunes filles. Dans la lumière tamisée, ses longs cheveux légèrement ondulés lui donnaient un air de madone. Un bref instant, il la vit comme une amoureuse. Cette pensée le troubla assez pour provoquer une érection. Le lien de parenté entre eux paraissait souvent bien théorique, car ils ne s'étaient jamais vus avant qu'il n'ait presque vingt ans, et elle vingt-quatre.

— Comment s'est passée ta rencontre avec notre sombre policier ?

Éléonore ne répondit pas aussitôt. Elle se rappela la longue silhouette habillée de noir debout devant elle, quand ils s'étaient serré la main.

— On voit bien qu'il n'est pas un familier de l'hôtel Windsor.

— Un dîner pour deux à cet endroit représente au moins trois jours de salaire, et cela en s'en tenant aux choix les plus raisonnables du menu et à de l'eau plate.

Quoique certainement vraie, la remarque parut mesquine à Éléonore. Pourtant, elle venait elle-même de mentionner la gêne de l'inspecteur. Elle préférait sans doute l'attribuer à sa présence plutôt qu'à de simples contraintes budgétaires.

— Crois-tu possible qu'il retrouve notre père ? Lors de notre rencontre, il ne m'a pas paru très éveillé.

— Comme diraient les chasseurs, après tout le temps passé depuis sa disparition, la piste était déjà froide au moment de son entrée en scène.

La comparaison lui rappela son jeu avec le chien, quelques minutes plus tôt. Certaines raisons expliquaient qu'un animal perde la trace de quelqu'un. Le temps écoulé en était une.

— D'abord, va savoir s'il sait chasser. D'après ce que j'ai entendu, le bonhomme rêvait de se faire curé.

Dans tous les débits de boisson, on commentait la carrière de l'homme qui avait coincé le tueur à la hache. Son nom était apparu dans les journaux au lendemain de cette arrestation. Un reporter plus malin que les autres avait déniché l'information. Cela lui avait inspiré une phrase dont chacun de ses collègues se montrait jaloux : « Entre la traque des pécheurs et celle des criminels, il n'y a qu'un pas. »

— Que veux-tu dire ?

— Exactement ce que j'ai dit. Il était au Grand Séminaire il y a deux ans à peine.

Éléonore se souvint du malaise manifeste de l'inspecteur. Celui de quelqu'un ayant appris très tôt à se méfier des femmes.

— Ça ne l'empêche pas d'arrêter des criminels.

Le timbre de sa voix exprimait une pointe d'impatience, comme si elle tenait à défendre le policier taciturne. Andrew toussota, puis reprit :

— Il t'a laissé entendre qu'il soupçonnait quelqu'un ?

Depuis son retour de l'hôtel Windsor, la jeune femme avait ressassé la conversation afin de se faire une idée à ce sujet.

— Non. Il en est encore à essayer d'identifier les endroits fréquentés par papa, à chercher des motifs à sa disparition.

— Il y en a un assez évident, non ? Le testament.

Elle esquissa une grimace douloureuse à cette évocation.

— Jamais je ne croirai à leur culpabilité. Je les connais.

Andrew préféra ne pas insister. Il se redressa sur sa chaise, comme s'il s'apprêtait à quitter la pièce.

— Je trouve que les policiers ne prennent pas tellement cette affaire au sérieux. Ils n'ont pas progressé depuis le début.

— Je suis certaine qu'il fait de son mieux.

Si son demi-frère utilisait le pluriel pour désigner la force constabulaire, elle se limitait à défendre un seul agent, Dolan.

— Tu es une gentille fille, tu donnes ta confiance facilement. La vie m'a appris à me méfier un peu plus.

Andrew marqua une hésitation, puis suggéra :

— Tu devrais chercher à le revoir, afin de savoir s'il progresse.

— Voyons, je ne peux pas faire ça !

— Tu viens juste de le faire.

— Mais si je recommence, ce sera... suspect.

Elle se disait que si elle cherchait à le revoir, Dolan y verrait un simple effort pour le faire parler. Elle en serait terriblement gênée.

— Tu penses? Holopherne n'a rien vu de la ruse de Judith.

Éléonore chercha la moquerie dans le ton de son frère, vainement. Il la comparait sérieusement à la Juive qui, grâce à sa beauté, avait pu s'approcher suffisamment du général ennemi pour lui trancher la tête.

— Déjà, je me suis sentie très audacieuse de demander un premier rendez-vous. Recommencer me ferait passer pour...

«Une gourgandine?» Elle préféra taire le mot, car il décrivait exactement la mère d'Andrew : une femme utilisant ses charmes pour arriver à ses fins !

— Écoute, je ne peux t'y forcer...

Il quitta sa chaise, la remit à sa place, puis se dirigea vers la porte.

— Alors, bonne nuit, Nora.

Le diminutif s'imposait entre eux. Sa façon abrupte de la quitter exprimait toute sa déception : il lui demandait un service et elle refusait de le lui rendre.

— Bonne nuit.

Un instant, elle songea à reprendre son livre, mais le cœur n'y était plus.

Comme d'habitude, dès son arrivée au bureau le lendemain, Dolan rendit compte de son enquête à son supérieur.

— Alors, vous avez fait une véritable tournée des jolies femmes de Montréal, remarqua Campeau d'un ton moqueur.

En réalité, ce dernier ne connaissait ni le physique d'Annie Vallerand, ni celui d'Éléonore McDougall. Pourtant, Dolan fut désarçonné – comme chaque fois que l'on évoquait les charmes du «beau sexe» devant lui.

— Pas pour mon plaisir! Si quelqu'un veut prendre le relais, tant mieux. Moi, j'ai toujours un voleur de poules sur les bras.

Avec cette enquête, l'inspecteur provoquait les ricanements de ses collègues. Du tueur à la hache à un trafiquant de gallinacés, la perte de prestige amusait tout le monde.

— Bon, d'accord, la vue de l'une et de l'autre vous laisse totalement indifférent...

Cette fois, l'inspecteur se souvint très clairement de la fine silhouette tout en gris de la grande bourgeoise. Cette image l'avait d'ailleurs hanté une partie de la nuit, une fois seul dans sa chambre. Son confesseur, quelques années auparavant, parlait de pensées impures pour désigner la cause de ce genre d'insomnie. Depuis sa sortie du Grand Séminaire, il évitait d'aborder cela au moment de la confession, tellement ce péché lui paraissait incompatible avec un homme de son âge. Devant un prêtre, mieux valait parler de visites au bordel, plus conformes à la normalité pour un célibataire comme lui. Car l'omission de cette faute plutôt banale amenait un ecclésiastique à soupçonner un acte plus grave encore. Les religieux et les policiers partageaient ce principe: ils considéraient tout le monde comme des suspects.

— Alors, cette visite à l'immeuble d'Annie Vallerand vous a appris quelque chose?

— McDougall se désintéressait tout à fait d'elle, ces derniers mois. S'il acceptait de garder son fils illégitime à ses côtés, la mère de celui-ci n'était plus dans ses grâces.

— La dame se trouvait donc sans le sou?

— En tout cas, je ne pense pas que les frères McDougall l'aient prise en charge depuis la disparition de leur père.

Les visites d'Archibald au début de chaque mois signifiaient probablement le versement régulier d'une pension. Ce montant faisait certainement défaut à la maîtresse délaissée. Campeau pensait la même chose, car il enchaîna :

— Quelqu'un d'autre s'occupe d'elle ?

L'inspecteur haussa les épaules.

— D'Annie Vallerand ? Je tenterai de le savoir, ou à tout le moins de connaître ses allées et venues. Mais ça ne doit pas être si simple...

Il voulait dire que ce ne devait pas être si aisé de trouver un amant pour l'entretenir. Formuler cela à haute voix lui aurait paru affreusement indélicat. Il revint plutôt aux activités d'Archibald.

— McDougall semblait sortir aussi souvent qu'auparavant. Je suppose qu'il avait trouvé une remplaçante... ou une activité susceptible de le passionner tout autant.

Devant son air entendu, le chef de police attendit la suite.

— Hier, une femme m'a informé du fait qu'il fréquentait des séances de spiritisme. Il y a des gens qui considèrent cela comme une vraie religion.

— Il n'y a qu'une religion, le catholicisme, et une Église, l'Église catholique romaine.

— Je ne voulais pas dire...

Conditionné comme il l'était, Dolan demeurait extrêmement chatouilleux au sujet de la religion. Toutefois, devant l'air ironique de son patron, il s'arrêta bien vite.

— Bon, nous faisons semblant que le protestantisme a une certaine respectabilité pour ne pas froisser nos compatriotes, mais gardons-nous des mauvaises influences.

Cette fois, l'inspecteur rit franchement. Campeau continua sur le même ton :

— Méfions-nous surtout d'une religion dont la prêtresse vient au poste pour accuser l'un de nos collègues du péché d'ivrognerie !

Le sergent Panneton, outré, avait entretenu tous ses collègues de cette calomnie. Le sujet avait même atteint les oreilles de son chef.

— Pour ça, pas besoin de médium, il suffit de regarder son nez bourgeonnant.

Tout de même, un aspect de cette visite trottait toujours dans la tête de Dolan.

— Non seulement McDougall participait-il à des séances, mais cette bonne dame m'a affirmé avoir parlé avec son esprit depuis le 4 novembre dernier.

— Il a nommé le coupable ?

L'inspecteur fit non d'un signe de la tête.

— Dommage. Autrement, nous aurions pu engager cette dame et faire économiser une fortune aux contribuables en salaires de policiers. Toutefois, j'espère qu'aucun journal n'aura vent de sa présence ici. Dès mon arrivée, j'ai fait en sorte que personne n'utilise la magie pour mettre la main sur des suspects.

Malgré le ton badin, Dolan comprenait bien que la moindre allusion des journaux à cette visite tournerait tout le service en ridicule. Déjà, certains soulignaient la lenteur de la police à découvrir le sort de « l'un des plus illustres habitants de cette ville ». Il suffirait qu'un politicien en vue reprenne ce discours pour attirer bien des ennuis aux responsables, à savoir l'inspecteur et son chef.

— Si nous savions où McDougall passait plusieurs soirées chaque semaine, reprit Campeau, cette fois tout à fait sérieusement, nous progresserions sans doute beaucoup.

— Je parlerai encore à son cocher. D'autant que ce dernier a été loquace sur ses relations avec Annie Vallerand, sans jamais me dire que les visites à la rue Sherbrooke étaient devenues très rares.

— On pourrait faire planer la menace d'une poursuite pour rendre le bonhomme plus enclin à collaborer.

La dissimulation d'informations pouvait entraîner une accusation pour entrave au travail des policiers. Dolan donna son assentiment d'un hochement de la tête.

— Je pourrais aussi poser la question aux trois fils.

Cette fois, ce fut au chef d'approuver. Il reprit son sourire narquois pour demander :

— Mais peut-être la jeune demoiselle sait-elle où allait son père ? Elle avait une jolie voix, au téléphone...

— En personne aussi.

Dolan marqua une pause, attendit une moquerie de son supérieur. Celui-ci resta silencieux.

— Non, elle ne le savait pas.

— Ce rendez-vous a-t-il servi à quelque chose ?

— Oui et non. Elle m'a affirmé avec conviction qu'aucun de ses frères n'aurait pu faire de mal à l'auteur de leurs jours. Surtout, j'ai essayé d'en savoir un peu plus sur le quotidien de cette maison.

— Et puis ?

— Même si c'est bien moins confortable, je préfère loger dans ma maison de chambres. Là-haut, la sérénité fait gravement défaut.

— Oui, c'est pour ça que nous, les Canadiens français, sommes nés pour un petit pain. Nous préférons la tranquillité à l'argent.

De façon tout à fait exceptionnelle, ce matin-là, Andrew était arrivé au travail vers huit heures, pour constater que

Kenneth était absent. Lorsqu'il demanda un rendez-vous, April, la jolie secrétaire, battit des cils pour dire :

— Vous serez obligé d'attendre son retour. Ce matin, il devait se présenter au bureau de maître McKay, son avocat.

Ces derniers temps, les rapports fréquents entre ces deux-là témoignaient de la préparation d'un dossier complexe. Le jeune homme savait bien de quoi il s'agissait : son aîné cherchait à obtenir devant les tribunaux le droit de gérer l'affaire en l'absence de son père.

— Vous m'avertirez lors de son arrivée, n'est-ce pas ?

Son acquiescement prit la forme d'un signe de la tête accompagné de son plus charmant sourire. Andrew regagna son bureau pour se planter un moment devant la paroi en verre. Sous ses yeux, un effectif réduit s'agitait autour du haut fourneau et des moules de sable. Le tiers des travailleurs avait été mis à pied la semaine précédente. C'était en partie la conséquence du chômage saisonnier qui touchait la plupart des secteurs d'activité. Les chantiers de construction étaient moins actifs pendant l'hiver, les trains moins nombreux à rouler en raison de la fermeture du port. Les McDougall œuvraient dans ces deux domaines.

Un autre motif expliquait la saignée : la difficulté d'obtenir du crédit. Beaucoup d'ouvriers murmuraient que sans le vieil Archibald, les fils n'arriveraient pas à mener la barque, et que la fonderie fermerait bientôt ses portes. Les plus expérimentés cherchaient déjà à offrir leurs services aux concurrents. Certains n'hésiteraient pas à tenter leur chance en Ontario ou aux États-Unis.

En laissant échapper un grand soupir, Andrew s'installa dans son fauteuil habituel, sortit un magazine d'un tiroir, posa les pieds sur son bureau, puis s'occupa à tuer le temps.

Au bout deux heures, April vint lui dire que le directeur pouvait lui consacrer «quelques minutes, pas plus». La précision émanait de son frère, mais Andrew fit tout de même grise mine à la secrétaire. D'ici la fin de la journée, il se montrerait moins charmant à son égard. Son côté séducteur reprendrait cependant le dessus bien vite.

Il frappa à la porte de Kenneth et entra sans attendre. Son demi-frère était penché sur des dossiers étalés sur son bureau, comme s'il désirait faire la démonstration de la lourdeur de sa tâche. Une fois assis sur la chaise réservée aux visiteurs, Andrew attendit un long moment, puis commença:

— Je sais que tu es un homme occupé, inutile de me jouer cette petite scène.

— Je ne joue pas, répliqua Kenneth en levant les yeux sur Andrew. Que veux-tu?

Le ton peu amène irrita le jeune homme, mais il n'avait pas les moyens de partir en claquant la porte.

— Que comptes-tu faire à propos de ma mère?

Le gérant de l'entreprise haussa les sourcils, comme s'il ne comprenait pas.

— Notre père l'a séduite, puis mise enceinte. Il a ruiné sa réputation. Elle se trouve au ban de la bonne société. Au moins, il a eu la décence de la soutenir durant toutes ces années. Maintenant, elle est sans ressources.

Son demi-frère haussa les épaules pour signifier son indifférence, puis ajouta:

— Elle n'avait qu'à faire preuve de prudence.

Le regard d'Andrew s'assombrit. Un bref instant, il se retint de sauter par-dessus la table pour attaquer physiquement ce malotru.

— Tu peux le prendre ainsi, déclara-t-il d'une voix blanche. Dans ce cas, je te jure que bientôt tous les journaux de Montréal connaîtront son existence, et la mienne.

— Si tu veux la traîner dans la boue, libre à toi.

— Dans ce genre d'histoire, la sympathie va vers la femme séduite, engrossée et abandonnée. Crois-moi, tu ne peux pas te permettre de ternir ton nom alors que tu tentes d'obtenir le contrôle de la fonderie. Je ferais un bon témoin, devant un juge.

Ces derniers mots s'accompagnèrent d'un sourire carnassier. Oui, son sourire désarmant en première page des journaux attendrirait le public, tout comme les juges au tribunal. Kenneth se résigna à se montrer accommodant.

— Je verrai ce que je peux faire. Mais avant que la situation financière ne soit clarifiée, je ne peux pas me servir du chéquier.

— Oh! Tu peux allonger la somme, j'en suis sûr.

Andrew annonça un chiffre, tout en précisant que le versement était en retard de plus d'une semaine. Puis il ajouta :

— Et pour moi?

Cette fois, le directeur ne cacha pas sa surprise.

— Pour toi?

— Je vois bien que tu penses que je suis complètement inutile, ici. N'empêche que mon salaire est en retard. À moins que tu ne souhaites carrément me mettre à la porte.

— Tu ne sais rien faire et tu ne veux rien apprendre.

— Notre père ne partageait pas cet avis!

L'utilisation du « notre » pour souligner leur origine commune enrageait son interlocuteur. C'était à lui maintenant de serrer les mâchoires. Andrew poussa son avantage :

— Au point de me coucher sur son testament, n'est-ce pas?

— Il n'y a pas de corps, donc pas de décès ni d'héritage.

— Mais le juge aura accès à ce document, ses décisions en tiendront compte.

— Puisque tu sais que tu hériteras un jour, attends de recevoir ta part.

Le jeune homme secoua la tête de droite à gauche, pour exprimer son désaccord.

— Je n'attendrai pas sept ans.

Il se leva pour se diriger vers la porte.

— Tu parlais du corps. Malgré toutes tes déclarations, tu dois craindre qu'il ne soit découvert, n'est-ce pas ? Si tu as quelque chose à voir dans son décès, tu seras déclaré indigne d'hériter.

Kenneth frappa violemment du poing sur son bureau, réussit à dissimuler la douleur qui l'irradia jusqu'au coude.

— Tu n'as pas le droit de formuler des sous-entendus de ce genre. Je peux te poursuivre.

— Fais-le, alors. Tu m'offriras la plus belle tribune pour raconter mon histoire en détail.

Sur ces mots, Andrew quitta la pièce, certain d'avoir assuré sa position et celle de sa mère. Toutefois, les mots de son aîné au sujet de celle-ci ne cesseraient pas de brûler sa mémoire, comme un fer chauffé à blanc.

Dolan ne trouva pas le temps de se rendre à l'immeuble d'Annie Vallerand avant le lendemain. Le gardien le regarda marcher vers lui depuis l'entrée, un sourire goguenard sur les lèvres.

— Vous devriez louer un appartement ici, tellement vous venez souvent.

— C'est à cause de la qualité du personnel. Je veux examiner de nouveau votre petit livre, puis vous poser quelques questions.

— Mes informations, je les réserve à mon patron.

Évidemment, ayant été payé une fois, l'employé ne livre-rait plus rien gratuitement désormais. L'inspecteur posa deux dollars sur la table du gardien, mais prit soin de préciser :

— La loi vous oblige à répondre à mes questions. Je peux aussi vous faire conduire au poste de police pour un interrogatoire. Ce ne serait pas du meilleur effet auprès des occupants respectables de cet immeuble.

En réalité, Dolan ne doutait pas que ce serait entraîner le renvoi immédiat de l'employé. Déjà, le gardien devait se réjouir de ne pas avoir affaire à un policier en uniforme. Le cahier changea de main.

— Faites-vous discret. Vous connaissez le chemin, ajouta-t-il en pointant la porte derrière lui.

Le placard à balais n'était certes pas le meilleur endroit pour étudier le livret, mais au moins, une petite fenêtre étroite lui permettait de lire sans mal. Il remarqua qu'Annie Vallerand sortait tous les jours, parfois pour une heure, parfois pour trois ou quatre, et plus rarement, une fois par semaine peut-être, pour une journée entière. Comme elle ne devait pas avoir beaucoup d'amis – une femme adultère demeurait infréquentable, sauf pour un motif coupable –, l'inspecteur pouvait conclure à des rendez-vous galants.

À l'exception des livraisons ou de services à domicile – une femme de ménage devenant « la souillon » dans les mots du portier, et une coiffeuse surnommée « Frisette » –, Annie Vallerand recevait peu de visiteurs. Déjà, qu'elle accueille Archibald avec régularité avait certainement retenu l'attention de voisins curieux et prompts à juger. Dolan nota toutefois la venue, à intervalles à peu près réguliers, d'un homme surnommé « le gros » qui restait généralement une demi-heure.

De retour dans le hall, le policier posa le cahier ouvert sur le bureau, puis montra du doigt une de ces entrées :

— Qui est ce "gros"? interrogea-t-il.

— Personne ne doit me voir vous parler d'une locataire.

— Alors, faites vite.

Le gardien lança un regard vers les portes de l'ascenseur, un autre en direction de l'entrée, puis il se lança:

— Je ne sais pas, il ne donne pas son nom. Il dit: "Elle m'attend", comme vous avez fait.

— Vous pouvez faire mieux que ça, non?

Le portier déglutit, puis se décida enfin:

— Le gars doit faire deux cents livres. Elle les aime gros...

Archibald McDougall affichait un embonpoint en harmonie avec sa situation sociale. Bien sûr, l'employé concluait à un ami fidèle. Devant les yeux sévères du policier, il continua:

— Avec du beau linge, pas un gars qui tire le diable par la queue. Il portait chaque fois un petit sac de cuir noir à la main. J'ai eu le temps de voir les lettres MD dessus.

Comme Dolan ne répondait rien, le gardien ajouta:

— J'en sais pas plus, juré.

Une nouvelle fois, l'ouverture des portes de l'ascenseur mit fin à la conversation. Dehors, Dolan s'engagea dans la rue Atwater, vers le sud. Annie Vallerand recevait donc un médecin chez elle avec régularité. Ces rendez-vous permettaient peut-être de se livrer à des jeux coquins, mais il pouvait tout aussi bien s'agir d'un praticien s'acquittant de consultations à domicile.

Restait la possibilité de suivre cette femme quelques jours d'affilée afin de connaître ses habitudes. Un jeune policier pourrait s'en occuper.

Chapitre 14

Un coup de téléphone passé le matin même avait permis à Dolan de s'assurer de la présence du cocher de la famille McDougall à la fonderie. Si Kenneth s'était étonné de la demande, il fut soulagé de ne pas avoir lui-même à répondre à des questions. Cet enquêteur lui faisait penser aux inquisiteurs catholiques qui fouillaient les âmes, tels qu'on les décrivait dans les récits : une silhouette sombre, des yeux fiévreux, une façon de vous regarder qui vous laissait l'impression d'être un véritable pécheur.

L'inspecteur trouva le cocher perché sur son siège à l'avant de la voiture. Il le prévint, en arrivant à sa hauteur :

— Je grimpe pour m'asseoir près de vous.

— J'vais avoir l'air fin, au ras d'une police.

— Je suis sûr que vous avez parlé à de plus mauvais bougres que moi.

Un marchepied de métal permettait d'atteindre la banquette trop étroite pour que deux hommes de bonne taille s'y sentent à l'aise. Serré contre lui, Dolan ne put ignorer l'odeur du cocher. Celle du cheval, quatre pieds devant leur nez, ne rendait pas l'expérience plus agréable.

— C'est quoi qu'vous m'voulez ? J'devrais conduire la patronne dans les magasins, à c't'heure-ci.

— Je suis certain qu'elle ne manque de rien. Alors, même si vous avez quelques heures de retard, aucun drame n'en résultera.

Cette réplique n'eut pas l'air de plaire à l'employé. Il lança un jet de salive en direction de la rue, le vent le ramena jusqu'à sa jambe. Voilà qui expliquait certaines taches sur ses vêtements.

— L'autre fois, rappela Dolan, vous m'avez dit que votre patron se rendait moins souvent chez madame Vallerand.

— Chez qui?

— La personne qui habite au coin de Sherbrooke et Atwater.

— Ah! Celle-là.

Formulée ainsi, la remarque pouvait laisser croire qu'il en existait une autre.

— Cependant, vous ne m'avez pas fait part de ses habitudes.

— Pensez-vous qu'y m'racontait toute?

— Certainement pas, mais à force de le promener dans la ville, vous savez ce qu'il faisait jour après jour.

Le grognement du vieil homme pouvait compter pour un assentiment. Pour s'assurer d'une bonne collaboration de sa part, l'inspecteur précisa:

— Un millionnaire a disparu. La police ne lâchera jamais l'affaire. Si quelqu'un ne nous aide pas, il nous nuit, et ça, personne ne l'endurera...

La menace lui valut un regard mauvais, mais le cocher resta muet.

— McDougall se rendait chez une médium, affirma le policier.

— C'est quoi, ça?

— Une spirite... Madame Radcliffe.

— La vieille qui parle aux fantômes? Vous y voulez quoi?

L'inspecteur lui avait signifié qu'il connaissait déjà certaines réponses à ses questions. Cela devait inciter le vieil homme à répondre franchement.

— Conduisez-moi chez elle.

Le cocher poussa un soupir, puis il fit claquer les guides sur le dos du cheval. La journée serait longue.

Madame Radcliffe, médium de son état, habitait une charmante petite maison en terrasse dans le quartier Milton. L'extérieur était négligé, mais au poste de police, la dame avait confié être veuve. Son statut expliquait sans doute cet état de choses.

— Bon, vous allez la voir pour parler à votre mère défunte ?

— Non. Je veux que vous me conduisiez aux endroits où McDougall se rendait pour ses affaires.

— À la fonderie ?

— Non, les autres endroits. Sa banque, les restaurants où il discutait avec des collègues, son club…

Le cocher eut l'air de comprendre l'idée. Pour Dolan, il s'agissait de se livrer à une visite de la ville selon un nouveau point de vue. Il connaissait le Montréal des travailleurs manuels, celui des employés en col blanc, comme lui. Celui des petits truands et des prostituées aussi. Mais que diable faisaient les grands bourgeois ?

Déjà, il s'était familiarisé avec la magnifique façade de la Banque de Montréal, le plus beau temple au dieu dollar de la ville. La Bourse venait tout juste après.

— Pour les restaurants, y en a plusieurs.

— Nous n'avons rien de plus urgent à faire, n'est-ce pas ?

— C'est bin le patron qui me d'mande de faire ça ?

Son passager acquiesça de la tête. Rassuré, le cocher le mena devant l'hôtel Windsor.

— Y mangeait là tous les trois ou quatre jours, le midi.

Un peu plus tard, Dolan connaissait les meilleurs restaurants de la ville. Sans qu'il le lui demande, le vieil homme s'arrêta devant le club Saint-James, une institution où de grands bourgeois payaient une fortune le privilège de se retrouver entre eux pour boire un whisky ou un cognac, empester l'air avec des cigares fabriqués dans les pays chauds, et discuter de leurs coups les plus fumants, passés ou à venir.

— Icitte, y v'nait parfois déjeuner ou dîner, souper aussi. Quand y rentrait à maison, c'était jamais à jeun. Des fois y couchait là. J'suppose que dans ces cas-là, y pouvait pus descendre les marches de l'escalier.

L'inspecteur se doutait bien que des complicités financières ou politiques se tramaient dans ce lieu. Les fameux trusts, des regroupements d'hommes d'affaires, créaient les gouvernements municipaux, provinciaux ou fédéraux grâce au contrôle des journaux, quand ils n'achetaient pas directement les élus et les électeurs.

— Pis là, j'fais quoi?

— Comme il n'allait plus chez madame Vallerand, où trouvait-il...

Son éducation religieuse l'empêcha de dire «des prostituées», et le mot péripatéticienne aurait été incompréhensible à son interlocuteur.

— ... quelqu'un avec qui passer du bon temps?

— Bin, j'sais pas ça, moé.

Dolan ne pouvait prendre au sérieux ce sursaut de pudeur; le cocher devait vouloir protéger la réputation de son patron. Après un petit duel silencieux, le vieux domestique laissa échapper un soupir.

— Ces gars-là vont pas fourrer dans des coins de ruelle sombre...

Le claquement des guides remit les chevaux en marche et ils arrivèrent dans Saint-Laurent. Au passage, le bonhomme lui désigna des maisons de passe où les clients bénéficiaient de chambres fermées et prenaient tout leur temps.

— Y aimait c'te place-là, affirma-t-il en s'arrêtant rue De La Gauchetière. Des filles pas mal plus jeunes que votre madame Vallerand.

— Vous l'avez déjà vue?

— Oui, elle pis son p'tit, celui qui habite avec ses frères asteure. J'les conduisais encore icitte et là, y a une couple d'années.

— Pourquoi venir ici, alors que quelqu'un... satisfaisait ses désirs ailleurs?

Dolan ne doutait pas que le domestique connaissait parfaitement son patron, à cause d'une longue période à partager certains de ses secrets ou de confidences livrées en état d'ébriété avancé.

— Bin, icitte y avait l'avantage du changement. Une nouvelle à chaque visite, si y voulait. Pis des jeunesses, en plus. La jeunesse, ça r'monte les déprimés, vous savez.

Le vieil homme eut un rire chargé d'autodérision. Lui aussi devait rêver de chair ferme, les jours où sa propre libido le décevait.

— Jeunes comment?

— J'sais pas vraiment. Assez jeunes pour ne pas avoir déjà pogné la vérole.

L'homme sur la mallette duquel était inscrit MD soignait peut-être Annie Vallerand pour l'une de ces maladies que l'on attrapait dans un mauvais lieu. McDougall ne s'était pas montré absolument fidèle à sa maîtresse – déjà, il ne l'était pas à l'égard de sa femme –, il pouvait l'avoir contaminée.

— Il venait toujours ici?

— Y avait une aut' place qu'y aimait dans l'ouest. Vous voulez y aller aussi? Si vous débarquez pas, vous verrez juste une autre porte, pis des fenêtres avec des rideaux épais.

Mais Dolan connaissait maintenant les habitudes de McDougall. Il tenterait sans doute de rencontrer le personnel du club, celui de certains restaurants, et même celui de ce bordel pour demander si quelqu'un avait vu le disparu après le 4 novembre. Mais comme personne parmi ces gens ne s'était présenté au poste de police, cela ne servirait probablement à rien. Des subalternes pourraient s'en charger.

— Non. Vous allez me déposer à l'hôtel de ville, vous pourrez reprendre vos activités ensuite.

— C'est pas trop tôt, murmura le cocher, ce qui tira un sourire à l'inspecteur.

Pendant le trajet, il questionna le bonhomme sur les sorties des trois fils. Le domestique n'avait que quelques bribes d'information à fournir, et il conclut en disant :

— Si vous pensez qu'le boss me laissait l'temps de promener les autres…

En effet, Archibald devait être un employeur exigeant.

Le 11 décembre, on serait dimanche. Dolan avait longuement tergiversé avant d'inviter Juliette Mailloux à une véritable « sortie ». Son hésitation tenait à deux motifs. D'un côté, il s'agissait pour lui d'une première, aussi le trac lui asséchait la gorge. De l'autre, que faisait-on avec une femme le jour du Seigneur ? Ou les autres jours, pour ce qu'il en savait ! Après le rendez-vous avec Éléonore McDougall, l'inspecteur avait trouvé le courage de passer à l'action, mais encore lui fallait-il un moment d'intimité pour le faire. L'occasion ne se présenta que le samedi 10 décembre, après le souper. Une nouvelle fois, il croisa sa voisine alors qu'elle sortait des toilettes, à l'étage.

— Mademoiselle, commença-t-il si bas qu'elle dut s'approcher un peu pour saisir ses paroles, demain, que diriez-vous d'aller dîner quelque part ?

Comme elle demeurait silencieuse, il ajouta :

— Dîner, ou alors partager une autre activité qui vous conviendra.

— Je ne sais trop, hésita-t-elle. Tout sera fermé, un dimanche.

L'inspecteur y alla d'une suggestion :

— Nous pourrions nous rendre dans un restaurant chinois. J'aime bien le thé au jasmin, et cela nous changerait de l'ordinaire de madame Sullivan.

L'idée tira une grimace un peu dégoûtée à la secrétaire. On entendait tellement de choses terribles sur la salubrité de ces endroits, sans parler des rumeurs sur la disparition des chats domestiques dans les quartiers environnants. Dolan comprit que la gastronomie venue du Céleste Empire ne la séduisait pas.

— Nous pourrions opter pour l'un de ces cafés tenus par des gens arrivés d'Europe de l'Est. Comme ce sont des juifs, ils ferment le samedi et ouvrent le dimanche.

— D'où viennent-ils, précisément ?

Le mot « Europe » l'avait rassurée, mais pas la référence à la religion.

— De divers pays... J'ai parlé à certains qui étaient originaires de Varsovie, de Prague, de Vienne...

La rue Saint-Laurent et celles donnant sur cette artère, constituaient un monde en miniature, avec des gens aux costumes et aux odeurs étranges. Juliette devait accepter de se rendre dans l'un de ces établissements tenus par des païens, ou alors il ne leur resterait plus qu'à marcher dans les rues voisines.

— Si nous étions en plein été, dit-il encore, le plus simple serait d'aller dans un parc. Mais en décembre...

L'inspecteur n'allait certainement pas lui suggérer d'assister aux vêpres ensemble. Après toutes ses années de religiosité exacerbée, la messe du dimanche et la confession annuelle suffisaient amplement à ses besoins, aujourd'hui.

— D'accord pour aller dans l'un de ces cafés, je vous fais confiance pour le choisir.

Cet échange lui laissa la désagréable impression que Juliette ne se mourait pas d'envie de se joindre à lui. Comme son propre désir n'avait rien d'irrépressible, impossible de trop s'en formaliser. Chacun se contentait de l'occasion qui se présentait.

Chez Theresa Sullivan, le petit déjeuner du dimanche se limitait toujours à sa plus simple expression. Tous les locataires étant catholiques, jamais elle ne les aurait privés de la chance de communier. La plupart se contentaient d'un verre d'eau, ne serait-ce que pour faire bonne impression sur les autres chambreurs, sans avoir pour autant l'intention de s'approcher de la Sainte Table. Les autres picoraient sous le regard sévère de la tenancière. Les sœurs Demers faisaient partie du lot – un privilège conféré par un curé en raison de leur santé fragile.

Dolan rejoignit Juliette Mailloux dans l'entrée à l'heure convenue.

— Je suppose que vous fréquentez l'église Saint-Patrick, dit-elle en enfilant ses gants.

— Et vous, la cathédrale Saint-Jacques. Je suis prêt à vous accompagner dans ce magnifique bâtiment.

Les deux églises étaient situées à proximité de leur domicile. Dehors, elle passa son bras sous le sien. Finalement, ils formaient un couple assez bien assorti, avec leur air de personnes déçues par la vie. La cathédrale, dans la rue du même nom, à l'angle de Dorchester, reprenait la forme de Saint-

Pierre de Rome, en plus petit. L'intérieur présentait tout de même un décor majestueux. Contre quelques sous, ils purent s'asseoir dans un banc situé à l'arrière. La longue cérémonie en latin, l'odeur d'encens, les chasubles chamarrées des prêtres, tout l'ensemble constituait un spectacle grandiose conçu pour élever l'âme des fidèles. Dolan le connaissait par cœur, et pour lui, la surexposition gâchait l'effet.

Au moment de la communion, tous deux se sentirent mal à l'aise. Impossible d'y participer à moins de n'avoir aucun péché sur la conscience. Impossible de rester à sa place sans éveiller des soupçons sur sa moralité. Juliette Mailloux jeta un regard à la dérobée sur son compagnon, incertaine de l'attitude à adopter. Comme celui-ci ne bronchait pas, elle décida de ne pas bouger non plus.

Il était largement passé onze heures quand ils se retrouvèrent sur le parvis. Une église de cette envergure, si richement décorée, attirait les notables. De toute façon, le quartier n'en était pas dépourvu. De nombreuses dames promenaient leurs manteaux de fourrure, au bras de bourgeois prospères.

— Désirez-vous que nous prenions le tramway jusqu'à la rue Saint-Laurent? proposa Dolan.

— La distance n'est pas si grande, ce n'est pas la peine. À moins que de votre côté...

— Dans mon métier, pouvoir marcher pendant des heures est une nécessité.

Pour un inspecteur, l'affirmation était exagérée, mais les policiers en uniforme patrouillaient leur quartier pendant de longues heures tous les jours. Toujours en lui offrant son bras, Dolan guida sa compagne vers l'est, jusqu'à la rue constituant la frontière entre les communautés française et anglaise. Peu de gens la traversaient, et ceux qui l'osaient se sentaient de l'autre côté comme en pays étranger.

Au coin de Dorchester, la rue Saint-Laurent présentait un visage bien peu rassurant, et Juliette s'en inquiéta.

— Selon les journaux, les établissements autour d'ici ne sont pas recommandables.

— Effectivement, la clientèle des cafés et des tavernes ne fréquente pas la messe assidûment.

— Je sais qu'il s'y trouve des commerces moins respectables encore.

— Je ne fréquente ceux-là que pour des raisons professionnelles.

Juliette faisait allusion aux bordels et aux *speakeasies* qui enrichissaient le crime organisé.

— Je ne voulais pas dire…

— Je sais. Voilà le problème de mon métier: je vais rarement dans des endroits fréquentés par le beau monde.

À ces mots, l'image d'Éléonore McDougall lui revint en mémoire. Son excitation, lors de cette rencontre, avait en quelque sorte motivé son invitation à sa voisine. Un peu comme s'il entendait suivre les directives de son confesseur et combattre les pensées impures par un mariage «raisonnable». Les responsabilités d'un père de famille nombreuse le maintiendraient dans le droit chemin, lui disait-on. Aussi, s'il devait céder à l'appel de la chair, ce serait dans un contexte béni par l'Église.

Le policier conduisait la jeune femme vers le nord, au-delà de la rue Sherbrooke. Elle commençait à regretter d'avoir refusé l'offre de prendre un tramway. Heureusement, ce jour de la mi-décembre ne se révélait pas trop froid. Enfin, Dolan s'arrêta devant un bel édifice à la façade de pierre. La raison sociale, où elle reconnut le mot «Pest», la ville jumelle de Buda, l'assura du caractère exotique de l'endroit.

— Vous venez souvent ici?

«Je n'en aurais pas les moyens», se dit-il.

— Je suis venu quelques fois seulement.

En réalité, deux fois, pour les besoins d'une enquête. À l'intérieur, Juliette fut surprise par l'élégance du décor. De beaux lustres pendaient du plafond, des pots de cuivre posés sur le plancher contenaient des plantes vertes, le papier peint à la couleur rouge criarde s'avérait luxueux.

— Ah ! Monsieur… Dolan, si je me souviens bien, dit un maître d'hôtel un peu obséquieux. Je suis heureux de vous accueillir dans mon établissement. Et madame aussi, bien sûr.

L'homme portait un tablier blanc sur un costume noir. Sa petite moustache ne le vieillissait pas vraiment. On aurait dit un gamin de quarante ans. Un bref instant, le policier fut tenté de dire « mademoiselle », pour le corriger de son erreur, mais la précision lui parut indélicate.

— Je vais vous donner notre meilleure table.

On les installa contre un mur, au fond de la salle à manger, et Dolan se demanda en quoi cette table était meilleure que les autres. En ouvrant le menu, Juliette s'attendait à n'y rien comprendre, mais il était écrit dans un excellent français.

— Cet homme-là n'est pas un juif, murmura-t-elle.

— Pourtant oui. Ils ne portent pas tous un caftan et de longues couettes de cheveux enroulées autour des oreilles.

Même s'il avait partagé ces préjugés dans un passé pas très lointain, son ton se faisait un peu caustique. Au collège, on lui avait demandé lesquels des deux étaient les pires : les protestants ou les juifs. Bien sûr, il fallait nommer les seconds, les auteurs du déicide, car ils avaient crucifié Jésus.

— Tout de même, je suis surprise de constater que vous êtes un familier de ce lieu.

Dolan retarda son « Pourquoi ? », le temps de choisir son repas. Ce ne fut qu'après le retour du maître d'hôtel pour prendre les commandes qu'il le formula.

— Vous avez longtemps fréquenté le Grand Séminaire, non ?

Aux yeux de la jeune femme, ses études auraient dû l'inciter à prendre ses distances à l'égard de « ces gens ».

— Je ne vois pas le rapport. Je viens ici pour manger, pas pour me faire circoncire.

Quelque chose dans le regard de sa compagne lui fit penser que malgré la célébration annuelle de la circoncision de Jésus, elle ne savait pas vraiment de quoi il s'agissait. Dolan n'avait aucune envie de le lui expliquer. Ils avaient commencé à manger quand elle revint à la charge :

— Pourquoi avez-vous quitté le Grand Séminaire ?

Évidemment, la question était inévitable.

— Je me suis rendu compte que je n'avais pas la vocation.

— Plutôt tardivement...

Cette fois, le policier la trouva franchement perfide.

— Mieux vaut tard que jamais, non ? Vous accepteriez de vous confesser à un homme qui n'est pas convaincu de sa mission ?

La répartie la laissa un moment bouche bée.

— ... Je suppose que non. Toutefois, il me semble que cette prise de conscience est survenue très tard.

Au moins, il ne pouvait lui reprocher son manque de franchise.

— Beaucoup de garçons de la province rêvent de se faire prêtres. Quand un curé paie les études de l'un d'eux, cela ressemble à un contrat inviolable. J'ai mis longtemps à me décider.

Ce genre d'histoire se produisait fréquemment. Les effectifs de l'Église se recrutaient largement de cette manière. Littéralement, à l'âge de douze ans, un garçon voyait sa vie entière engagée. S'il agissait en toute sincérité, dix ans plus tard, sa perspective pouvait avoir changé.

— Pardonnez-moi d'avoir posé la question, mais une femme doit savoir ce genre de chose.

Juliette évoquait la présence possible d'un vice quelconque, peu compatible avec la vocation sacerdotale ou avec le mariage.

— Inutile de vous excuser, je comprends votre curiosité.

À ce moment, son interlocutrice redouta de l'entendre demander : « Et vous, pourquoi n'êtes-vous pas mariée ? » Si la question lui vint effectivement à l'esprit, Dolan préféra lui en faire grâce et éviter un malaise. La conversation se poursuivit sur des sujets moins intimes de leur biographie. À la fin du repas, Juliette dut convenir que les juifs originaires de Hongrie savaient préparer une excellente cuisine.

Vers deux heures, quand le maître d'hôtel vint débarrasser les couverts du dernier service, l'inspecteur lui demanda l'addition.

— Non, monsieur. La maison vous l'offre.

— Pas question. Je tiens à payer, comme tout le monde.

Le serveur ne dissimula pas sa surprise. Peu de gens devaient repousser ce genre de largesses.

— Dans ce cas, je vais tout de même vous consentir un petit rabais.

Dolan régla l'addition sans trop savoir jusqu'où était allée la générosité du restaurateur. En sortant, sa compagne s'accrocha plus fermement à son bras, persuadée d'accompagner quelqu'un d'important.

Après le dîner, Dolan et Juliette regagnèrent la maison pour se réfugier chacun dans sa chambre. À l'heure du souper, l'une des demoiselles Demers s'enquit, une petite étincelle moqueuse dans les yeux :

— Avez-vous passé un bon après-midi?

L'inspecteur avait bien pris garde de demeurer discret sur cette sortie, justement pour éviter ce genre de curiosité. Sa compagne ressentait sans doute un plus grand besoin de se confier.

— Oui, commença cette dernière, même si au début j'étais très perplexe. L'idée d'aller manger dans un restaurant juif me mettait mal à l'aise.

— Chez des juifs? s'exclama l'une des vieilles filles.

— Voilà une bien curieuse idée, déclara l'autre.

Cela ne pouvait manquer, O'Neil, l'employé du cabinet juridique, y alla de son grain de sel:

— Chez des juifs? Moi, je n'irais jamais dans un lieu pareil. Il paraît qu'ils égorgent des enfants pour mêler leur sang à la farine avec laquelle ils font leur pain.

Comme le jeune homme leur adressait un sourire en coin, impossible de savoir s'il croyait ou non à cette horrible fable répandue dans tous les milieux antisémites d'Occident. Cependant, elle eut un effet immédiat sur Juliette, qui repoussa son assiette. La petite escalope de veau servirait de souper à la bonne qui débarrasserait la table.

— L'invention de telles horreurs devrait figurer parmi les crimes sévèrement punis, décréta Dolan d'un ton cassant. Leur diffusion aussi.

Venant de la bouche d'un policier qui avait mis un colocataire en prison, la remarque ramena tout de suite le plaideur à la prudence. Ce fut madame Sullivan qui reprit:

— Tout de même, il faudrait me payer très cher pour m'emmener dans un endroit pareil.

— Rassurez-vous, je n'en avais pas du tout l'intention.

Le reste du repas se poursuivit dans un silence relatif. En quittant la table pour se rendre au salon, l'une des vieilles filles s'appuya au bras de Dolan. Quand elle prit place dans son fauteuil habituel, elle demanda à haute voix :

— Avez-vous prévu de faire quelque chose cette semaine ?

Évidemment, ce premier rendez-vous devait se répéter. À ce moment, Juliette posa discrètement ses yeux sur son compagnon du dîner, un pli au milieu du front.

— Même si nous travaillons tous les deux de longues heures, nous prendrons certainement le temps de nous promener.

La secrétaire esquissa un sourire satisfait, même si Dolan ne se montrait pas des plus enthousiastes. L'autre sœur Demers ruina son plaisir :

— Ça vaudra mieux que la sortie d'aujourd'hui.

Pour la première fois depuis deux ans, le policier se dit que déménager ne serait pas une mauvaise idée.

Chapitre 15

Le mardi suivant, après s'être occupé de quelques dossiers de routine, Dolan put enfin revenir au sujet qui ne quittait plus son esprit depuis presque un mois maintenant. Il devait accomplir certaines démarches difficiles, mais nécessaires.

Parmi celles-là figurait une visite au club fréquenté par Archibald McDougall. Cette visite était d'autant plus rébarbative qu'il se frotterait de nouveau à un milieu de gens nantis, très volontiers méprisants envers la masse grouillante du peuple. Du mont Royal au fleuve, la société montréalaise se déclinait selon les appartenances sociales.

Debout devant l'édifice de pierre du club Saint-James, rue de la Montagne, son malaise ne fit que croître. Le prix de la carte de membre de cet endroit devait avoisiner son revenu annuel. Il gravit tout de même les quelques marches d'un pas décidé et entra dans un hall majestueux. Un homme d'âge mûr se tenait derrière un comptoir, un peu comme à l'hôtel. Il fronça les sourcils en posant les yeux sur lui.

— Monsieur, que puis-je faire pour vous ?

Il voulait sans doute dire : « Pour les livraisons, c'est à l'arrière. » L'inspecteur en était venu à adorer montrer sa plaque dans des moments pareils.

— Je voudrais vous poser quelques questions sur l'un de vos membres.

Le concierge regarda autour de lui, comme si quelqu'un pouvait les entendre.

— Pas ici.

— Alors, dites-moi où.

Cette fois, Dolan ne fut pas conduit dans un placard à balais, mais dans un petit bureau relativement bien meublé. Une fois assis sur l'une des deux chaises, il présenta la photographie d'Archibald McDougall.

— Quand j'ai vu son portrait dans le journal, je me suis douté que tôt ou tard, la police viendrait ici, souffla l'homme.

— Mais ça ne vous disait rien de venir au poste de police...

— Pourquoi? Le même jour, j'ai regardé le registre des présences. Il est venu ici pour la dernière fois le 1er novembre. Je n'ai donc rien à vous dire qui soit susceptible de vous intéresser.

Là, l'employé marquait un point.

— Il venait souvent?

— Tous les deux ou trois jours.

L'information du cocher se confirmait. L'endroit figurait bien dans la routine du notable.

— Il restait longtemps?

Le gardien souleva les épaules, comme étonné de la question.

— Cela dépendait. Parfois il venait manger et repartait aussitôt, d'autres fois il venait dîner, puis restait jusqu'au lendemain.

— À part manger, que faisait-il?

Le ricanement de l'employé signifiait: «Quel crétin, pour ignorer ces choses-là.»

— Il parlait et il buvait. Tous les gens importants viennent ici. Les grandes transactions commerciales, tout comme les manigances politiques, se déroulent dans nos salons.

Voilà qui confirmait les soupçons du bon peuple. Les richards dirigeaient tout.

— Aucune femme ?

— Jamais de la vie. Nous ne les laissons pas entrer ici.

— Mais entre eux, ils discutent certainement de leurs conquêtes ?

— À partir d'un certain âge, ils ne peuvent plus faire autre chose qu'en parler. Alors, après trois ou quatre cognacs, c'est certainement le premier sujet de conversation.

— Ces conversations, vous devez en saisir de grands bouts...

Son interlocuteur eut un sourire entendu, pour indiquer que peu de choses lui échappaient. Les pourboires devaient se révéler généreux, ne serait-ce que pour garantir sa discrétion.

— Monsieur McDougall était-il le genre d'homme à se sauver à l'autre bout du monde pour vivre le grand amour ?

Cette fois, l'éclat de rire amena Dolan à se sentir ridicule. Pour compenser, son regard se fit sévère.

— Un enlèvement ? Nos membres ne sont pas des Roméo...

— Aucune liaison nouvelle ?

— Ça, je ne sais pas.

La conversation pouvait s'étirer pendant des heures, seulement pour confirmer ce dont il se doutait déjà. Aucune histoire sentimentale, pas plus que la crainte d'un mari jaloux, n'avait amené cet homme à disparaître. Lassé, il décida d'abréger la rencontre.

— Connaissez-vous la moindre raison pour laquelle il aurait voulu quitter la ville sans rien dire à personne ?

Pour une fois, le concierge sembla réfléchir sérieusement à la question. Il commença d'ailleurs en disant :

— Je me suis posé cette question après avoir vu le portrait. Je ne vois vraiment pas. Il ne m'a pas paru plus déprimé que d'habitude…

L'employé marqua une pause avant de reprendre :

— Dans la cinquantaine, ils changent, mais rien de dramatique. Alors, non, je ne vois aucune raison.

Comme cet homme côtoyait régulièrement des gens de cet âge, Dolan choisit de lui faire confiance. L'hypothèse d'un suicide fut reléguée en bas de sa liste.

Depuis plusieurs jours, l'idée trottait dans la tête d'Andrew : quelle que soit la façon d'envisager la situation, en l'absence du corps d'Archibald McDougall, sa position restait précaire. Il pouvait bien menacer Kenneth d'exposer la vie matrimoniale pas du tout exemplaire de son père pour continuer de recevoir un salaire à ne rien faire, ou pour assurer à sa mère une source de revenu régulier, mais cela ne durerait que le temps pendant lequel cet empoté se laisserait impressionner. Au fond, le bonhomme n'avait rien fait de plus grave que bien d'autres de ses semblables. Le préjudice était bien léger et éphémère.

Retrouver le corps, évidemment. Mais où ? Tant qu'à planifier une apparition, autant en tirer le meilleur profit possible.

Une fois cette décision prise, le plus difficile consistait à régler les détails pratiques. D'abord, en arrivant à la fonderie le matin du 13 décembre, en retard comme à son habitude, il adressa son plus beau sourire à April pour la prier :

— Chère demoiselle, auriez-vous l'amabilité de louer une voiture et un cheval pour moi ? J'en aurais besoin pour six heures.

— Entendez-vous livrer vous-même la production, maintenant ?

Le jeune homme feignit de la trouver drôle, alors que le coup d'épingle portait. Même cette subalterne supputait les jours qui lui restaient à occuper un bureau pour lire des magazines.

— Non, je veux seulement promener un client dans la ville ce soir. Alors, oubliez le camion et les six chevaux de trait. Un cabriolet me conviendra. Avec un cheval docile.

Les derniers mots lui valurent un regard narquois. Seules les personnes qui ne conduisaient jamais un cheval pensaient l'exercice facile. En réalité, à d'autres occasions, Andrew avait peiné à venir à bout des bêtes les plus placides.

— Promener un client ?

Pour April, c'était une façon de lui dire : « Je ne vous crois pas une seconde. » Le jeune homme colla à son personnage de séducteur.

— Ou quelqu'un qui pourrait le devenir un jour…

Si la secrétaire se montrait bavarde, sa version de l'histoire se résumerait à peu de chose : le bel Andy faisait payer la location d'une voiture par l'entreprise pour le plaisir de promener l'une de ses conquêtes.

— Je m'en occupe. Où allez-vous la récupérer ?

Déjà, elle tendait la main vers le téléphone, prête à se dévouer.

— Près de la gare. Je la ramènerai là-bas au cours de la nuit.

« Au cours de la nuit. » De nouveau, un sourire ironique accueillit ses paroles. Après un « merci » impatient, il retourna dans son bureau.

Comme des centaines de personnes descendaient chaque jour à la gare Bonaventure, des agences de location de voitures se disputaient le privilège de faire commerce dans un coin du grand édifice. Un peu après six heures, encombré d'une longue «traîne sauvage», Andrew se présentait à une petite écurie. Le palefrenier l'accueillit avec un sourire railleur.

— Vous louez une voiture pour aller glisser?

— Vous, vous n'avez pas commencé à acheter vos cadeaux de Noël?

Le loueur apprécia les beaux vêtements de son client. Dans ce milieu, on pouvait bien entasser des étrennes dès la mi-décembre. Dans son propre cas, si ses enfants recevaient chacun une orange, ce serait déjà une grande fête.

— J'y pense, j'y pense. Venez.

L'odeur de l'écurie amena Andrew à plisser le nez. Les chevaux accueillirent les deux hommes avec des hennissements, comme pour leur rappeler la nécessité de leur verser leur ration d'avoine.

— J'ai pensé vous atteler celui-là.

Il désignait un animal à la robe brune, le dos un peu creux. D'un ton méprisant, il ajouta:

— Y vous f'ra pas de misère, j'l'attèle toujours pour les créatures.

— Merci. Que voulez-vous, moi, je ne passe pas mes journées avec des bêtes, je ne suis pas un bon cocher.

En même temps, il portait sa main gantée sous son nez, comme pour se protéger de l'odeur désagréable. Le palefrenier sortit l'animal de son box pour l'amener dehors et le faire reculer entre les montants d'un petit cabriolet. Le temps n'était pas encore venu d'utiliser des traîneaux dans les rues de Montréal, l'accumulation de neige demeurant modeste.

La traîne sauvage occupa une partie de la banquette, Andrew l'autre. Devant le garçon d'écurie, il cria un «vas-y» pour faire avancer le cheval, renchérit avec un claquement des guides sur le dos. Enfin, la bête daigna faire un pas, puis un autre. Une fois dans la rue, le jeune homme dut négocier avec la lourde circulation de ce début de soirée. Heureusement, dans la Côte-des-Neiges, la progression deviendrait plus facile.

Avec à-propos, le chemin conduisant au grand cimetière situé à flanc de montagne passait devant l'Hôpital général, comme s'il s'agissait d'une escale obligée avant le dernier repos. Andrew roula ensuite devant l'entrée de l'immense champ des morts. Le plus simple aurait été de s'engager dans la grande allée pour chercher la construction de pierre. La présence de la petite maison du gardien, sur ce trajet, l'en découragea rapidement.

Mieux valait s'en tenir à un scénario coutumier. Ses quelques expéditions pour voler des cadavres lui avaient donné une bonne connaissance des lieux. Des générations d'étudiants s'étaient transmis une espèce de mode d'emploi. Un sentier courait à flanc de montagne, du côté nord. Là, à cause de la protection des arbres, la couverture de neige s'avérait plus épaisse, au point de ralentir le pas du cheval. Au moins, maintenant, Andrew se sentait plus assuré, les guides à la main.

Bientôt, il descendit de voiture, prit la bride de la bête pour la conduire dans un bosquet. Quand elle fut attachée à un arbuste, il ramassa au fond du cabriolet un sac de grosse toile contenant de l'avoine. Une courroie permettait de l'accrocher à la tête du cheval. Puis, il lui posa sur le dos une épaisse couverture faite de peaux de bison, un héritage du siècle précédent.

— Avec ça, tu n'auras pas froid, murmura-t-il. Alors, n'essaie pas d'attirer l'attention avec des hennissements, et ne bouge pas.

Si le cheval comprit, il n'en laissa rien paraître. À sept heures, l'obscurité régnait dans le boisé avoisinant le cimetière. Il n'y avait aucun risque de croiser un quidam désireux de visiter un cher disparu. Quant à se trouver nez à nez avec des fossoyeurs, c'était impossible : ils ne creusaient pas la terre gelée. Le jeune homme s'enfonça dans la futaie en remorquant la traîne sauvage. Une bonne demi-heure s'écoula avant qu'il atteigne une bâtisse de pierre assez basse. On distinguait des traces de pas se rendant jusqu'à la porte, sa propre venue serait donc moins aisée à déceler.

Andrew laissa échapper un juron quand sa main se posa sur un cadenas. Il avait espéré trouver le charnier facilement accessible, comme lors de sa visite précédente. Malgré tout, prévoyant, il transportait un arrache-clou sous son vêtement. Après avoir poussé quelques grognements et exercé toute sa force, le jeune homme parvint à arracher les vis fixant les ferrures au cadre de bois de la porte.

De minuscules ouvertures situées près du plafond laissaient entrer la lumière de la lune dans la petite construction. Cela ne suffisait pas pour lui permettre de bien voir, mais une bougie l'aida à repérer une douzaine de cercueils empilés les uns sur les autres. Si quelqu'un apercevait la lueur de son lumignon, les histoires de feu follet connaîtraient un regain de popularité. L'idée lui mit un sourire furtif sur les lèvres.

Lors de sa dernière visite, il avait pris la précaution de marquer le cercueil avec une craie. Il le retrouva, posé sur un autre cercueil et surmonté d'un troisième. Ouvrir la bière pour y laisser un corps n'avait présenté aucune difficulté, même pour une personne seule. Cette fois, ce serait plus compliqué. En grognant sous l'effort, Andrew entreprit de faire glisser le cercueil du haut jusqu'au sol. L'atterrissage fut brutal. Lors de la mise en terre, les proches constateraient peut-être des dommages sur le bois verni.

Maintenant, il avait accès au bon cercueil. Une étiquette indiquait le nom du pauvre type qui aurait dû l'occuper : George Gignac. Toutefois, au moment présent, le cadavre en question fournissait un parfait exemple d'une cirrhose du foie aux étudiants de la faculté de médecine de l'Université Laval à Montréal. Avant d'ouvrir le couvercle, le violeur de sépulture souffla sur la flamme de sa bougie. La faible lueur de la lune suffirait pour lui permettre de poursuivre sa tâche macabre. Mais surtout, il n'avait aucune envie de contempler le corps d'Archibald McDougall.

Dans un premier temps, il lui fallut sortir le cadavre devenu aussi raide qu'une pièce de bois à cause du gel. Il produisit un bruit assourdissant en tombant sur le sol. Andrew s'immobilisa, retint son souffle, comme si le son de sa respiration pouvait attirer l'attention après un tel vacarme. Il attendit quelques minutes, craignant que le gardien du cimetière ne vienne voir la raison du raffut. Heureusement, sa maison était assez éloignée du charnier pour lui épargner, à lui et à sa petite famille, l'inconvénient des odeurs tenaces et des rats, une fois le printemps venu.

Quand ses amis Angers, Desjardins et lui-même avaient subtilisé le corps de Gignac, ils avaient pris la précaution de lester la boîte avec des pierres. Ainsi, les fossoyeurs ne se rendraient compte de rien lorsqu'ils la mettraient en terre. Lors de son dernier passage pour cacher le corps d'Archibald, il avait placé les pierres le long du mur extérieur de la bâtisse. Ce soir, il lui fallait les récupérer, puis les mettre de nouveau au fond du cercueil, de manière à ce que le poids soit bien réparti et qu'aucune ne se déplace quand on le manipulerait. À la fin, la bière pèserait au moins deux cents livres.

Une fois le couvercle soigneusement revissé en place, le jeune homme dut accomplir le plus difficile : replacer la boîte précédemment posée sur le sol sur les deux autres. Cela représentait un effort considérable. Levant, poussant, haletant et ahanant, Andrew y parvint de justesse après de longues minutes. Couvert de sueur, il s'appuya contre un mur, puis se laissa glisser jusqu'à ce que ses fesses reposent sur le plancher glacé.

Longtemps, les yeux fermés, il tenta de retrouver une respiration normale. Enfin, il les rouvrit pour les fixer sur le corps étendu au sol, une grosse forme noire. La tête avait été enturbannée avec un foulard des semaines plus tôt, afin d'éviter que le sang se répande partout. Aujourd'hui, il appréciait cette initiative car elle lui épargnait de voir les traits du visage.

— Crois-tu vraiment que ça en valait la peine, vieil imbécile ?

Dans l'obscurité, sa propre voix le fit sursauter. Mieux valait ne pas traîner là. Après avoir laissé échapper un long soupir, Andrew se leva pour attraper les pieds du cadavre, les soulever du sol et tirer le corps vers la sortie. Dehors, la neige lui facilita la tâche. Après avoir posé son fardeau sur la traîne sauvage, le garçon se donna la peine de refermer la porte du mieux possible, en souhaitant que l'effraction ne soit pas découverte trop rapidement.

La progression dans le sous-bois fut pénible, à cause de l'épaisseur de la neige et du poids à traîner. Andrew retrouva le cheval à l'endroit où il l'avait laissé. L'animal lui adressa un regard sombre, comme pour lui reprocher le temps passé au froid.

— Je t'assure, tu as eu le meilleur dans la distribution des tâches, grommela le jeune homme.

Comme pour en fournir la preuve au cheval, l'opération consistant à poser le cadavre dans la voiture, à même le plancher devant la banquette, se révéla particulièrement ardue. Le sac d'avoine reprit sa place, la lourde couverture de carriole dissimula parfaitement le corps. Après avoir ramené la bête dans le petit chemin en la tenant par la bride, Andrew se remit à la place du cocher, en posant ses pieds sur les jambes de son père.

Maintenant, il ne lui restait plus qu'à perdre du temps. À cette heure, trop de voitures circulaient encore dans les rues pour prendre le risque d'effectuer la seconde phase de l'opération.

Encore à ce moment, Andrew se questionnait sur la meilleure attitude à adopter. Il pouvait chercher un accès au fleuve pour y jeter le cadavre, puis ramener la voiture à l'écurie et aller se coucher. Pareille solution présentait toutefois un danger : le corps risquait de disparaître à jamais, ou alors de demeurer si longtemps dans l'eau que l'identification en serait malaisée. Or, Archibald devait réapparaître afin que soit réglée la question du testament.

Pour cela, n'importe quel banc de neige ferait un bon tombeau temporaire.

Mais ce serait se contenter de peu, du tiers de l'héritage en fait, au lieu d'obtenir beaucoup plus. Le mieux serait de faire d'une pierre deux coups, en faisant en sorte que deux des légataires deviennent indignes d'hériter. Pour cela, il fallait lier les deux frères au crime. En effet, s'il laissait le corps sur l'un des terrains gérés par Stanley, ou à la fonderie pour impliquer Kenneth, son objectif ne serait atteint qu'à moitié.

Il devait donc ramener Archibald à la maison, dans le grand domaine entourant la demeure. Il lui fallait attendre que le gardien dorme sur ses deux oreilles sourdes, c'est-à-dire après onze heures. Cela signifiait une promenade interminable et l'obligation de se colleter pendant un bon moment avec un corps pesant de tout son poids.

Quoique le gardien ronflât sans doute, Andrew ne prit tout de même pas le risque de passer sous son nez. Les voisins étaient à bonne distance, et même si le terrain était ceinturé d'un mur sur la plus grande partie de son périmètre, il restait des zones permettant de s'y introduire discrètement. De nouveau, le cheval se vit attaché dans un bosquet. Le sac d'avoine était vide, mais au moins l'épaisse couverture de peaux remplirait son office pour tenir l'animal au chaud.

Quand le cadavre fut posé sur la traîne sauvage, le jeune homme passa la corde sur son épaule pour la tirer. Il ne pouvait pas laisser le corps sur le perron de la maison. Il fallait le placer à un endroit où quelqu'un le retrouverait, mais en le cachant suffisamment bien pour convaincre la police que les auteurs du meurtre avaient réellement espéré s'en tirer ainsi.

Il vit bientôt un endroit qui lui sembla convenir : un entassement de pierres entouré de frondaisons serrées. Andrew posa le cadavre dans la neige. Le foulard s'était déplacé vers le haut, révélant toute la partie inférieure du visage. Le garçon posa un genou sur le sol pour remettre le tissu en place. Sa main s'arrêta, le temps de dire :

— Content d'être revenu à la maison, papa ? Dire que j'ai fait tout ce chemin pour te cacher au meilleur endroit possible, un corps parmi d'autres corps, dans la tombe d'un autre, et que j'ai dû tout recommencer ce soir...

Un aboiement fit sursauter le fils illégitime. La surprise, mêlée de peur, lui donna l'impression que son cœur s'était arrêté le temps de quelques battements. Bien sûr, les chiens demeuraient de faction, même au cœur de la nuit. Contrairement à son habitude, Apollon ne se précipita pas vers Andrew pour jouer. Il pencha plutôt la tête du côté du cadavre pour le renifler longuement. L'autre chien, Jupiter, se tenait un peu à l'écart, comme effrayé.

— Ne fais pas cette tête, de toute façon, il ne jouait jamais avec toi.

Andrew remit le foulard d'un geste vif, puis poussa le bouvier de la main. Idéalement, il aurait dû creuser une fosse. Aucun assassin ne laisserait ainsi sa victime offerte aux regards. Or, avec le sol gelé, c'était impossible. Le jeune homme entreprit alors de chercher les pierres les moins lourdes afin d'en recouvrir le corps. Le travail, épuisant, dura largement plus d'une heure. De nouveau, l'effort l'avait mis en nage. S'il échappait à un mauvais rhume maintenant, c'était qu'il jouissait vraiment d'une forte constitution.

À la fin, il se redressa, enleva son chapeau pour s'essuyer le front. En quittant son père, il ne résista pas à l'envie de lui adresser quelques mots :

— Tu l'as bien cherché, vieux cochon. Ça, c'est pour ma mère.

Il cracha sur l'amoncellement de pierres, puis partit en tirant sa traîne sauvage. La neige s'était mise à tomber. Elle effacerait ses traces, ici comme au cimetière. Le cheval frissonnait. Sans tarder, Andrew reprit la place du cocher, tira la couverture de carriole sur le bas de son corps pour se tenir au chaud, puis fit claquer les rênes. Il amena l'animal à prendre l'allure du petit trot, afin de combattre le froid.

— Tu rentres à la maison, maintenant. Tu dormiras avant moi, finalement.

Peut-être pour se reposer plus tôt, le cheval força encore l'allure. La traîne sauvage fut abandonnée dans la cour d'une maison de la rue Saint-Denis. Des inconnus en profiteraient.

Andrew réveilla le palefrenier en entrant dans l'écurie, conduisant le cheval par la bride.

— Je vous le ramène, lança-t-il avant que l'employé ne se mette à hurler «Au voleur!».

— En v'là une heure!

— Nous sommes fatigués de nous balader. Vous vous en occupez?

Il lui tendait les rênes.

— Chus là pour ça!

Et pour bien d'autres choses. La nuit, les bêtes occupaient presque toutes leur box, et le jour, il fallait les étriller, les nourrir et soigner tous leurs petits bobos.

— Y a eu chaud.

— Moi aussi.

Andrew lui donna un billet d'un dollar afin de le faire taire, puis décampa. L'idée lui vint de chercher un cocher et de rentrer tout de suite à la maison. Toutefois, un domestique remarquerait son entrée. Il opta pour la discrétion. Dans la gare toute proche, on pouvait se faire servir à manger à toute heure. Une boisson et un repas chauds lui feraient le plus grand bien.

Quand il se vit sous l'éclairage électrique, il constata que ses vêtements portaient les traces de ses activités de la nuit. Son premier arrêt fut pour les latrines, où il s'efforça de se débarrasser de toutes les saletés cueillies au passage. Des taches plus tenaces résistèrent à ses efforts, mais au moins il s'estimait plus présentable.

Finalement, on pouvait dormir à peu près bien, étendu sur un des bancs de bois du quai. L'usage des fauteuils rembourrés du grand hall lui aurait mieux convenu, mais le chemineau s'était montré intraitable, même avec quelqu'un s'exprimant élégamment et portant des vêtements de qualité. Vers sept heures du matin, Andrew se redressa sur son séant, posa son chapeau sur sa tête, puis se décida à rentrer. De toute façon, le nombre des voyageurs augmentait, il ne profiterait pas d'une minute de sommeil de plus.

Avec l'affluence matinale, de nombreux cochers se pressaient aux environs de la gare. Bien appuyé au dossier de la banquette d'un cabriolet, le voleur de cadavre se laissa conduire jusqu'à la rue Cedar. En passant l'entrée majestueuse pour s'engager dans l'allée, il remarqua la tête du vieux gardien posté à la fenêtre de sa cabane. Il lut un reproche dans ses yeux.

Chapitre 16

Devant la grande demeure, les deux chiens lui réservèrent leur accueil habituel. Ceux-là ne semblaient jamais prendre congé. Après avoir payé le cocher, Andrew se pencha pour les gratter derrière les oreilles. Le bruit d'un pas sur la neige durcie lui fit lever la tête. Éléonore s'avançait, engoncée dans son manteau de fourrure. Elle s'était levée si tôt que sa femme de chambre ne l'avait pas encore coiffée. Aussi ses cheveux ondulés s'étalaient sur ses épaules, et très bas dans son dos.

— Tu arrives, ou tu pars ? interrogea-t-elle en souriant.

— J'arrive.

— Voilà qui te vaudra les reproches de Kenneth.

Le jeune homme résista à l'envie d'envoyer son aîné au diable et de souligner l'invitation avec une brochette de jurons dans les deux langues.

— Je pense que même si je passais toutes mes nuits à la fonderie, je n'arriverais pas à me faire bien voir de lui. Alors, je n'essaie plus. Mais que fais-tu dehors avant le lever du soleil ?

Elle haussa les épaules, prit une expression toute triste pour dire :

— Je me suis éveillée au milieu de la nuit, j'ai lu au point de m'arracher les yeux, et depuis une demi-heure, je tente de me réconcilier avec la vie.

Il était difficile d'imaginer une riche et plutôt jolie jeune femme aussi déprimée.

— Prends mon bras. Une promenade nous permettra peut-être à tous deux de dormir quelques heures dans la matinée.

Éléonore accepta son offre, posa sa main au creux de son coude. Elle avait eu le temps de l'examiner, car elle s'informa :

— Qu'as-tu fait à tes vêtements ? Si je ne te connaissais pas mieux, je penserais que tu as été impliqué dans une bagarre.

À la lumière de l'aube, malgré ses précautions à la gare, son manteau et les genoux de son pantalon montraient quelques taches.

— Tu ne te tromperais peut-être pas.

Oui, sortir un cadavre d'un cercueil, le transporter jusqu'au domaine pour le couvrir de pierres, puis rentrer ensuite à la maison en prenant un air innocent valaient bien des batailles. Tout en marchant, la jeune femme regarda son visage, à la recherche d'une blessure, d'une ecchymose.

— Tu devrais faire attention.

Sa sollicitude avait quelque chose de touchant.

— Je ne suis pas un garçon aussi sage que tes frères, mais tout de même, je sais prendre soin de moi.

Machinalement, il l'entraînait vers le côté de la maison, avec l'intention d'en faire le tour. Cela leur permit de longer la grande serre. Quand il s'était installé dans cette demeure, cette construction lui avait semblé représenter le summum du luxe. Puis, après quelques mois, elle lui avait paru « normale ». Il était parvenu très vite à s'habituer au plus grand confort, alors que l'idée d'effectuer le chemin en sens inverse lui était totalement insupportable.

— Où étais-tu... commença Éléonore.

Puis elle secoua la tête, s'empressant d'ajouter :

— Excuse-moi, je n'ai pas le droit de te demander cela.

Elle l'imaginait dans l'un de ces mauvais lieux dont les journaux parlaient parfois à mots couverts. Toutefois, malgré toutes ses lectures, elle ne réussissait pas vraiment à se représenter la chose. Selon Octavia, son père en était un client assidu. Andrew aussi, sans doute. Il semblait résolu à mettre toute son énergie à jouir de la vie. Souvent, la différence entre le sort des garçons et celui des filles lui donnait envie de hurler. Elle aurait tellement aimé changer son habit de recluse contre un pantalon !

— Tu peux me demander n'importe quoi, mais je garde le privilège de répondre, ou non.

Et bien sûr, jamais il ne l'informait de ses allées et venues autrement qu'en termes très généraux. Les mots « J'ai fait la fête avec des amis » revenaient le plus souvent. Il enchaîna très vite pour l'empêcher de continuer sur le sujet :

— Voilà exactement une semaine que tu as rencontré Dolan. Tu devrais le voir de nouveau afin de savoir où il en est.

— Voyons, je ne peux pas le relancer comme ça. J'aurais l'air de quoi ?

« D'une femme qui s'ennuie terriblement », compléta-t-elle mentalement. Andrew suivait le cours de ses pensées. Son aptitude à la deviner la troublait parfois.

— Prendre le thé avec lui vaudrait mieux que de te geler le nez à faire le tour de la maison avec moi.

Justement, ils passaient derrière la grande demeure. Bientôt, ils reviendraient devant l'entrée principale.

— Je ne voudrais tellement pas que les responsables de sa… disparition s'en tirent impunément, déclara-t-il.

Andrew s'était retenu de justesse de prononcer le mot « mort ». Une telle imprudence pouvait le perdre.

— Quand tu dis cela, tu penses à mes frères.

— Crois-moi, je veux d'abord la vérité. Si nos frères n'ont rien à y faire, je serai aussi soulagé que toi.

Éléonore serra les doigts sur le pli du coude d'Andrew. En entrant dans la maison, elle le convia :

— Tu viens déjeuner avec moi ?

Les domestiques avaient déjà déposé de quoi nourrir vingt personnes sur les tables de desserte de la salle à manger, sans trop s'encombrer de formalités.

— Honnêtement, j'aime mieux ne pas me retrouver devant Kenneth. Il cherchera certainement à me faire sentir comme un moins que rien parce que je n'irai pas à la fonderie ce matin. Je serais le premier arrivé, si j'avais quelque chose d'utile à y faire.

La jeune femme doutait que son demi-frère se transforme en bourreau de travail, quelle que soit l'importance du mandat lui étant confié. Elle préféra cependant ne pas relever l'affabulation.

Les petits déjeuners de la maison de chambres de madame Sullivan ne ressemblaient pas à ceux du grand manoir des McDougall, mais les locataires n'avaient aucune raison de se plaindre. En arrivant dans le petit hall, Juliette Mailloux jeta un regard interrogateur à Dolan alors qu'il l'aidait à enfiler son manteau. Elle attendait une invitation à se promener en soirée. Depuis leur sortie du dimanche précédent, et surtout les commentaires qu'elle leur avait valu à l'heure du souper, un malaise s'était installé entre eux.

N'ayant rien de mieux à faire, l'homme se décida :

— Nous pourrions sortir ce soir, si la température le permet.

L'enthousiasme ne transpirait pas dans sa voix.

— J'aimerais bien.

— Toutefois, le temps me paraît gris. Enfin, nous verrons bien.

Comme cela leur arrivait souvent maintenant, ils firent
un bout de chemin ensemble. Ensuite, l'inspecteur hâta le
pas vers son bureau. À l'hôtel de ville, il franchit les grandes
portes en même temps que d'autres fonctionnaires. Comme
prévu, un jeune policier se tenait près de l'entrée de la
salle réservée aux inspecteurs. Celui-là tenait à produire
le meilleur effet sur son supérieur. Dolan lui fit signe de
prendre la chaise devant son pupitre et regagna son siège.

— Alors, vous en savez un peu plus sur les habitudes de
cette dame ?

— J'ai essayé de la suivre partout pendant deux jours.

La prudence de la réponse ne témoignait pas d'une bien
grande assurance. L'air sévère de son interlocuteur lorsqu'il
posa son carnet sur son bureau ne l'aidait en rien.

— Vous étiez bien en civil ?

Le jeune acquiesça d'un signe de la tête. Dolan souhaitait
que jamais madame Vallerand ne soupçonne avoir fait
l'objet d'une surveillance.

— Alors, que fait-elle de ses journées ?

— Oh ! Pas grand-chose. Elle va passer une heure ou
deux dans les magasins…

— Elle trouve le moyen de dépenser tous les jours ?

Lui-même aurait pu sans mal dépenser toute la paie d'une
semaine en se promenant pendant dix minutes au magasin
Morgan, et même au magasin Dupuis, pourtant plus modeste.

— Hier et avant-hier, elle est revenue les mains vides.
Elle regarde, essaie une paire de gants au passage, puis
s'installe dans un salon de thé pour lire son journal.

— Elle n'a rencontré aucun homme ?

— Ni aucune femme, à part les vendeurs et les vendeuses.

Après une surveillance de deux jours seulement, cela ne signifiait rien. Il conviendrait de la poursuivre pendant une période plus longue afin de mieux connaître cette femme.

— Et ce gros homme portant un sac de cuir avec les lettres MD ?

Au fond, Dolan considérait cette information comme la plus importante.

— Il est passé dans l'immeuble hier… s'il s'agit bien du même, évidemment.

L'inspecteur eut un petit mouvement d'impatience.

— Vous l'avez suivi ?

— Oui, mais pendant ce temps, elle a pu sortir…

Voilà que le jeune agent regrettait de ne pas avoir le don d'ubiquité. Décidemment, le désir de bien faire pouvait agacer autant que la négligence. Le policier comprit enfin l'impatience de son supérieur.

— Il s'agit du docteur Baxter. Il a son cabinet dans l'ouest de la ville, rue Saint-Catherine.

Dolan nota le numéro civique et résolut de s'y rendre le lendemain ou le surlendemain. Auparavant, il avait une autre démarche à accomplir.

— Vous allez continuer votre filature.

— Par ce temps ?

Le jeune agent s'inquiétait lui aussi des lourds nuages noirs pesant sur la ville. Devant le froncement de sourcils de l'inspecteur, il s'empressa d'ajouter :

— Je fais bien attention, mais elle finira par se rendre compte que je suis planté sous sa fenêtre toute la journée, sauf quand je marche trente pas derrière elle.

L'argument porta. Même la personne la moins attentive finissait par remarquer la présence continue d'un même visage dans son champ de vision.

— Bon, je vous laisse annoncer à Houle qu'il partagera cette surveillance avec vous.

L'agent essaya de dissimuler sa satisfaction avant de se lancer à la recherche de son collègue.

Décembre amenait parfois de ces surprises : huit pouces de neige accumulés depuis la veille. Évidemment, personne ne verrait les traces d'Andrew, tant au cimetière que sur le terrain des McDougall. Toutefois, cela signifiait aussi que le corps risquait de n'être découvert qu'au printemps, au moment où l'odeur rendrait les chiens frénétiques. Pour Andrew, les mois à venir paraîtraient affreusement longs.

Ce matin du 15 décembre, il se présenta au déjeuner en même temps que les autres. Son assiette à la main, il longea la table où les domestiques posaient les plats de service. Après s'être servi des œufs, des saucisses et du bacon, il prit place juste en face d'Éléonore.

— Tu pourras marcher dehors aujourd'hui, suggéra-t-il à la jeune femme. Le ciel est d'un bleu magnifique.

— À condition de mettre des raquettes !

De nouveau, les longs cheveux de sa demi-sœur lui semblèrent tout à fait ravissants. Attachés par un ruban gris à la hauteur du cou, ils lui tombaient bas dans le dos. Toujours en vêtements de nuit, avec son peignoir soigneusement fermé, elle rappelait les œuvres des peintres préraphaélites comme Holman, Millais ou Rossetti. Celles de ce dernier surtout, si l'on oubliait la prédilection de l'artiste pour les rousses.

— Avec ta tuque et ton épais manteau de laine bleue, tu ressembleras à l'une des membres du club Montcalm.

— Et avec un manteau vert, à celles du Shamrock, je sais.

Cette évocation spontanée du club irlandais aurait pu faire l'objet d'un commentaire. Elle s'empressa d'enchaîner :

— Je n'aime pas tellement avoir ces choses aux pieds. J'irai sans doute flâner dans les magasins.

Pour qui ne savait comment occuper ses journées, les boutiques constituaient la destination habituelle, surtout l'hiver, alors que les parcs étaient à peu près inaccessibles.

— Hé, Andrew ! s'exclama Kenneth en prenant place près de sa sœur. On ne te voit pas souvent debout aussi tôt.

— Ce matin, j'ai eu envie de cette charmante réunion familiale.

Le déjeuner était certainement le repas où l'atmosphère était le plus détendue, parce que la mère, Octavia, ne s'y présentait jamais. Les deux frères se montraient plus souriants depuis la veille. Chacun avait la conviction que ses affaires progressaient pour le mieux.

— Nous pourrons compter sur ta présence à la fonderie ? Tu nous as manqué, hier.

Éléonore craignit un moment que la provocation ne gâche la petite accalmie dans leurs relations.

— Si tu as absolument besoin de moi pour maintenir l'entreprise à flot, je suis même prêt à faire le trajet avec toi en voiture. Je me demande toutefois quelles tâches tu daigneras bien me confier.

— Nous verrons…

Andrew souligna sa petite victoire d'un demi-sourire. Entre eux, la conversation presque amicale avait duré aussi longtemps que possible. Ils reprirent leurs mines renfrognées. Peu après, Éléonore jugea préférable de se retirer.

Certains établissements connaissaient leur meilleure affluence en pleine nuit. À la lumière du jour, ils se révélaient toujours déprimants. Dolan était entré dans un bordel à quelques reprises – lors de descentes, accompagné d'une demi-douzaine de collègues. Une visite seul le rendait terriblement mal à l'aise, d'autant plus que l'accueil du portier, un colosse ayant passé plus d'années en prison qu'en liberté, avait été plutôt froid.

Ce dernier accepta toutefois de le conduire à la patronne. Pour cela, il fallait traverser plusieurs pièces meublées de fauteuils et de canapés d'un rouge criard, qui ne paraissaient élégants que dans une pénombre complice. Des voix féminines lui venaient d'autres pièces, discutant en anglais ou en français, avec parfois des accents issus de l'autre bout du monde. Quand des immigrantes débarquaient dans le port de Montréal, certaines n'allaient pas plus loin que cet établissement situé au coin de Saint-Laurent et de la rue De La Gauchetière.

La tenancière occupait un petit bureau donnant sur la cour arrière. Une fenêtre étroite laissait entrer assez de lumière pour apprécier la peau fripée de son visage et de ses bras découverts. Des restes de maquillage sous les yeux et une cigarette pendue à son bec ajoutaient au caractère sordide de la dame.

— Bon, v'là la police qui m'dérange au milieu d'la nuit, maugréa-t-elle en regardant le nouveau venu.

Personne ne se trompait sur la fonction de l'inspecteur quand il se présentait dans un endroit de ce genre. Il ne ressemblait en rien à un client, à cause de son malaise évident.

— Il est passé midi.

— Pis? Pour une femme qui s'est couchée à cinq heures, là, c'est la nuit.

Comme elle n'avait pas l'air de vouloir l'inviter à s'asseoir, l'inspecteur prit sur lui d'occuper la chaise devant elle. Il se mit à examiner les lieux, si longtemps qu'elle intervint :

— C'est quoi qu'vous voulez ?

— Que vous me parliez de ce type.

Dolan posa la photographie de McDougall sur le bureau. Sans vraiment regarder, elle lâcha :

— J'le connais pas.

— Bon, vous savez que c'est un bourgeois, et il a disparu. La police ne renoncera pas à le retrouver, alors ne comptez pas sur des amis au conseil de ville pour vous protéger. Ou vous me répondez ici, ou je vous emmène au poste pour un interrogatoire en règle.

La vieille femme laissa échapper un long soupir. D'habitude, la police n'embêtait pas les tenancières de bordel et les prostituées. Toutefois, dans un cas comme celui-là, aucune «protection» ne jouerait.

— Y v'nait assez régulièrement icitte.

— Régulièrement, cela veut dire combien de fois par mois ?

Comme elle se taisait, il reprit :

— Ou alors par semaine ?

— Une fois toutes les semaines. Ou à peu près.

Un tel client devait être une bénédiction pour son commerce.

— Vous parliez au passé, il y a une seconde. Il a changé ses habitudes ?

— Niaisez-moé pas, c'est vous aut' qui avez mis son portrait dans l'journal. On l'a pas vu depuis le début de novembre.

Lorsque Lacaille avait voulu se cacher, il avait trouvé refuge dans le même genre d'établissement. L'hypothèse qu'un grand bourgeois fasse de même paraissait improbable, sans pouvoir être exclue.

— Je peux faire fouiller chaque recoin de votre affaire.

— Vous pensez qu'y s'cache sous un lit?

Sous, ou dans un lit : l'idée était ridicule, il devait en convenir.

— Il avait ses habitudes ici, je suppose.

La tenancière esquissa un demi-sourire. De nouveau, Dolan eut l'impression qu'elle le devinait : un évadé du Grand Séminaire encore tout englué dans sa morale étriquée. Il se reprit :

— C'était quel genre de client?

— Comme les autres. Un vieux qui cherche à fourrer des jeunesses.

La description, bien que brève, donnait une parfaite image de la réalité. L'inspecteur imagina des hommes comme lui, assis sur un mauvais fauteuil, regardant défiler les jeunes filles pour en choisir une, comme on le ferait d'un fruit dans un bol. Malgré toute son éducation, cette pensée provoqua une érection. Son mouvement pour croiser les jambes lui valut un regard moqueur.

— Y est d'bonne heure, mais une des filles acceptera bien de prendre du service dès maintenant.

Cette vieille sorcière identifiait les pécheurs aussi rapidement qu'un confesseur. Il ne put faire mieux que de répéter :

— Quel genre de client?

Le ton contenait une menace suffisante pour amener la patronne à plus de prudence.

— Tranquille, d'habitude…

Le dernier mot lui avait échappé. Dolan n'allait pas négliger de le saisir au vol.

— Quand ce n'était pas comme d'habitude, cela ressemblait à quoi?

— Une fois, y s'est battu avec un jeune. Pas vraiment battu, du poussaillage. De toute façon, y faisait pas le poids.

— Une fois ?

Elle acquiesça d'un signe de la tête, puis continua :

— J'suppose qu'y voulaient la même fille. Des fois ça arrive. Pourtant, quand y en a pour un, y en a pour plusieurs.

Dolan se troubla encore. Combien d'hommes défilaient dans le lit de ces filles, en une nuit ? Cette pensée rendait tout à coup le péché moins attirant.

— Donc, il avait ses habitudes. Il venait pour voir une… fille en particulier ?

— Une passade. Des fois ces vieux cochons veulent tâter toutes les filles, et à d'autres moments, ils veulent toujours monter avec la même. Quand y sont pus capables, y se contentent de parler, pis de s'rincer l'œil.

— Est-ce qu'il arrive qu'un client désire sortir une fille d'ici pour l'installer quelque part ?

— Icitte, on voit de toute, même des bonhommes qui veulent s'marier avec l'élue de leur cœur !

La quinquagénaire devait être une fervente lectrice de romans d'amour, pour utiliser une telle expression à bon escient.

— J'aimerais bien dire un mot à l'"élue" de McDougall.

— Là, a doit dormir.

Dolan se contenta de fixer la tenancière des yeux. Avec ses sourcils froncés, son regard provoquait une certaine impression sur les gens, au point de les ramener à l'ordre. Les deux dernières années lui avaient fait prendre conscience de ce talent. Il aurait fait un directeur de conscience redoutable.

— Je veux lui parler, dans cette pièce, maintenant.

La vieille femme ne se le fit pas répéter. Elle quitta son bureau en se dandinant. Pendant son absence, le policier regarda les papiers étalés sur le bureau. Des factures, des listes de fournitures à commander : les corvées habituelles de tous les propriétaires de commerce.

Dolan entendit les pas de deux personnes, le bruit d'une conversation murmurée. Mieux aurait valu monter et prendre cette fille au dépourvu. Là, la patronne avait eu le temps de lui donner ses directives. Toutefois, l'idée d'être seul dans une chambre avec une femme l'aurait intimidé au point de lui enlever tous ses moyens.

Puis une jeune personne se tint dans l'embrasure de la porte, visiblement très embarrassée. Dolan lui désigna une chaise près de la sienne.

— Madame, laissez-nous, et fermez la porte.

Comme la tenancière obtempérait, il précisa :

— Et surtout, ne restez pas l'oreille collée contre le bois.

L'injonction la découragerait peut-être. Le silence se fit dans la pièce. La jeune fille devant lui devait avoir dix-sept ou dix-huit ans. Elle avait les yeux et les cheveux noirs, et le hâle de sa peau laissait deviner une origine lointaine.

— D'où venez-vous ?

La question lui fit l'effet d'une menace. Après une hésitation, elle confia :

— De Syrie.

— Vous pouvez me dire votre nom ?

— Sofia.

Elle pouvait tout aussi bien s'appeler Shéhérazade, ou plus exotique encore, Zénaïde. Il prit la photographie demeurée sur la table pour la lui tendre. Quand elle eut les yeux fixés sur le rectangle de carton, il reprit son examen. Son vêtement léger donnait une impression d'intimité qui raviva son excitation. Surtout que ses jambes nues étaient visibles jusqu'aux genoux.

— Vous le connaissez ?

— Il est venu ici régulièrement tout l'été et une partie de l'automne. Je ne l'ai plus vu depuis un peu plus d'un mois.

— À chacune de ses visites, il souhaitait vous voir ?

Pareille attention ne semblait pas la rendre particulièrement fière. Son hochement de tête fut hésitant.

— A-t-il jamais évoqué l'idée de partir avec vous quelque part ?

— Comme quelques autres. Après, on n'en entend plus parler.

Elle voulait dire « après l'acte conjugal ». Cette façon de faire allusion à la chose, à cet endroit, le troubla plus que de raison.

— Votre patronne a évoqué une querelle entre lui et un autre client. Savez-vous ce qui s'est passé ?

— Un jeune s'est offusqué qu'il monte avec moi.

— Connaissez-vous le nom de celui-là ?

Elle agita la tête de droite à gauche pour dire non.

— Un autre habitué ?

— Je l'ai vu quelques fois.

Voulait-elle dire dans une chambre ? Il se retint de poser la question, car au fond, cela n'avait aucune importance.

— L'autre, le vieux, vous pouvez me parler un peu de lui ?

— Je ne le connais pas.

Cette jeune fille avait raison. Le fait de se trouver nue dans un lit avec Archibald McDougall n'en faisait pas un proche.

— Mais encore ?

— Quelqu'un de riche, mais pas trop méprisant.

La conversation n'allait nulle part. Il posa une dernière question, juste par acquit de conscience :

— Vous avez la moindre idée de la raison pour laquelle il a disparu ?

Elle hocha négativement la tête tout en esquissant un sourire. Après un «Je vous remercie, mademoiselle» bien formel, Dolan se leva pour quitter le petit bureau. Il aperçut la tenancière affalée sur un fauteuil dans une pièce voisine. Elle lui adressa un clin d'œil appuyé tout en disant:

— Est belle, la p'tite, hein? Si vous voulez une pause avec elle, c'est gratis.

L'inspecteur pencha la tête pour regarder sa braguette, se demandant si son état d'excitation se voyait encore. Il accéléra le pas sans répondre.

Chapitre 17

Certaines démarches liées à une enquête le dérangeaient plus que d'autres. Après le bordel de la rue Saint-Laurent, l'idée de se présenter chez un médecin ne l'émouvait guère. La veille, Dolan s'était assuré de la présence du docteur Baxter à son bureau. Aussi, le samedi matin, il se dirigea directement au cabinet du praticien, rue Sainte-Catherine. Située à l'étage d'un commerce de vêtements pour femme, la suite de pièces était étonnamment bien meublée. Visiblement, Baxter faisait de bonnes affaires avec une clientèle recrutée essentiellement dans l'ouest de la ville.

Trois patients occupaient déjà la petite salle d'attente. Après quelques minutes, un vieil homme sortit par une porte au fond de la pièce, prit son manteau et son chapeau et quitta le cabinet. Un instant plus tard, un gros praticien se planta dans l'embrasure de la porte pour lancer :

— À qui le tour, maintenant?

Ils furent deux à se lever en même temps. Le policier s'assura la priorité :

— Nous avons rendez-vous, docteur Baxter. Dolan.

Le médecin hocha la tête, s'effaça pour le laisser entrer. Le patient accueillit avec scepticisme les mots « C'est pour une enquête de police ». L'instant d'après, l'inspecteur occupait la chaise du visiteur.

— Alors, que me voulez-vous ?

Le ton témoignait d'une certaine impatience. Recevoir un enquêteur ne plaisait guère au médecin. Pour lui, ce visiteur faisait partie des indésirables dont la plupart des citoyens de Montréal se passaient très bien.

— Vous avez une cliente du nom d'Annie Vallerand.

Baxter lui adressa un regard froid.

— Elle habite au Bellevue, rue Sherbrooke, coin Atwater.

— Que ce soit vrai ou pas, cela ne vous regarde pas.

Afin de s'éviter un discours sur la confidentialité des relations entre médecin et patient, Dolan s'empressa de préciser :

— Je peux aller voir un juge pour obtenir un mandat, et fouiller dans votre gros classeur, là. Le seul résultat sera de me faire perdre du temps, et les gens dans la pièce à côté n'aimeront pas voir débarquer une demi-douzaine d'agents en uniforme. Ni les voir fouiller dans leur dossier médical.

Tout en parlant, il avait posé sa plaque sur le bureau. L'intérêt des autorités pour sa pratique médicale risquait en effet de faire sourciller certains malades, aussi Baxter se fit plus conciliant.

— Cette femme est une cliente.

— Dans quel sens ?

La question laissa Baxter perplexe, puis il comprit.

— Je suis son médecin.

— Quelle affection nécessite des visites quasi hebdomadaires ?

Après une longue hésitation, le médecin demanda :

— Rien de ce que je vous dis ne sera rendu public ?

— À moins que ce ne soit essentiel lors d'un procès, et dans ce cas, le juge déclarera sans doute le huis clos.

Lors des affaires susceptibles de porter scandale, les magistrats recouraient à cette précaution.

— La syphilis. Elle est été contaminée par un... compagnon.

« Par Archibald McDougall, sans doute », songea le policier. Ainsi, l'initiative de prendre des distances au cours des derniers mois venait peut-être de la courtisane, et non de l'industriel.

— Vous savez dans quelles circonstances ?

Baxter jeta un regard sévère sur Dolan, prêt à le traiter de demeuré. Puis il comprit le sens de la question.

— Depuis le temps que je la vois, elle me considère un peu comme un ami. Voilà pourquoi je le sais. Cet homme fréquentait les bordels, en plus de lui rendre visite.

Même quand Annie Vallerand était encore sa maîtresse, McDougall variait déjà ses plaisirs.

— Depuis longtemps, vous dites ?

— Deux ou trois ans.

Dans les circonstances, on comprenait que les sorties de la courtisane se limitent à visiter les magasins et à prendre le thé à peu près tous les après-midi. Elle ne souhaitait certainement pas contaminer quelqu'un d'autre, ni dévoiler les lésions susceptibles d'apparaître sur son corps.

— Cette maladie ne se soigne pas, je crois, soumit l'inspecteur. Elle cause la mort dans d'atroces souffrances.

Dolan tenait ces informations de son directeur de conscience au Séminaire. La peur des chancres aux endroits les plus sensibles de l'anatomie, et des stades successifs de la maladie, plus terribles encore, était une bonne incitation à la vertu.

— Jusqu'à il y a deux ou trois ans, certains patients en mouraient rapidement alors que d'autres traînaient des symptômes pénibles pendant des décennies. Le traitement au mercure tuait sans doute autant que la maladie.

— Et maintenant ?

— Le traitement aux sels d'arsenic paraît plus prometteur. J'espère voir le nombre des décès diminuer, ou à tout le moins l'espérance de vie augmenter.

Le praticien fit une pause, puis murmura avec rage :

— Pourtant, plus personne ne devrait souffrir de cette maladie. Il s'agit simplement de mettre une capote !

Ainsi, les bons confesseurs auraient fait œuvre plus utile pour l'humanité en prêchant l'utilisation des préservatifs, plutôt que l'abstinence.

— Cette femme est… gravement atteinte ?

— Certaines personnes ont peu de symptômes ; c'est sans doute le cas de celui qui l'a contaminée. Quant à elle, sa mort n'est pas imminente, mais sa vie a beaucoup perdu en qualité.

Dolan hocha la tête, déprimé par cette révélation. Que cette femme demeure coquette, voire un peu séductrice, montrait sa capacité à donner le change. Octavia ne se doutait probablement pas que la désertion de son mari lui avait valu de conserver sa santé intacte. Il ne serait pas celui qui le lui expliquerait.

— Je vous remercie, docteur. Je ferai tout mon possible pour que cette information demeure confidentielle.

Finalement, son manque d'imagination pour choisir une autre activité avait forcé Dolan à accepter d'accompagner Juliette aux vêpres. Sa voisine considérant désormais leur sortie dominicale comme un dû, cette cérémonie religieuse deviendrait une habitude s'il n'y prenait garde.

En revenant vers la maison de chambres, elle commenta :

— Je ne me lasse jamais du décor de cette cathédrale. On se croirait rendu au paradis.

— Avec une odeur d'encens aussi lourde, je me demande si je ne serais pas mieux en enfer.

La répartie la laissa muette un long moment.

— Je n'aime pas ce genre d'humour, avoua-t-elle en gravissant les marches. Pas au sujet de la religion.

Voilà qu'elle lui reprochait de ne pas être un assez bon chrétien. Quand ils entrèrent dans la salle à manger, les autres locataires les accueillirent avec des sourires entendus.

— Je ne pensais pas que Montréal offrait des loisirs capables de retenir quelqu'un aussi tard un dimanche, commenta Devlin.

— Des loisirs licites, bien sûr, renchérit O'Neil.

— Nous sommes allés aux vêpres.

La voix de la secrétaire s'était faite cassante. Décidément, tous les hommes se liguaient pour se moquer de la foi.

— Que c'est beau! s'exclama l'une des sœurs Demers.

— Oui, renchérit l'autre, on ne voit plus de jeunes gens religieux comme vous.

— Dans notre jeune temps, oui. Mais maintenant, avec tous les cafés, les vues animées, plus personne ne pratique sa religion comme il faut.

Dolan serra les mâchoires plutôt que de commenter ce discours. Ce fut madame Sullivan qui se chargea de régler leur compte à ces hypocrites.

— Et vous deux, vous assistez aux vêpres régulièrement?

— Nous, on ne peut pas, opposa l'une.

— Mais on a une dispense du curé! se justifia l'autre.

L'inspecteur baissa les yeux pour dissimuler son amusement. Toutefois, les vieilles filles ne se tenaient pas pour battues. Alors qu'il gagnait sa chambre tout de suite après le repas, elles prirent place de part et d'autre de Juliette pour y aller de leurs prédictions.

— Vous deux, ça va marcher, c'est certain.

— Je ne sais pas… avoua la secrétaire. Je suis plus âgée que lui.

— Bah! Cinq ans, ça ne compte pas.

— Puis lui, il fait dix ans de plus.

Tout de même, Juliette Mailloux n'était pas convaincue. Dolan n'affichait pas le plus bel empressement.

Affirmer à son patron «Je vous le dis seulement si vous me promettez de n'en parler à personne» ne se faisait pas. D'un autre côté, jusqu'où Campeau demeurait-il un gentleman? La réaction du chef de police rassura Dolan à cet égard.

— Quel salaud! Il trompe sa femme avec une maîtresse, puis trompe cette dernière avec des putes sans même prendre la peine de se protéger des maladies. La syphilis! Si nous apprenons que cette Vallerand l'a trucidé, je me sentirai mal à l'aise de faire rapport au procureur de la province pour entamer des poursuites.

— Si ce qu'on dit sur la contagion de cette maladie est vrai, dans ce cas, des milliers d'époux indélicats subiraient le même sort.

À en croire ses collègues, son supérieur et ses voisins de pension, tous les hommes commettaient le péché de la chair. Dolan se faisait l'impression d'être un demeuré pour avoir pratiqué l'abstinence jusqu'à ce jour. Dans son cas, il ne s'agissait pas de la crainte du péché – enfin, plus maintenant – ni du désir de se conserver chaste jusqu'à ses noces, mais d'une peur instillée en lui par une vie d'enseignement religieux reçu à l'église, à l'école et dans les confessionnaux.

— Pensez-vous sérieusement que c'est elle?

— Vous la connaissez, pas moi.

Il se représenta la femme, volontiers ironique, encline à lui faire les yeux doux, sans doute dans le seul but de s'amuser de son malaise. Toutefois, il lui répugnait de l'imaginer en meurtrière.

— Je ne crois pas. De plus, elle ne me paraît pas bien forte.

— Les femmes utilisent le poison, d'habitude. Elles n'aiment pas voir le sang couler.

Tout de même, Dolan ne le croyait pas coupable. Il enchaîna avec le récit de sa visite au bordel. Le souvenir de la jeune Syrienne lui causait toujours une pensée coupable et une tension au bas du ventre. Ses yeux noirs paraissaient brûlants, sa peau parfumée.

Il conclut en disant :

— Je sais bien que les triangles amoureux sont à l'origine de nombreux crimes, mais une dispute pour savoir qui jouira le premier d'une prostituée me semble une bien faible justification pour un meurtre.

En effet, dans ce cas-là, il s'agissait juste d'attendre son tour. Il n'en allait pas de même quand on voulait obtenir l'attention exclusive d'une femme. Ce motif lui semblait plus plausible.

— Allez savoir ! Lacaille nous a montré que les grands meurtriers se passent de mobile.

À tout le moins de mobile raisonnable. Certains agissaient uniquement pour le plaisir.

— Essayez d'en savoir plus sur ce rival, l'encouragea Campeau. Peut-être connaît-on son nom. Sinon, une bonne description serait utile.

Cela signifiait une nouvelle visite dans l'établissement de la rue Saint-Laurent. Ni la tenancière ni Sofia ne paraissaient particulièrement loquaces au sujet de la clientèle, mais il lui appartiendrait de se montrer convaincant.

— Je pourrais peut-être me faire accompagner par un dessinateur. Les Américains tracent parfois des portraits d'un suspect à partir des souvenirs de témoins.

— Faites cela, si vous y croyez.

Manifestement, le chef était tout à fait sceptique sur l'efficacité de cette méthode.

En arrivant à son bureau, Dolan découvrit une petite enveloppe de couleur crème posée dessus.

— Ta fiancée t'écrit ici, maintenant! lança un collègue.

Qu'on lui prête une relation amoureuse présenterait une nette amélioration sur les rumeurs courant sur son compte. Son statut matrimonial amenait son lot d'hypothèses pas toujours très charitables. Dans le meilleur des cas, on lui attribuait une «mentalité de curé» et chacun pariait sur la date de son retour au Grand Séminaire.

— Il n'y a pas d'adresse de retour, constata-t-il, comme si cela éliminait la possibilité d'une communication galante.

— Les femmes discrètes, c'est les meilleures. Si t'es pas intéressé, présente-la-moi. J'aime déjà son parfum.

Son nom et son adresse étaient tracés de manière élégante, d'une écriture manifestement féminine. Puis il remarqua une légère fragrance de fleur. Sous ses doigts, il devinait un papier de qualité, payé cher dans une boutique spécialisée. Dans l'enveloppe, il découvrit un carton.

Monsieur Dolan,
Je m'excuse de vous relancer ainsi, mais j'aimerais discuter de nouveau avec vous.

Il regarda tout de suite au bas du carton pour voir un «A» en guise de signature. «A» comme dans Aliénor, une forme souvent utilisée pour le prénom Éléonore. Elle voulait donc demeurer discrète. La présence de tant de curieux dans la salle des inspecteurs justifiait totalement sa prudence.

Le sort de personnes que j'aime beaucoup m'inquiète, et j'espère que vous aurez la gentillesse de me rassurer.

Que diriez-vous de nous voir demain au même endroit, à la fin de votre journée de travail ? Téléphonez à la maison et dites seulement au majordome que vous confirmez le rendez-vous. Si vous ne le faites pas, je comprendrai.

La finale était ambiguë à souhait. «Je comprendrai que vous ne pouvez pas venir» ? «Je comprendrai que vous me traitez grossièrement» ? Un fonctionnaire ne refusait jamais l'invitation d'une personne de ces milieux nantis. Autrement, l'histoire pouvait venir aux oreilles d'un supérieur, et même d'un élu. Pourtant, l'inspecteur doutait que cette femme en vienne à cette extrémité, aussi cette éventualité n'influença pas sa décision : il irait. Ne pas le faire aurait été indélicat. Quand il mit le carton et l'enveloppe dans la poche intérieure de sa veste, son voisin de bureau lança :

— Oh ! Vous avez vu ça ? Les papiers liés à une enquête, on les apporte pas chez nous !

Elle avait écrit «après votre journée de travail». Voilà qui n'était pas très clair, et Dolan ne pouvait guère demander au majordome s'il connaissait l'heure à laquelle Éléonore pensait. Aussi, dès cinq heures, le policier quitta son bureau afin de se diriger vers le square Dominion. De nouveau, l'énorme édifice de l'hôtel Windsor l'écrasa de sa magnificence. Sa seconde visite aurait dû être plus facile que la première, or sa nervosité indiquait le contraire. Outre la richesse et la puissance que dégageait l'endroit, il savait qu'une jolie femme l'y attendait.

Une fois dans le hall, il marcha directement vers le vestiaire pour se défaire de son manteau et de son melon. À l'entrée de la salle à manger, il reconnut le maître d'hôtel qui l'avait accueilli une dizaine de jours plus tôt.

— Mademoiselle McDougall m'attend.

— Oui, monsieur, mais pas ici. Si vous voulez bien me suivre.

Il se dirigea vers une porte à l'écart. Devant l'air intrigué du policier, il précisa :

— Nous avons quelques petits salons que nous mettons à la disposition de nos clients.

Dolan connaissait l'existence de ceux-ci par la presse. Les articles de magazines sous-entendaient d'ailleurs que la discrétion permettait d'y consommer autre chose que de la nourriture. Lors de ses fréquents passages à cet endroit, peut-être Archibald McDougall y commettait-il le péché de la chair, protégé par un personnel rendu complice par un généreux pourboire.

Cette seule pensée lui suffit pour ressentir une tension au bas-ventre. Ces derniers jours, il se faisait l'impression de passer tout son temps dans cet état. Toutefois, il ne s'illusionnait pas sur les intentions d'Éléonore : pour lui éviter la gêne de leur précédente rencontre, elle le soustrayait au regard des autres. L'initiative témoignait d'une certaine pitié devant son malaise – délicate attention qui diminuait encore son assurance.

La jeune femme se trouvait dans une salle conçue pour recevoir une demi-douzaine de convives. Elle se leva à son arrivée, tendit la main en lui disant bonjour. Sa robe, bleu sombre cette fois, l'avantageait tout autant que la grise qu'elle portait à leur dernière rencontre. Elle avait retiré son chapeau, et sa lourde chevelure châtaine attirait l'attention.

— J'ai pensé que nous serions plus confortables ici.

— Je suppose que vous avez raison.

Ils demeurèrent un moment figés l'un en face de l'autre. Dolan tenta d'alléger l'atmosphère en remarquant :

— Je vois que vous avez apporté de la lecture.

Un gros volume était posé sur la table, devant la chaise qu'elle occupait l'instant d'avant, ainsi que son pince-nez.

— Une précaution pour ne pas m'ennuyer. Je ne savais pas trop à quelle heure vous arriveriez.

— Votre rendez-vous manquait de précision…

— Ne connaissant pas votre horaire de travail, je n'osais pas indiquer un moment particulier.

Tout en parlant, elle avait repris sa place. L'inspecteur se rendit compte qu'un second couvert avait été placé à angle droit, pour lui. Ainsi, ils ne se parleraient pas de part et d'autre d'une table, mais de tout près.

— J'ai pris sur moi de commander pour nous deux. Mais si mon choix ne vous convient pas, je peux sonner…

Des yeux, elle désigna un cordon pendant le long du mur. Les serveurs ne se manifestaient pas à l'improviste, en ces lieux.

— À moins que vous n'ayez choisi du *haggis*, ça m'ira.

Il parlait de la fameuse panse de brebis farcie, un mets de choix pour les Écossais, mais très peu ragoûtant pour tous les autres peuples. Elle sourit à la taquinerie, puis le silence s'imposa de nouveau. Après le passage du serveur pour le premier service, une cuillère à la main, Éléonore remarqua :

— Je voulais vous demander comment progressait votre enquête, mais maintenant, je n'ose pas.

Pourtant, elle venait justement de le faire. En se rendant à l'hôtel, Dolan s'était juré de ne rien révéler de significatif. Mais aucune de ses résolutions ne résistait devant les yeux gris et les petites marques causées par les lorgnons sur l'arête du nez.

— Je suis allé dans plusieurs endroits fréquentés par votre père. Personne ne l'a vu depuis le début du mois de novembre, personne ne connaît de raisons susceptibles d'expliquer sa disparition.

Le visage d'Éléonore se décomposa, des larmes perlèrent aux commissures de ses yeux.

— Il est mort...

— Nous ne le savons pas.

L'inspecteur préféra se taire plutôt que de mentir sciemment. La veille déjà, Campeau et lui s'interrogeaient sur l'identité de l'assassin, le mot « disparition » dans leur bouche prenant un caractère définitif. Quand les larmes roulèrent sur les joues de la jeune femme, il tendit la main droite pour la poser sur la sienne, et exerça une légère pression. Éléonore ferma ses doigts sur ceux de Dolan, les retint un long moment, tout en détournant les yeux.

Bientôt, chacun reprit suffisamment de contenance pour avaler une cuillérée de potage.

— J'en suis certaine, murmura Éléonore.

La première semaine, il avait été facile de croire à une escapade attribuable au démon du midi. Mais à mesure que le temps passait, un dénouement heureux devenait de plus en plus improbable.

— Au début, j'ai imaginé qu'il s'était installé chez cette femme.

Devant le regard interrogateur de son interlocuteur, elle dut préciser :

— La mère d'Andrew.

— Il la voyait très peu depuis plusieurs mois, des années peut-être.

Le policier jugea complètement inutile de préciser que cet éloignement découlait à la fois de la lassitude et de la syphilis. De toute façon, qu'est-ce qu'une jeune célibataire pouvait connaître à ce sujet? L'idée de lui expliquer les choses de la vie ne le tentait pas du tout.

— Soupçonnez-vous toujours l'un ou l'autre de mes frères, ou les deux?

— Je cherche toujours qui aurait des motifs de souhaiter la disparition de votre père, j'essaie de découvrir une piste.

La jeune femme le regarda droit dans les yeux. Il dut admettre :

— Sans grand succès, jusqu'à maintenant.

Au moins, Éléonore ne s'en réjouit pas ouvertement. L'envie vint à l'inspecteur de lui raconter la querelle survenue au bordel. De nouveau, sa considération pour l'innocence de la demoiselle l'en empêcha. Elle conserverait donc l'impression qu'il n'allait absolument nulle part. Autant faire porter la conversation sur un tout autre sujet.

— La dernière fois, vous me parliez du passage de Sarah Bernhardt. D'autres représentations théâtrales ont-elles retenu votre intérêt?

Pendant quelques minutes, Éléonore mentionna les spectacles des rares troupes se produisant à Montréal, pour conclure :

— Ma seule consolation de ne pouvoir y aller, c'est la médiocrité de l'offre. Quant à me rendre à New York, c'est impossible.

Cette fois, Dolan ne demanda pas pourquoi. Il se souvenait de sa déception de n'avoir personne pour l'accompagner.

— La situation n'est pas meilleure pour les Canadiens français. Dans cette ville, ni vous ni moi ne souffrons trop de notre côté casanier.

— Au moins, dans votre cas, c'est un choix.

De ce désappointement, la conversation dévia vers un autre. L'une des alternatives au théâtre était le cinéma. Dolan eut envie de l'inviter à l'accompagner pour l'ouverture du Ouimetoscope, au début du mois de janvier. Puis cette proposition lui parut totalement ridicule. Un homme comme lui sortait avec des Juliette – pas celle de Shakespeare, mais celle de la pension Sullivan –, pas avec des femmes du monde.

Pourtant, il lui fallait en convenir : une fois oublié le fait qu'elle paierait ce souper, que leurs origines, leur fortune, leur culture, tout, en fait, les séparaient, il se plaisait auprès d'elle. Il regardait son visage, surtout son profil, le nez bien droit, les lèvres bien ourlées. De face, quand elle se tournait à demi au gré de la discussion, ses yeux gris le fascinaient.

Au dessert, Dolan goûta un sorbet pour la première fois de son existence. Jamais il ne l'admettrait à haute voix. C'était une autre illustration de sa médiocre position sociale. Au lieu de céder au malaise, il pointa avec sa cuillère le gros volume toujours sur la table.

— Quel est donc ce livre que vous lisiez quand je suis arrivé ?

— Ce sont tous les recueils de Robert Browning reliés ensemble. Vous connaissez ?

— Je connais le nom. Au Séminaire, les poètes romantiques français ou anglais n'avaient pas bonne presse.

Tout en parlant, elle lui remit le livre, ouvert à la page où son arrivée avait arrêté sa lecture.

— Les pasteurs presbytériens expriment aussi de sérieuses réserves quant à cet auteur.

— Je regrette presque de vous avoir interrompue.

— De toute façon, le pince-nez devenait insupportable.

Le petit objet de torture avait disparu dans son sac, au début du repas.

— Vous en étiez à *Porphyria's Lover*? Je peux?

De la tête, elle donna son assentiment. L'inspecteur recula sa chaise puis commença à lire à haute voix.

The rain set early in tonight,
The sullen wind was soon awake,
It tore the elm-tops down for spite,
And did its worst to vex the lake:
I listened with heart fit to break.

Le poème comptait soixante lignes. La voix de l'inspecteur, posée, possédait un joli timbre. Quelques années plus tôt, on lui promettait un certain succès comme prêcheur. Aujourd'hui, il caressait l'oreille d'une jolie femme avec des vers.

Quand il s'arrêta, elle battit des cils, exprimant son appréciation pour sa lecture. L'inspecteur remarqua:

— Voilà des vers plutôt sages, il me semble. Les pasteurs presbytériens me paraissent bien sévères.

— Ils le sont. Mais le scandale tient moins aux vers eux-mêmes qu'à l'audace de leur auteur. Il a littéralement enlevé Elizabeth Barrett afin de l'épouser, pour vivre ensuite en exil avec elle.

Éléonore rêvait-elle aussi d'un enlèvement? Il la devinait romantique, exaltée, sous son apparence si raisonnable.

— Je ne doute pas que les prêtres catholiques lui feraient aussi mauvais accueil.

Un peu après sept heures, tous deux quittèrent le petit salon discret pour aller vers le vestiaire. Cette fois encore, il l'aida à mettre son manteau, puis enfila le sien en la regardant percher son chapeau sur sa coiffure élaborée. En se dirigeant vers la porte, elle prit son bras. Devant sa passivité, elle agirait.

Dehors, Éléonore lui tendit sa main gantée, pour retenir la sienne le temps de murmurer d'une voix peu assurée :

— Voilà deux fois que je vous dis souhaiter voir un spectacle ou un film, et vous ne profitez pas de l'occasion pour m'inviter à vous accompagner. Si l'envie vous vient de le faire, j'en serais heureuse. Même si c'est pour visiter la cathédrale catholique.

Cet aveu lui avait demandé tout son courage. Ne pas répondre, ou alors donner la mauvaise réponse, la blesserait profondément. Un petit vertige se saisit de lui quand il promit :

— Je le ferai, mais je tenterai de vous épargner la cathédrale.

Tous deux, très embarrassés par leur audace respective, échangèrent maladroitement des vœux de bonne soirée.

Dolan regarda la grande bourgeoise monter dans la lourde voiture des McDougall. Avec elle, le vieux cocher devait se montrer d'une politesse obséquieuse.

Chapitre 18

Quand Dolan entra dans la maison de chambres, les locataires quittaient la table. En se dirigeant vers le salon, madame Sullivan lui jeta un regard lourd de reproches. Inutile pour elle de préciser qu'il devait oublier son repas du soir : tous dans la maison connaissaient le règlement sur la ponctualité.

— J'ignorais que vous ne seriez pas avec nous pour souper.

— À vrai dire, je ne le savais pas non plus, mentit-il. Vous comprenez, le travail de policier…

— Ah ! Oui, les fameuses enquêtes.

La politesse aurait voulu qu'il la prévienne de son absence, mais comme les soupers faisaient partie du prix de la pension et que la nourriture finirait dans l'assiette des domestiques, sa négligence ne l'empêcherait pas de dormir. Alors que tout le monde s'installait au salon, il adressa ses vœux de bonne nuit à la cantonade. Les émotions de la journée lui donnaient envie de solitude.

Il sortait de la salle de bain quand il se retrouva devant Juliette Mailloux. Cette rencontre ne tenait pas au hasard, elle l'attendait. Pleine de commisération – ou peut-être soupçonneuse –, elle remarqua :

— Vous allez vous ruiner la santé, Eugène.

— Plusieurs personnes travaillent de longues heures. À l'approche des fêtes, cela doit vous arriver, à vous aussi.

Les grands magasins faisaient recette les jours précédant Noël et le jour de l'An. Même une secrétaire de chez Morgan devait payer de sa personne en faisant sa part dans l'un ou l'autre des rayons.

— Je pensais surtout au fait de vous priver de souper.

— Ne vous inquiétez pas à ce sujet. Parfois, si l'on veut passer inaperçu quand on surveille quelqu'un, rien de mieux que de s'attabler à un restaurant.

Tout en débitant ces mensonges, Dolan se demanda pourquoi il ne racontait pas tout simplement la vérité : « J'ai soupé avec un témoin important pour une enquête. » Sans doute parce que ce n'était pas exactement la vérité. Comme la première fois, c'était lui qui avait donné des informations, pas le contraire. Par ailleurs, il n'avait aucune intention de faire part de cette seconde rencontre à Campeau.

— Maintenant, Juliette, si vous le permettez, je vais aller au lit. J'ai quelques heures de sommeil à récupérer.

— Oui, bien sûr. Bonne nuit, Eugène.

— Bonne nuit.

Une fois dans sa chambre, Dolan enleva ses vêtements avec, pour seule lumière, le rayon de lune entrant par la fenêtre. Cela lui suffisait amplement pour être à l'aise dans ce petit espace. Une fois le pantalon sur un cintre, la chemise et le veston sur le dossier d'une chaise pour leur éviter de mauvais plis, l'inspecteur s'allongea sous la couverture, gardant ses yeux grands ouverts en direction du plafond. Le souvenir de la main de la jeune femme dans la sienne lui donnait des émois d'adolescent.

En descendant de la voiture devant chez elle, Éléonore était encore tout étonnée et honteuse de sa propre hardiesse. Demander à un homme de la sortir ! Des femmes ruinaient leur réputation pour moins que ça. Le malaise du policier, qui n'avait visiblement pas su quoi répondre, augmentait sa gêne. La politesse lui commandait d'accepter, même s'il n'avait que faire d'elle. Jamais elle n'oserait se présenter de nouveau devant lui.

Pourtant, un autre souvenir la hantait. La main de l'homme sur la sienne, au moment où la probabilité – la certitude, même – du décès de son père lui avait mis les larmes aux yeux. Une main chaude, presque brûlante. Sa sollicitude était réelle, elle ne pouvait en douter. Cela venait-il avec le métier ? Ces gens avaient souvent à apporter de mauvaises nouvelles, peut-être obéissaient-ils à un scénario précis pour consoler les éplorés. Dans ce cas, son attention tenait à la conscience professionnelle.

Ou alors peut-être pouvait-elle relier son attitude à son premier choix de carrière : la prêtrise. Les religieux devaient consoler des orphelines au moins une fois par semaine. Toutefois, dans cette circonstance, elle doutait de l'établissement d'un contact physique. À la fin, elle choisit de croire sa première impression : il s'était agi du geste d'un homme touché par son malheur.

En montant l'escalier, une autre préoccupation la saisit. L'usage voulait qu'elle se présente à la porte du petit salon de sa mère pour lui annoncer son retour. Celle-ci lui lançait inévitablement : « Où étais-tu ? », mais la réponse ne l'intéressait guère. Toute à ressasser son malheur, Octavia demeurait indifférente aux autres. Juste un instant, Éléonore tenta d'imaginer la réaction de la vieille femme si elle lui annonçait : « J'ai invité le policier irlandais à souper. » Mais la seconde de plaisir que cela lui aurait procurée ne valait pas l'heure de remontrances qui suivrait nécessairement.

Même si elle marchait légèrement, soucieuse de se faire discrète, Andrew ouvrit sa porte quand elle passa devant sa chambre. Pour l'attraper à cet instant précis, il devait avoir surveillé son arrivée en voiture.

— Tu peux entrer un instant ?

L'idée d'aller dans sa chambre la troublait encore plus que de le recevoir dans la sienne. Pourtant, elle accepta. La pièce portait le nom de « chambre verte » à cause du papier peint aux couleurs de sous-bois. L'effet finissait par être oppressant.

— Veux-tu que je te serve quelque chose ?

Un signe de la tête exprima son refus. De son côté, le jeune homme avait déjà posé un cognac sur le guéridon près de la fenêtre. De part et d'autre s'offraient deux gros fauteuils. Éléonore accepta d'occuper l'un d'eux.

— Et puis ? demanda Andrew.

Sa pressante demande d'entendre son rapport dès son retour à la maison la mettait mal à l'aise. Sa rencontre avec Dolan, cette fois plus encore que la première, était due à son propre besoin de savoir, pas à son désir de se faire espionne.

— Nous avons soupé.

Le visage du garçon semblait affable, mais des éclairs de colère fusaient de ses pupilles.

— Ça, je m'en fous. Son enquête ?

Tout de suite, il perçut le mouvement de recul de sa demi-sœur. Il se pencha vers elle, posa sa main sur la sienne.

— Tu comprends, même s'il rend des comptes à Kenneth, moi je n'en saurai jamais rien. Pourtant, je suis le premier à m'être soucié de l'absence de papa.

Contrairement à son expérience du souper, le contact avec la peau d'Andrew lui parut sans chaleur. Désagréable, même. Puis, la façon dont il la regardait l'intimidait. Malgré le lien de parenté, son malaise persistait.

— Il n'a fait aucun progrès.

— Pour un policier, il me paraît bien empoté.

— Il fait tout ce qu'il peut.

Sa promptitude à défendre l'inspecteur lui attira le sourire moqueur de son frère. Éléonore enchaîna très vite :

— J'ai cependant appris quelque chose. Papa ne voyait presque plus ta mère, selon lui. Alors que ses absences de la maison demeuraient tout aussi régulières.

— Il la voyait une fois par mois, pour lui remettre de l'argent.

À son tour, Andrew ressentit un certain embarras. Jusque-là, sans jamais se montrer tout à fait affirmatif, il laissait sous-entendre qu'Archibald fréquentait assidûment son autre foyer. Cela lui permettait de poser comme le fils préféré, l'enfant du seul véritable amour de son père.

— Alors, où allait-il ? s'enquit la jeune femme.

— Vers d'autres rendez-vous galants, je suppose.

Cet aveu lui paraissait difficile. Consternée par ce comportement, Éléonore laissa échapper un soupir. Ainsi, son père n'avait de véritable attachement pour personne, finalement. Puis elle se corrigea : « Oui, pour ses fils. » Ou à tout le moins, il partageait avec eux un intérêt commun pour les affaires.

— Je me demande bien où est caché son corps, murmura-t-elle.

« Tout près », songea le jeune homme. Comme il gardait le silence, sa demi-sœur murmura :

— Maintenant, je comprends qu'il doit être mort...

De nouveau, la main d'Andrew toucha la sienne, de nouveau elle se raidit.

— Je le dis depuis le début, mais personne ne m'a cru. Ni tes frères, ni la police. Ni même toi.

Le reproche implicite affligea la jeune femme. Elle quitta son siège, son hôte fit de même.

— Je suis fatiguée, maintenant. Je vais me coucher.

Plutôt, pleurer tout son saoul. Sa mine en disait suffisamment long sur sa peine pour qu'Andrew passe son bras autour de sa taille.

— Nous allons nous en sortir, tu vas voir.

Elle se dégagea assez vivement pour qu'il remarque :

— Pardonne-moi, je ne voulais pas t'offusquer.

— J'ai besoin d'être seule.

Éléonore regagna sa chambre. Une fois au lit, elle ouvrit son livre à la page du poème *Porphyria's Lover*. Tout au long de sa lecture, elle entendit la voix de Dolan.

Parfois, des idées lui paraissaient bonnes quand il les formulait dans le bureau de son patron, mais au moment de les mettre en œuvre, le doute ne le lâchait plus. Les journaux arrivaient maintenant à reproduire de vraies photos, mais la plupart des illustrations étaient dues à des dessinateurs dont les œuvres étaient ensuite gravées. L'artiste du magazine *L'illustration* à sa remorque, Dolan frappa à la porte du bordel de la rue Saint-Laurent.

Le portier le reconnut tout de suite.

— Laissez-moi deviner : vous êtes ici pour baiser un coup.

— Je suis ici pour une enquête, la même que la semaine dernière.

— Ça vous ferait du bien… Pis l'autre bouffon ?

S'il y en avait un autre, c'était que le cerbère en voyait deux. L'inspecteur se promit de ne pas oublier ce type : tôt au tard, leurs chemins se croiseraient au poste de police.

— Il vient faire des dessins.

Encore une fois, Dolan fut amené devant la tenancière décrépite. Elle portait les mêmes vêtements et les mêmes traces de maquillage. Il lui expliqua le but de sa démarche, son compagnon debout près de lui.

— Bin voyons, vous perdez vot' temps, pis l'nôtre.

— La jeune fille est-elle ici ?

Comme la vieille femme feignait de ne pas comprendre, il précisa :

— Sofia.

— Je savais que vous pourriez pas résister à son charme. Les filles des pays chauds…

Le sous-entendu visait à débrider l'imagination de son interlocuteur. Toutefois, celui-ci avait une si maigre connaissance de « la chose » que cela ne produisit en lui aucun fantasme. Il usa alors de la même menace que la fois précédente :

— Nous pouvons faire ces dessins ici. À moins que vous ne préfériez que nous procédions au poste de police…

— Bon, vous pis l'autre, allez dans l'petit salon à côté. J'vas la chercher.

La pièce voisine comportait une table basse et quelques fauteuils. Dolan se doutait bien que les visiteurs ne venaient pas là pour jouer au whist. Sur la peluche des sièges, sur le tapis rougeâtre, il imagina voir des taches. Plus exactement, il préféra penser que c'était son imagination, et non des traces de semence.

— Cet endroit est connu dans toute la ville, commenta le dessinateur.

— Moi, je ne le connaissais pas.

En tant que policier, c'était impossible qu'il ignore l'existence de la maison close, mais l'artiste ne le contredit pas. Les deux femmes entrèrent. Cette fois encore, Sofia était à demi vêtue, toujours aussi belle avec ses cheveux et ses yeux noirs. Dolan recommença ses explications :

— Je m'intéresse à cette histoire de querelle impliquant McDougall. Vous allez décrire l'autre protagoniste, et ce monsieur va le dessiner…

— C'était il y a six semaines !

La jeune Syrienne paraissait perplexe.

— Je sais bien, mais vous allez essayer.

L'exercice se révéla long et pénible. Les deux femmes s'entendaient sur une chose : un gars entre vingt et vingt-cinq ans. Pour tout le reste, leurs souvenirs divergeaient. Enfin, elles se levèrent pour retourner l'une dans son bureau, l'autre dans sa chambre.

Dehors, le dessinateur commenta :

— Une vraie beauté. J'espère m'en souvenir assez pour faire son portrait.

Il parlait certainement de la jeune prostituée. « Ce portrait, j'aimerais bien l'avoir », se dit Dolan. Puis il se trouva tout à fait ridicule. Mieux valait revenir au motif de leur visite.

— Et ce dessin ?

— Publiez-la ça dans un journal, et la moitié des épouses de la ville vont reconnaître leur mari. Le dessin ressemble à tous les types de vingt ans que vous voyez dans la rue.

Les deux femmes recevaient sans doute tellement de clients dans leur établissement qu'elles avaient décrit l'archétype du Montréalais.

On était déjà le 23 décembre. Ce serait Noël le lundi suivant. Dans le grand manoir des McDougall, sur le flanc du mont Royal, aucune décoration n'annonçait la tenue de festivités.

— Dans le contexte actuel, avait décrété Olivia, ce serait indécent de décorer un sapin ou de placer des guirlandes sur les murs.

De toute façon, dans cette demeure, les célébrations d'usage demeuraient plutôt discrètes. Personne ne serait particulièrement déçu. Tout de même, Kenneth s'installa au bout de la grande table, dans la salle à manger. Il avait passé les dernières semaines assis à la place du chef de famille, et cela le réjouissait toujours. Mais ce soir-là, à son sourire, chacun devinait une bonne nouvelle.

— Ça y est, annonça-t-il, le juge entendra notre requête le 3 janvier prochain. Nous pourrons enfin gérer les affaires de façon à peu près normale.

Un homme de loi superviserait les opérations afin de veiller aux intérêts du disparu, mais après ces semaines d'incertitude, cela ressemblait à une totale liberté.

— Je suis certain que vous ferez mieux que lui, remarqua la vieille mère.

Malgré ses défauts, son époux menait son entreprise de façon compétente. Toutefois, lui reconnaître ouvertement une seule qualité lui aurait écorché la bouche. Pamela, l'épouse de l'aîné, les joues roses de fierté, intervint :

— Moi aussi, j'en suis sûre. J'espère en plus être en mesure d'annoncer une autre bonne nouvelle bientôt.

La mention plus précise d'une grossesse aurait fait la preuve d'un manque total de savoir-vivre, même dans ce cercle restreint. Comme ce genre d'allusion revenait régulièrement, personne ne la releva. De toute façon, parler de cela à haute voix pouvait porter malheur à la future maman.

Assise près de sa mère, Éléonore contrôla mal un sanglot. Même s'il fallait sept ans d'attente avant d'émettre un certificat de décès pour un disparu, cette étape indiquait que les autorités considéraient ce dénouement comme le plus probable. Autour de cette table, elle seule paraissait ressentir une véritable tristesse. Une constatation qui la chagrinait.

— Le juge ne risque-t-il pas de faire des difficultés? voulut savoir Octavia.

— Selon McKay, pas du tout. Tout le monde convient maintenant qu'il vaut mieux en venir là au plus vite.

Par la suite, la conversation s'allégea, chacun étant soulagé par l'évolution de la situation.

Dans la maison de chambres de madame Sullivan, un sapin avait été dressé dans un coin du salon, empiétant sur les fauteuils. Les boules, les saint Nicolas de papier mâché, les guirlandes donnaient à la pièce un air de fête vieillot. Les locataires se sentaient seulement plus à l'étroit que d'habitude.

Dolan se tint un moment dans l'embrasure de la porte, jusqu'à ce que Juliette sente sa présence.

— Ah! Vous voilà, Eugène, le salua-t-elle en se levant.

— Vous allez vous promener, remarqua l'une des sœurs Demers.

— Vous verrez, c'est un peu froid, continua l'autre.

Elles se mettaient toujours à deux pour tenir la conversation. Les vieilles pies regardaient cette idylle comme si elles y étaient pour quelque chose.

— Bonne soirée, jeta la secrétaire en quittant la pièce.

L'inspecteur marmonna quelque chose d'indistinct. L'instant d'après, il aidait sa compagne à mettre son manteau.

La vieille fille avait raison : un front froid balayait la ville, on annonçait une chute de neige pour le lendemain. Le ciel ne laissait voir aucune étoile.

— Vous avez fait des progrès au sujet de la disparition de cet homme ?

— Pas vraiment. On dirait qu'il est passé sous terre. Personne ne l'a vu depuis le début de novembre.

Cette allusion à l'enquête le ramena en pensée au bordel visité la veille, et aussi à sa conversation avec Éléonore McDougall. Ses émois devenaient gênants : s'enticher de la fille du bourgeois et de la jeune putain, à une journée d'intervalle…

— Il doit être mort.

— Je suppose. Mais aussi longtemps qu'on ne retrouvera pas son corps, il est réputé vivant.

Ce qui lui fit songer à l'imbroglio dans lequel était plongé Kenneth. Finalement, cette enquête ne lui sortait jamais de la tête. Il changea de sujet :

— Vous avez décidé de ce que vous ferez au jour de l'An ?

— Je ne sais pas, je ne connais pas vraiment ces gens.

Un oncle de la région de Québec, le frère de son défunt père, l'avait invitée à passer quelques jours chez lui.

— C'est la famille. Moi, je trouve difficile de n'avoir personne.

— Ma seule famille, ce sera mon mari, mes enfants…

La jeune femme demeura ensuite silencieuse un long moment. Dolan ressentait un malaise croissant : dans ce scénario, il devinait qu'il jouait un rôle central. La secrétaire s'attendait à recevoir une proposition qui ne vint pas. Elle aurait été prête à retourner au café hongrois, se promettant même de montrer le plus bel enthousiasme à cette occasion.

Ils se rendirent jusqu'à la rue Sainte-Catherine, puis revinrent sur leurs pas. En montant les trois marches, elle murmura :

— Finalement oui, je pense que j'irai.

Elle voulait dire à Québec. Tout de suite, l'inspecteur pensa à Éléonore McDougall.

Andrew ne se présentait jamais à la table familiale le samedi soir. Le plus souvent, il rejoignait des amis. Quand un cocher le déposa devant la porte de la grande maison, il sortit sa clé de sa poche. Les deux chiens ne le laisseraient toutefois pas entrer sans réclamer leur moment de jeu.

Le vent avait chassé les nuages vers l'est, la lune jetait un éclairage argenté sur les arbres environnants.

— On gèle, grogna le jeune homme.

Il s'approcha néanmoins des taillis afin de dénicher un morceau de bois mort, puis le lança au loin. Les deux bouviers démarrèrent en trombe, dans quelques secondes ils se disputeraient la prise. Les chiens fournirent au jeune homme l'occasion de se livrer à une petite exploration. Il répéta l'opération plusieurs fois, toujours en projetant le bâton en direction d'un bouquet de conifères. Bientôt, les oreilles gelées, les orteils engourdis, il se tenait devant un amoncellement de pierres. Quelques-unes semblaient avoir glissé, peut-être les chiens avaient-ils gratté pour retrouver leur maître. Malgré le froid, ces derniers pouvaient déceler son odeur. Andrew replaça les cailloux, en ajouta d'autres encore pour faire bonne mesure.

Après avoir terminé, il contempla son œuvre un long moment, perplexe. En réalité, il lui tardait que le corps soit découvert. À la fonderie, il avait pu constater la succession de rencontres entre Kenneth et son avocat, ce qui signifiait que bientôt, l'aîné aurait les mains libres. D'un autre côté, une sépulture trop sommaire ne paraîtrait pas du tout crédible quand on la trouverait. L'assassin se devait de faire un travail sérieux. Pendant la journée, le gardien parcourait le grand domaine afin de prévenir les tentatives d'intrusion. Tôt ou tard, il tomberait sur ce monticule et se soucierait de ce qu'il y avait dessous. Cependant le froid le retenait sans doute près du feu, dans sa petite cabane. Après tout, les chiens effectuaient un excellent boulot.

— Si en février il n'a rien vu, je m'en mêlerai, se promit-il à mi-voix.

Les bouviers se tenaient tout près, assis sur le sol, attendant l'occasion de reprendre leur divertissement. Si jamais quelqu'un remarquait ses traces et se mettait en tête de les suivre, il conclurait que les bêtes l'avaient guidé jusque-là. Le jour où il se déciderait à précipiter les choses, il répéterait exactement le scénario de ce soir. Son jeu avec les chiens serait le meilleur prétexte pour venir dans ce coin.

Il retourna vers la maison d'un pas rapide.

Éléonore n'avait pas encore réussi à s'endormir. Les événements lui provoquaient un mélange de tristesse et de soulagement. Cette attente finissait par déprimer tout le monde, il était temps de passer à autre chose.

Même si son demi-frère se montrait toujours attentif à ne pas faire de bruit, elle entendit le craquement du plancher du couloir. Son regard l'avait mise mal à l'aise la dernière fois, aussi elle attacha la ceinture de son peignoir, tint celui-ci fermé jusqu'à son cou avec sa main gauche, puis entrouvrit sa porte. Le jeune homme s'apprêtait à entrer chez lui quand elle l'appela doucement :

— Tu peux venir un instant ?

Quand ils furent dans sa chambre, elle commença :

— Tu le sais peut-être déjà…

— Je sais quoi ?

— Kenneth passera devant le juge au début de l'année prochaine.

— Tu veux dire que nous passerons tous devant le juge !

À son ton, elle devina que personne ne l'empêcherait de faire valoir son point de vue lors de ces audiences.

— Quand tu dis tout le monde, tu veux dire que moi aussi, je serai convoquée ?

— Pour les femmes, je ne sais pas trop… Comme tu figures certainement sur le testament de notre père, je suppose que oui.

Elle n'aurait droit qu'à une portion congrue. Les garçons reprendraient l'entreprise pour la faire fructifier. La fille devrait compter sur un mariage avantageux pour maintenir son train de vie.

Après un moment de silence, Andrew reprit :

— Je ne savais pas, même si j'ai passé la journée à la fonderie. Je ne suis pas de ceux avec qui il partage les bonnes nouvelles.

— Il nous l'a dit tout à l'heure, au souper.

— Le soir où je ne suis jamais là…

Pendant un moment, le jeune homme s'attarda sur l'attitude vexante de ses frères, puis il retourna dans sa chambre.

Chapitre 19

L'inspecteur se serait bien passé de la messe chantée au milieu de la nuit, surtout qu'il avait assisté à celle du dimanche en matinée. Mais sur l'insistance de Juliette Mailloux, non seulement avait-il accepté, mais en plus, la secrétaire avait offert aux sœurs Demers de les accompagner. Maintenant, chacune s'accrochait à l'un de ses bras, et la jeune femme marchait derrière le trio.

— Vous ne me laisserez pas tomber, monsieur Dolan ?

— Bien sûr que non, mademoiselle.

— Ni moi non plus, monsieur Dolan.

— Vous non plus.

Heureusement, la cathédrale Saint-Jacques ne se situait pas très loin de la rue Belmont.

— Je ne vous dirai pas à combien de messes de minuit j'ai assisté jusqu'à maintenant, mais ça en fait une bonne quantité.

— Les plus belles, ce sont celles de la cathédrale.

— On se croirait au ciel, tellement c'est magnifique.

On aurait cru que les deux vieilles filles partageaient le même cerveau. Jamais l'ombre d'un dissentiment n'apparaissait entre elles.

— Vous avez raison, approuva le policier. On a mis des années à la construire.

— Tout de même, ça doit vous faire de la peine, au fond.

Parfois, mieux valait se taire. Sans doute à cause de l'esprit des fêtes, il se risqua cependant à demander :

— Que voulez-vous dire ?

— D'avoir quitté les ordres. Talentueux comme vous êtes, tôt ou tard, vous auriez dit la messe à cet endroit répondit l'une des sœurs.

— Je n'ai jamais été prêtre, je n'ai pas pu quitter les ordres.

— Talentueux comme vous êtes, vous auriez fini cardinal, c'est certain renchérit l'autre.

À la maison de chambres aussi, la question de sa vocation faisait l'objet de discussions. Il regrettait d'avoir lui-même abordé le sujet, mais le jour de son arrivée, lorsque chacun s'était présenté autour de la table, l'information sur son séjour au Grand Séminaire lui avait échappé.

— Remarquez, policier, ce n'est tout de même pas honteux.

— Puis cela vous a permis de rencontrer la belle Juliette.

— N'est-ce pas que vous la trouvez belle !

Dolan devinait que, deux pas derrière eux, celle-ci entendait tout, surtout que les vieilles filles parlaient assez fort.

— Évidemment, tout le monde la trouve belle.

Sur le coup, cela lui était apparu comme la seule chose à dire. Seulement, présenté ainsi, le compliment perdait beaucoup de sa valeur. La secrétaire serra les dents. Une fois à l'église, chacun dut présenter son billet. L'affluence y était si nombreuse qu'il fallait contrôler les présences. Malgré leurs laissez-passer, les quatre voisins durent se tenir debout au fond de la nef pendant la cérémonie.

Juliette décida de reprendre sa place auprès de son compagnon, quitte à bousculer les sœurs Demers.

— C'était gentil.

Dolan ne comprit pas tout de suite le sens à donner à ces mots, aussi précisa-t-elle, cette fois en rougissant:

— De dire que j'étais belle.

— C'était tout naturel.

La réponse aurait pu être meilleure, par exemple: «Je ne disais que la vérité.» Cependant, elle s'en contenterait. De toute façon, l'arrivée de monseigneur Paul Bruchési dans le chœur les réduisit au silence. L'ecclésiastique était petit, malingre, avec des lunettes cerclées de métal sur le nez. Tout de suite, le policier pensa à Éléonore McDougall et à son lorgnon. L'image était si vive qu'une réaction physique intempestive le prit d'assaut. Dans une cathédrale, un lieu consacré, cela tenait du sacrilège. Heureusement, en se plaçant tout contre son flanc, l'une des sœurs Demers chassa toutes ses mauvaises pensées.

— Vous voyez, vous auriez fait un bien plus beau cardinal que lui.

La messe de minuit sa distinguait de diverses manières: par la beauté de la décoration, le talent de la chorale, et aussi par sa durée interminable. Sur le chemin du retour, les sœurs Demers se collèrent à l'inspecteur, comme pour se réchauffer. Ils arrivèrent à la maison de chambres en même temps que les deux autres pensionnaires, Devlin et O'Neil. Les prêtres de l'église Saint-Patrick se révélaient aussi lents que ceux de la cathédrale Saint-Jacques.

Avec toutes ces personnes dans l'entrée, Dolan entraîna Juliette dans le hall pour l'aider à enlever son manteau. Il alla l'accrocher en lui assurant:

— Je reviens tout de suite.

Ce ne serait pas si simple. L'une des sœurs Demers eut une petite toux pour attirer son attention. Le policier les aida toutes les deux, puis alla ranger leurs manteaux, celui de Juliette et le sien. Ensuite, tous se rendirent à la salle à manger. Madame Sullivan les accueillit avec un «Joyeux Noël» aigu. Des bougies et des ramures de sapin donnaient un petit air guilleret à la table.

Le temps du dessert, les locataires firent semblant de former une vraie famille. Dès le lendemain, ils redeviendraient des étrangers réunis au même endroit par le hasard.

Dans la grande demeure des McDougall, rien ne soulignait la célébration de Noël. Cependant, en matinée, toute la maisonnée s'était rendue dans une église presbytérienne de l'ouest de Montréal. Après un après-midi passé chacun dans son coin, ils se retrouvèrent pour un souper formel, vêtus de leurs plus beaux habits. Toutefois, aucun parent, aucune relation d'affaires ne se joignit à eux. Octavia avait fait passer le mot : dans le contexte d'un deuil qui ne disait pas encore franchement son nom, les célébrations seraient réduites au minimum.

— Quand il y aura des enfants dans la maison, ce sera différent, murmura Joyce à l'intention de ses belles-sœurs.

L'épouse de Stanley n'irait pas plus loin ; ce serait le seul acte d'insubordination de la soirée. Tout de même, Pamela hocha vigoureusement la tête pour donner son assentiment. Ces deux-là exprimaient leur désir de tomber enceintes tous les jours. Avec leur époux respectif, elles pouvaient envisager un autre futur, une autre famille.

Leur belle-sœur Éléonore se contenta d'un long soupir. L'idée que les prochaines années puissent ressembler à 1905 la déprimait tout à fait. Seul Andrew aurait pu la dérider, avec son sourire facile et son humour. En son absence, sans appétit, elle jouait dans son assiette du bout de sa fourchette. À neuf heures, chacun se déplaça au salon. Les hommes, peut-être pour soulager la tension, se versèrent chacun un double whisky. La jeune femme demanda un verre de sherry, malgré le froncement de sourcils d'Octavia. Déjà, il lui tardait de retourner dans sa chambre.

— Tu as été très gentil de passer les dernières vingt-quatre heures avec moi, affirma Annie Vallerand en posant sa main sur celle de son fils.

André lui adressa son plus beau sourire.

— À Noël, tu es la seule personne avec qui je désire me trouver.

— Mais bientôt, tu auras une épouse, des enfants même.

L'idée tira un éclat de rire au jeune homme. Ce genre d'existence rangée, avec toutes ses contraintes, lui paraissait bien nébuleuse. Bien qu'il préférât profiter toujours de sa liberté présente, il avait en réserve toutes les phrases convenables dans un moment pareil :

— Et toi, tu seras la meilleure grand-mère pour eux.

Une larme vint aux paupières de la femme. Elle récupéra son verre de porto sur le guéridon, avala une gorgée.

— Tu entends tout de même aller coucher là-bas ce soir.

Elle voulait dire chez les McDougall.

— Je ne veux pas les laisser m'oublier. Au contraire, je me tiendrai directement sous leurs yeux.

— Penses-tu que le tribunal leur permettra de faire ce qu'ils veulent ?

Annie craignait qu'ils ne le chassent à la fois de la fonderie et de la grande demeure de la rue Cedar.

— Je suis certain que le tribunal les forcera à respecter l'esprit du testament. Tu as bien vu pour l'argent.

À court terme au moins, l'ancienne maîtresse n'avait plus à s'en faire. Kenneth avait chargé un employé de lui porter un chèque égal à l'allocation mensuelle d'Archibald.

— Ça ne veut pas dire qu'ils continueront pour l'éternité.

Dans les circonstances, pour elle, l'éternité se terminerait en novembre 1912, soit sept ans après la disparition d'Archibald.

— Tu peux être sûre que je saurai comment leur forcer la main.

Même si Kenneth s'affichait maintenant comme le chef de la famille, André ne doutait pas qu'il consultait Stanley sur chacune des décisions importantes. Annie accueillait toujours l'assurance de son fils avec un certain scepticisme, mais elle se garda bien de le contredire.

— Tu ne me parles jamais de ton état de santé, remarqua le garçon après un long silence.

— Parce que j'ai peu de chose à en dire. La situation demeure stable, le médecin m'affirme que les nouveaux médicaments sont prometteurs.

Le sujet lui faisait honte. D'une certaine façon, sa condition semblait constituer une confirmation de l'adage : elle avait été punie par où elle avait péché.

— Le vieux salaud.

Le jugement était sans appel. Celui qui se présentait à la police comme le fils préféré, l'enfant de l'amour, cultivait un solide ressentiment envers l'auteur de ses jours. Il était près de dix heures quand il embrassa Annie en lui souhaitant une bonne semaine. Peu après, il monta dans la voiture des

McDougall. Un coup de fil lui avait permis de mobiliser le cocher pour qu'il vienne le chercher.

En entendant des coups légers à sa porte, Éléonore quitta son fauteuil pour enfiler son peignoir, puis alla ouvrir. Une fois encore, Andrew s'arrêtait pour une visite avant de regagner sa chambre.

— Bonsoir, petite sœur, je te souhaite un joyeux Noël ! Enfin, le plus joyeux possible pour le peu de temps qui reste.

Il se pencha pour lui embrasser une joue, puis l'autre, s'attardant un peu plus que de raison. La jeune femme ressentit un malaise, accompagné d'un trouble totalement déplacé. Le troisième verre de la soirée, apporté peu de temps auparavant par le majordome, l'avait grisée.

— Mon Dieu, que cette journée tarde à passer !

En cette période de l'année, tous étaient censés se réjouir. Celles et ceux qui étaient dominés par la tristesse finissaient par se sentir coupables de ne pas présenter l'image du bonheur.

— Veux-tu que je t'aide à la terminer ?

La question contenait-elle vraiment un sous-entendu ? Éléonore s'émut.

— Le temps d'aller me chercher de quoi boire dans ma chambre, insista le garçon, et je reviens.

— Non, je vais me coucher.

— Tu es certaine ?

— Oui. S'il te plaît, va-t-en.

Le jeune homme hésita un instant, puis il partit en murmurant « bonne nuit ». Seule, Éléonore verrouilla la porte de sa chambre, éteignit la lumière pour donner plus de crédibilité à son affirmation, puis retrouva son fauteuil et son verre à demi plein.

Pendant presque une semaine, Dolan s'était dit que les mots d'Éléonore devaient signifier tout autre chose que leur sens premier. Après tout, ils appartenaient à deux mondes distincts… Cet argument, il se le répétait sans cesse. Pourtant, il ne pouvait manquer à la parole donnée.

Le mercredi 27 décembre, il trouva le courage nécessaire pour lui téléphoner. D'abord, il avait pensé profiter d'une heure creuse à la maison de chambres pour le faire, quitte à arriver en retard au travail. Finalement, le bureau lui parut un meilleur endroit. Campeau, bien que très surpris de la requête, accepta de lui permettre d'utiliser l'appareil de son bureau, « pour un appel très personnel ». L'embarras de son subalterne était si évident qu'il n'osa ni poser de questions, ni s'essayer à l'humour.

Bien entendu, ce fut le majordome qui répondit. Il prit un ton autoritaire pour déclarer :

— Bonjour, ici l'inspecteur Dolan, de la police de Montréal. Je voudrais parler à mademoiselle McDougall.

À l'autre bout du fil, le larbin risquait d'imaginer qu'il la convoquait au poste pour l'interroger. Après cinq minutes bien comptées, une voix hésitante commença :

— Monsieur Dolan, c'est bien vous ?

— Oui, c'est moi. Que diriez-vous de m'accompagner au Ouimetoscope ? Votre jour me conviendra, mais j'ai pu réserver des places pour le 1er janvier.

Ces deux phrases, il les avait lues sur un bout de papier, tellement il craignait que l'émotion lui fasse perdre ses mots. Puis un doute lui vint brusquement :

— Je suis ridicule, le jour de l'An, vous avez sans doute mieux à faire.

— Pas du tout. J'accepte avec plaisir. Ainsi l'année 1906 commencera sur un autre ton que celui sur lequel s'est terminée 1905. Vous me sauvez d'une profonde attaque de *spleen*.

«Avec plaisir.» Deux petits mots qui laissèrent l'inspecteur pantois. Elle devait avoir tellement de choses plus intéressantes à faire. Pourtant, ce n'était pas le cas. La référence au *spleen* – non pas la rate, mais bien la mélancolie évoquée par Baudelaire – suggérait un réel intérêt pour la littérature, et pas seulement pour les romantiques anglais.

— Dans ce cas, à quelle heure pourrai-je passer vous prendre?

Impossible de lui dire tout simplement de le rejoindre à la porte. L'expédition lui coûterait cher. Il hésitait encore entre louer les services d'un cocher pour la soirée – ce jour-là, les quelques-uns qui délaisseraient leur famille demanderaient le triple du prix ordinaire – et se fier au hasard pour trouver une voiture pour chacun des trajets. Éléonore bouscula son sens des conventions.

— Monsieur Dolan, ne croyez-vous pas que le plus simple serait d'utiliser la voiture de mon père… je veux dire, de la famille?

— Je ne sais pas… Je pensais retenir les services de quelqu'un.

— Le jour de l'An?

Le rire railleur lui fit comprendre qu'elle jugeait son optimisme démesuré.

— Dans ce cas, nous pourrions remettre la sortie d'un jour ou deux…

— Tenez-vous absolument à ce que je vous supplie?

La répartie le prit totalement au dépourvu, et surtout la tristesse du ton.

— Non, évidemment, non.

— Alors, le cocher pourra me déposer devant la porte.

Tout de même, elle ne proposait pas de le prendre chez lui. Sa honte ne serait pas totale. Autrement, ses voisins de la maison de chambres en auraient eu pour des semaines à se moquer de lui dans son dos, ou même en pleine face.

— Les réservations sont pour sept heures. Après, nous pourrions manger…

Il n'osa pas dire « ensemble ». Le mot aurait donné à l'activité un caractère « officiel ».

— Quelle bonne idée !

Dolan entendit du bruit dans le couloir, derrière la porte fermée. Soudainement, sa nervosité monta d'un cran.

— Voilà qui est réglé. Nous nous retrouverons à la porte de l'établissement, rue Sainte-Catherine.

— J'y serai sans faute.

Sans doute disait-elle cela pour le rassurer. Il devait vraiment paraître pitoyable au bout du fil.

— Alors, à lundi, mademoiselle McDougall.

— À lundi, monsieur Dolan.

Elle avait mis un petit accent sur le « monsieur », comme pour se moquer de son formalisme. En raccrochant, il laissa échapper un long soupir de soulagement. En comparaison, l'arrestation de Lacaille lui avait semblé infiniment plus facile.

Madame Sullivan offrait, contre rétribution évidemment, de se charger de « blanchir » ses locataires, c'est-à-dire de laver leur linge. Dolan n'avait pas recours à ses services. Que sa logeuse constate l'état de sa longue combinaison de flanelle ou le nombre de fois où ses chaussettes avaient été ravaudées le gênait. Dans le sud de la ville, dans une petite rue perpendiculaire à Saint-Laurent, une famille de Chinois tenait une blanchisserie. Si ceux-là s'amusaient entre eux de l'état de ses vêtements, leurs indiscrétions ne sortiraient pas des murs de l'établissement : ils connaissaient à peine une vingtaine de mots d'anglais et pas un seul de français.

En entrant dans la boutique en fin d'après-midi, le 30 décembre, l'inspecteur fut envahi par le sentiment de se trouver ailleurs, très loin. Les odeurs étranges – pas toutes agréables –, la chaleur humide venant de l'arrière-boutique, les quelques bibelots et surtout la tenue du marchand lui causaient cette impression. Une tunique noire fendue sur les côtés, sous laquelle il portait un pantalon, lui tombait sur les genoux. Sur sa tête, un petit couvre-chef de tissu brillant, sans doute de la soie, ajoutait à l'exotisme, en plus de la longue tresse de cheveux noirs descendant jusqu'au milieu de son dos.

— Bonjour, commença-t-il. Dolan.

Au moins, son patronyme ne comptait pas de « r », un son qui paraissait étranger à son interlocuteur. Celui-ci le répéta pourtant quelques fois avant que son visage s'éclaire.

— Ah ! *Policeman, policeman…*

Son appartenance aux forces de l'ordre impressionnait beaucoup le Chinois. En lui tendant un paquet enveloppé de papier brun, il marmonna :

— *Nothing, nothing.*

L'inspecteur lui tendit tout de même les pièces de monnaie représentant le prix du service rendu, puis sortit alors que le commerçant le saluait en pliant son corps en deux plusieurs fois de suite.

Au moins, Éléonore McDougall ne plisserait pas le nez à cause d'une odeur douteuse. Tout, dans cette rencontre, devenait un sujet d'inquiétude. L'inspecteur se mit à espérer qu'elle ne vienne pas, puis s'estima encore plus ridicule. Le retour à la maison lui prit de longues minutes. En entrant, il croisa madame Sullivan qui remarqua à voix haute :

— Votre lavage ?

— Ainsi, je débuterai l'année en odeur de sainteté.

L'humour du policier désarçonna la logeuse. Bien sûr, il ne lui en avait pas donné l'habitude au cours des deux dernières années. Comme les autres locataires étaient déjà à table, Dolan monta les marches deux par deux pour aller porter ses vêtements dans sa chambre, puis il alla les rejoindre.

Avec la complicité des sœurs Demers, Juliette s'était arrangée pour s'asseoir directement en face de lui. Cela facilitait certainement la conversation. Après quelques échanges sur leur journée de travail respective, elle demanda :

— Ce soir, irons-nous marcher un peu ?

— Non, je ne pourrai pas.

— Pourtant, après tout ce travail…

La secrétaire ne dissimulait pas sa déception, comme une enfant dépitée. Il ressentit le besoin de se justifier :

— Je vais aller au bain de la rue Dorchester.

Si un lavabo dans la salle de toilette, de même qu'un grand pot de grès accompagné d'une bassine dans la chambre, permettaient une toilette sommaire, les hommes se rendaient à l'occasion dans un bain public pour un nettoyage en profondeur.

— Notre ami a vraiment une hygiène irréprochable, intervint madame Sullivan qui regagnait sa place à table juste à ce moment. Tout à l'heure, il revenait de la blanchisserie.

Elle lui en voulait d'aller ailleurs pour obtenir ce service. Toutefois, l'une des sœurs Demers entendit faire son éloge :

— C'est bien, ça, un homme propre.

Son regard se portait sur Juliette Mailloux. Sa sœur renchérit tout de suite :

— Oui, très bien. Je me souviens d'un gars qui essayait son charme sur moi, dans le temps. Même si je lui tournais le dos, je sentais sa présence.

Pour être certaine qu'on la comprenait bien, elle répéta : «Je la sentais.» Sa sœur parut douter de l'existence de cet admirateur malodorant, car elle demanda :

— Qui ça ?

Pendant l'échange, la secrétaire avait pincé les lèvres. Le policier se mettait-il en frais pour une autre femme ?

— Vous savez, Eugène, demain je pourrais me rendre seule à la gare.

— Si vous préférez qu'il en soit ainsi…

Dolan avait offert de l'accompagner, mais il n'entendait pas s'imposer. Aussitôt, la secrétaire regretta son mouvement d'humeur.

— Non, ce n'est pas ça. Mais vous avez peut-être prévu une autre activité. Je comprendrais.

— Pas du tout. Nous pourrons y aller tout de suite après le dîner.

D'autres convives firent ensuite les frais de la conversation. Devlin et O'Neil ne dissimulaient pas leur joie d'aller passer les deux jours à venir dans leur famille. Dans ce contexte, les laissés-pour-compte préféraient demeurer silencieux.

Le bain situé rue Dorchester était un bâtiment plutôt bas, avec quelques fenêtres surélevées laissant entrer un peu de lumière du jour, sans que personne ne puisse regarder à l'intérieur. Cette précaution ne suffisait pas à rassurer tout à fait Dolan. Sa pudeur souffrait toujours de cet exercice. En effet, au Séminaire, on recommandait aux garçons de se laver en gardant une chemise de nuit sur eux, pour leur éviter de voir leur propre corps. Quelques années plus tard, se dévêtir dans un endroit public l'intimidait encore autant.

À l'entrée, il paya, puis reçut une serviette et une clé. Celle-ci lui donnait accès à une petite armoire où ranger ses vêtements. Ensuite, ceint du morceau de tissu, il trouva une baignoire dans un curieux petit box délimité par des demi-murs. Debout, on voyait ses voisins, mais étendu dans le *tub* en tôle de cuivre, les cloisons offraient une impression d'intimité rassurante.

Après quelques minutes, l'inspecteur se déplaça vers le bain turc pour suer un bon coup. La vapeur d'eau le dérobait à peu près aux regards. Cependant, des conversations murmurées rappelaient la présence des autres baigneurs. Bientôt, un garçon de seize ou dix-sept ans s'approcha, lui demanda :

— J'peux me mettre à côté, m'sieur ?

L'adolescent tenait sa serviette si maladroitement devant son corps qu'au moment de s'asseoir, il révéla une bonne partie de son bas ventre à la pilosité rare, ainsi que ses fesses. Dolan lui trouvait quelque chose d'un peu féminin. Après deux minutes peut-être, le jeune homme glissa sur la banquette couverte de tuiles pour venir plus près de lui.

— Vous v'nez souvent icitte, m'sieur ?

La scène se renouvelait presque à chacune de ses visites. L'inspecteur en venait à se demander si quelque chose dans son allure, ou dans son attitude, laissait penser qu'il recherchait ce genre d'attention.

— Je viens assez souvent. Et je vais devancer certaines de tes questions, jeune homme. Je suis policier, et ce que tu cherches, ou ce que tu vends, est illégal. Pour les personnes arrêtées, à la peine de prison s'ajoute souvent le fouet.

Le garçon demeura un instant interdit, puis protesta :

— Qu'est-ce que vous pensez? On peut pus parler à quelqu'un sans s'faire menacer, maintenant?

Son indignation sonnait tout à fait faux. Sous le regard sévère de Dolan, l'adolescent quitta la pièce, cette fois en prenant bien garde que sa serviette cache tous ses trésors. Ces avances maladroites avaient indisposé le policier au point de l'amener à abréger son moment de détente. Bientôt, il retourna au vestiaire sans même s'arrêter pour un plongeon dans la piscine. De toute façon, l'éclairage de cet endroit s'avérait bien trop cru pour qu'il s'y aventure.

L'inspecteur avait offert à Juliette de l'accompagner au train dans l'intention de l'aider à porter son sac de voyage. La distance jusqu'à la gare Viger était importante, les tramways étaient rares le dimanche, et surtout, le billet coûtait cher.

En marchant vers l'est dans la rue Notre-Dame, un vent de face les garda silencieux. Dolan aimait autant cela. Entre eux, une fois toutes les banalités échangées, la conversation demeurait malaisée. Quand ils arrivèrent devant le magnifique édifice de pierre grise vieux de moins de dix ans, Juliette remarqua:

— Coucher à cet endroit doit coûter une véritable fortune.

Au-dessus de la gare, un grand hôtel recevait une clientèle de notables.

— Je n'en ai pas la moindre idée, mais je le présume. Je n'aurai sans doute jamais les moyens d'y passer une nuit.

Cette pensée le ramena immédiatement à son rendez-vous du lendemain. Pour Éléonore McDougall, au contraire, cet établissement devait être trop modeste. Ces gens-là ne logeaient que dans des palaces. Quelques minutes plus tard, l'inspecteur ouvrit la grande porte devant sa compagne pour la laisser entrer dans le hall. Les guichets se trouvaient sur la gauche.

— Je vais aller chercher mon billet, le prévint-elle.

Tout le temps, Dolan garda les yeux sur elle, une silhouette étroite, le dos déjà un peu voûté, conséquence, peut-être, de ses longues journées penchée sur son clavigraphe. Son manteau et son chapeau étaient de bonne qualité : son emploi lui permettait de les obtenir à prix réduit. Pourtant, quelque chose dans sa posture, la soumission peut-être, l'identifiait comme une employée docile.

Quand elle revint, il proposa :

— Nous avons sans doute le temps de prendre un café. Vous venez ?

— Non, ce serait trop juste. Le train est déjà là. J'aime autant aller m'y installer tout de suite, pour avoir une bonne place.

La veille du jour de l'An, les voyageurs étaient très nombreux, et chacun s'empressait de s'installer sur un siège pour ne plus l'abandonner avant d'arriver à destination.

— Dans ce cas, je vous y accompagne.

Pour éviter d'entendre les mots « Ce n'est pas nécessaire », il lui tourna le dos pour aller vers les quais. Juliette pressa un peu le pas pour être à sa hauteur et lui indiqua le numéro de la voiture, en deuxième classe. Devant les deux marches y donnant accès, Dolan se tourna vers elle :

— Je vous souhaite un excellent séjour à Québec, Juliette.

— Je ne connais presque pas ces gens…

Elle cessa ses récriminations pour attendre la suite.

— Votre patron a été gentil de vous accorder une journée de congé, mardi. Vous en profiterez un peu plus longtemps.

— Avec toutes les heures supplémentaires non rémunérées des trois dernières semaines, il en profite certainement plus que moi.

Puis elle se reprit :

— Tout de même, oui, c'est gentil. Rien ne le forçait à m'accorder cette faveur.

Un moment, ils se regardèrent, mal à l'aise, puis il lui tendit son sac. Après quelques secondes, il déclara :

— Je vous souhaite une excellente année 1906.

— Moi aussi…

— Et le paradis à la fin de vos jours !

Les derniers mots amenèrent l'ombre d'un sourire sur les lèvres de la jeune femme. Il se pencha pour l'embrasser sur la joue gauche, elle amorça un mouvement pour lui présenter la droite. Un bref instant, Dolan fut sur le point de poser ses lèvres sur les siennes. Finalement, un « Excusez-moi » précéda une bise très chaste.

L'incident les laissa tous deux embarrassés. Elle monta dans le wagon en murmurant un dernier au revoir, auquel il répondit sur le même ton.

Chapitre 20

Une petite commotion secouait le salon des McDougall.

— Tu ne vas pas te montrer avec lui !

Octavia regardait sa fille enfiler ses gants, debout dans l'entrée de la pièce.

— Ça vaudra mieux que de nous regarder sans dire un mot, comme hier ou à Noël.

Tout de même, Éléonore jeta un coup d'œil navré à ses belles-sœurs, Pamela et Joyce. Elle se faisait l'impression de prendre la fuite en les abandonnant derrière elle.

— Cet homme n'appartient pas à notre monde.

— Voilà une caractéristique qui me le rend plutôt sympathique.

— Kenneth, dis-lui quelque chose pour la raisonner !

L'aîné esquissa un sourire à l'intention de sa cadette.

— Maman, Nora n'a pas de conjoint, comme Stanley et moi, pour la soutenir dans ces moments difficiles. Je la comprends de vouloir s'aérer un peu l'esprit. Si la compagnie de ce policier lui fait du bien, nous n'avons rien d'autre à faire que de lui souhaiter une bonne soirée.

Éléonore se sentit éperdument reconnaissante, même si elle se doutait bien qu'en privé, son frère aurait sans doute ajouté : « Tâche d'en savoir un peu plus sur l'enquête. » De son côté, Octavia se mordit la lèvre inférieure, se retenant de glisser quelques remarques bien senties sur la jeunesse qui ne respectait plus rien.

Dès six heures, Dolan tapait du pied sur le trottoir de la rue Sainte-Catherine pour se réchauffer. Comme il avait tourné en rond dans sa petite chambre une partie de l'après-midi – une performance en soi : trois pas dans un sens, un demi-tour, trois pas dans l'autre –, il avait préféré partir tôt de la maison. C'était compter sans une vague de froid venue de l'ouest du pays. N'importe quel autre jour de l'année, il aurait pu se réfugier dans un commerce de tabac, tromper son ennui en parcourant les journaux. Le jour de l'An, tout était fermé.

Un peu avant sept heures, réfugié dans l'encoignure d'une porte, il regardait les spectateurs sortir du Ouimetoscope. Le nom de l'établissement reprenait celui du propriétaire, Léo-Ernest Ouimet, affublé du mot « scope ». Aux États-Unis, le terme désignait les endroits où l'on présentait des films de façon permanente, soir après soir.

Après avoir espéré que la jeune femme ne se présente pas, il était maintenant terriblement inquiet qu'elle lui fasse faux bond. Il doutait qu'elle puisse prendre plaisir à cette sortie qui ne pouvait concurrencer les banquets et les bals de « ces gens-là ». Puis, il reconnut la grosse berline des McDougall. Au moment où elle s'immobilisait, l'inspecteur se précipita pour ouvrir la portière. Son propre comportement lui fit songer à celui d'un domestique zélé, alors il arrêta son geste.

Éléonore l'ouvrit donc elle-même, et il vit apparaître un pied chaussé d'une bottine, le blanc d'un jupon, puis la teinte plus foncée de la robe. Impossible d'en identifier la couleur avec le pauvre éclairage de la rue. Au moins, il tendit la main pour prendre la sienne et l'aider à sortir.

— Je suis heureux de vous voir, la salua-t-il quand elle fut sur le trottoir.

— Et moi d'être là.

Après un bref moment de silence, elle demanda :

— Nous entrons ? Si nous ne nous pressons pas, avec cette foule, nous risquons de ne pas avoir de place.

— Oui, vous avez raison.

Éléonore s'avança vers l'avant de la voiture, leva la tête vers le cocher.

— Venez nous chercher ici dans une heure.

« Elle a l'habitude de donner des ordres », nota Dolan. Sa demeure comptait plus de vingt domestiques. Cette pensée le rendit morose jusqu'à ce qu'elle prenne son bras.

— D'après les journaux, il y a des centaines de places à l'intérieur. Pourtant cela semble tout petit.

L'entrée du Ouimetoscope se situait au coin des rues Sainte-Catherine et Montcalm. Elle paraissait bien peu large pour le flot humain cherchant à y entrer.

— Il s'agit d'un ancien cabaret. C'est plus grand qu'on peut le penser d'ici, mais tout de même nous serons à l'étroit.

— Je ne savais trop comment me vêtir. J'ai même pensé mettre des *bloomers*. Aucun manuel de bienséance n'aborde la tenue appropriée pour aller voir des *movies*.

Movie était le mot anglais pour désigner la succession d'images rendant l'impression du mouvement. Quant aux *bloomers*, Dolan en avait vu parfois, dans l'ouest de la ville. Il s'agissait d'une culotte bouffante des genoux à la taille, suffisamment large pour cacher les formes féminines. On les portait afin de pratiquer certains sports, en particulier la bicyclette.

— Je ne doute pas que vous auriez fait sensation.

— Je me suis dit la même chose.

Pour venir dans l'est de la métropole assister à un spectacle accessible à la classe ouvrière grâce à un prix d'entrée plutôt bas, la jeune femme avait renoncé à la fourrure. Cependant, son manteau de laine s'ornait d'un col de vison, et son chapeau avait sans doute coûté la vie à deux ou trois de ces animaux. Ces vêtements « modestes » demeuraient hors de portée de la très grande majorité des spectateurs de ce soir.

Cela, Dolan le constata quand ils arrivèrent sous la lumière électrique. En pleine clarté, il la trouva charmante avec son sourire désarmant et ses traits réguliers. Sans doute inquiète à cause de la foule qui les poussait dans le dos, elle s'accrochait à son bras. Il présenta les billets, un employé lui désigna des places surélevées sur la gauche, suffisamment proches de l'écran pour qu'ils profitent bien du spectacle.

— Vous avez obtenu de bonnes places, remarqua-t-elle.

— Surtout que je m'y suis pris tardivement pour faire les réservations.

Cela lui valut un sourire narquois.

Une fois assise, Éléonore contempla la salle au décor kitsch et les gens qui s'entassaient sur des sièges exigus, disposés très près les uns des autres. Quand toutes les places furent occupées, elle le pria :

— Aidez-moi à enlever ça, il fera bientôt très chaud.

La jeune femme se leva, lui tourna le dos pour qu'il lui retire son manteau. Elle le déposa sur sa gauche, au grand déplaisir de son voisin immédiat, puis se déplaça pour s'appuyer contre son compagnon. Le policier se troubla et résista difficilement à l'envie de prendre ses distances. Quand les lumières s'éteignirent, il attendit les images mouvantes, la grande femme appuyée contre lui. Elle lui donnait l'impression d'être à l'aise en sa présence. Éléonore entendait avoir l'audace d'un homme, avec quelqu'un qui montrait des frayeurs de petite fille.

Le premier film à être présenté venait de France. Intitulé *Le Chemineau*, il reprenait le début du roman *Les Misérables* de Victor Hugo, le moment où Jean Valjean se présente chez monseigneur Myriel. Le réalisateur, Albert Capellani, réussissait à montrer la scène en cinq minutes.

La très grande majorité des films disponibles étaient très courts, quelques minutes à peine. Aussi, il fallait compter sur des interruptions fréquentes. Chaque fois, la lumière tamisée s'allumait une minute ou deux. Après quelques films, Éléonore se tourna vers l'inspecteur pour commenter :

— C'est vraiment étrange, le mouvement donne une impression de vie, même sans couleur et avec des personnages de quelques pouces de hauteur.

— J'ai apprécié. C'est juste dommage que nous passions autant de temps à voir le technicien s'agiter qu'à regarder les films.

Le projectionniste venait de sortir un gros rouleau de pellicule de l'appareil et il s'apprêtait à en déposer un autre. Ce qui embêtait surtout Dolan, c'était que sa compagne constate l'étendue de son émoi sur son visage... ou à la hauteur de sa ceinture. À vingt-cinq ans, les premières dans ce domaine se succédaient rapidement. Heureusement, avec son manteau sur le dos, il sentait moins la proximité de ce corps féminin contre le sien et pouvait dissimuler ses réactions.

Elle devait lire dans ses pensées, car elle remarqua :
— Vous n'avez pas chaud, habillé comme cela ?

— Non… Enfin, oui, un peu, mais ce ne serait pas mieux si je devais le mettre sur mes genoux.

Elle lui adressa un sourire contraint, s'écarta de lui, désireuse de lui offrir davantage de place. Dolan se demanda si l'allusion à la chaleur ne concernait pas plutôt son odeur, car il sentait bien la sueur au creux de ses reins. Heureusement, l'obscurité revint, il put se détendre. Les films suivants entraînèrent les spectateurs au Japon. Un tel spectacle offrait un tour du monde à des personnes n'ayant jamais voyagé à plus de vingt milles de chez eux.

Pourtant, aucune image ne lui permettait d'oublier la présence de la jeune femme sur le siège voisin. Son épaule et tout son bras gauche étaient en contact avec les siens. Il ne doutait pas un moment que si leurs cuisses s'effleuraient, il jouirait dans son pantalon. L'idée le gêna assez pour entraîner la chute de son excitation. Évidemment, la petite pause ne dura pas. Au Séminaire, pour repousser ces réactions, on conseillait la prière, voire le cilice – un vêtement de toile rugueuse porté directement sur la peau, ou encore une ceinture garnie de pointes serrée autour de la taille ou en haut de la cuisse. Les conseillers spirituels les moins résolus à combattre le vice se contentaient de proposer un sport violent. La crosse survivait dans les collèges comme exutoire sexuel.

Toutefois, Dolan savait bien que son trouble tenait surtout à son inexpérience de la fréquentation des femmes. Devenu orphelin tôt dans la vie, il n'avait même pas eu l'occasion de regagner un milieu normal, c'est-à-dire non exclusivement masculin, pendant les grandes vacances. Des robes, il en avait vu seulement sur des ecclésiastiques. Son entrée dans la police avait diamétralement changé cette situation. Les visites dans les bordels, ou dans les rues où travaillaient des prostituées, entraînaient des réactions mitigées : l'excitation bien sûr, mais aussi le dégoût, et la honte de ses propres réactions et de son ignorance.

Plus le temps avançait, plus il lui semblait qu'Éléonore laissait son poids peser sur lui. Cet abandon témoignait d'une familiarité grandissante avec son voisin. Après une journée aussi déprimante que celle du 25 décembre, le désir de la jeune femme d'un peu de chaleur humaine devenait irrépressible. Le policier lui manifestait plus d'attention que n'importe lequel des membres de sa famille.

Dans cette salle, tout le monde devait les imaginer mari et femme, car même les fiancés montraient plus de retenue, du moins en public. La représentation se termina moins d'une heure plus tard. Dehors, une nouvelle file d'attente devait se former devant la porte. Cette fois, quand les ampoules jetèrent une lumière crue dans la salle, les applaudissements s'étirèrent au moins pendant trois minutes.

Dolan prit le manteau de sa compagne afin de l'aider à le passer. Comme elle lui présentait son dos, il apprécia la coiffure compliquée, avec les boucles torsadées ramenées sur la nuque. Son chemisier gris s'ornait d'un col de dentelle remontant haut sur son cou. La jupe de même couleur, mais dans une tonalité plus sombre, tombait bien sur son corps. Le corset accentuait les hanches et la poitrine, mais Dolan devinait cependant des seins plutôt petits. Il essayait de l'imaginer nue, en formant une composition de tous les morceaux de peau vus à la sauvette lors de descentes dans des mauvais lieux au cours des deux dernières années.

Éléonore prit de nouveau son bras et s'approcha pour lui dire à l'oreille :

— Vous avez évoqué un souper…

— Oui. La plupart des restaurants sont fermés ce soir – d'ailleurs, Ouimet risque de se faire condamner du haut de la chaire pour avoir ouvert aujourd'hui –, mais il existe des établissements tenus par des juifs. Cela vous convient-il ?

Il s'attendait à la voir s'insurger contre son choix, comme Juliette l'avait fait.

— Tout à fait. Vous avez pu faire une réservation pour le jour de l'An ?

— Je me suis rendu utile au propriétaire d'un de ces établissements, ma bonne fortune tient sans doute à sa reconnaissance. Heureusement, car ensuite mon choix se serait porté sur un petit café tenu par des Chinois.

— Ce sera pour la prochaine fois !

Donc, elle entendait répéter l'expérience de ce soir. Le policier ne savait trop quoi penser. S'estimant inintéressant – enfin, pour une femme de cette classe sociale –, il pensait qu'elle imaginait orienter son enquête grâce à sa sollicitude. Elle se donnait du souci pour rien, son investigation n'allait nulle part.

— Les restaurants chinois proposent une cuisine étonnante, mais leur propreté est discutable. Je ne crois pas que cela vous plairait.

— Que savez-vous de ce qui me plaît ?

Ils arrivaient dans le hall. La porte ouverte leur apportait une bouffée d'air frais fort bienvenue. La présence de fumeurs dans la salle les avait privés d'oxygène pendant trop longtemps.

— Rien du tout.

— Avec vous, j'irais. Que peut-il m'arriver avec un policier à mes côtés ?

«Un face à face avec des coquerelles», songea-t-il. Inutile de l'en informer à haute voix. Dehors, le froid les saisit. La voiture les attendait à quelques dizaines de verges vers l'est, dans la rue Sainte-Catherine.

— Le Café Pest, vous connaissez? s'enquit l'inspecteur auprès du cocher.

Malgré l'orthographe affichée, il prononçait «pèch», pour éviter la confusion avec le mot anglais. Le domestique le regarda avec un air étonné. Dolan lui indiqua alors l'adresse. Puis il ouvrit la portière et tendit la main pour aider sa compagne à monter. Dans la berline, deux banquettes se faisaient face. Devant son hésitation, Éléonore lui proposa:

— Asseyez-vous près de moi.

Ce fut donc de nouveau épaule contre épaule qu'ils effectuèrent le court trajet jusqu'à la rue Saint-Laurent. Pour une fois, Dolan abandonna sa retenue pour avouer:

— Je suis très heureux de passer la soirée avec vous, mademoiselle McDougall.

— Moi aussi, monsieur Dolan.

Le ton, au moment de dire «monsieur», demeurait un brin moqueur. Elle se gaussait des manières affectées du policier. Heureusement, la suite le rassura:

— Voilà très longtemps que je ne me suis pas amusée autant.

— Je comprends, avec la disparition de votre père.

— Oh! Il y a ça, aussi.

Dans la pénombre de la voiture, il la vit porter ses doigts gantés sous ses yeux. Vraiment, il s'y entendait pour gâcher l'ambiance. Quant à elle, la pudeur l'empêcha de rétorquer: «Ma mélancolie date de bien longtemps avant le 4 novembre.» Déjà, le pas du cheval ralentissait, la voiture s'immobilisa. L'inspecteur descendit, puis aida sa compagne à descendre. Là encore, ce fut elle qui donna ses directives au cocher:

— Demeurez à proximité pour que nous vous retrouvions sans mal en sortant.

— À quelle heure ?

— L'heure que nous jugerons opportune.

Dolan apprécia sa façon de parler au domestique. Elle lui montrait qu'il se trouvait à sa disposition, et pas le contraire. Toutefois, bonne fille, elle ajouta :

— Mettez-vous à l'intérieur, pour ne pas prendre froid.

— Bien, mademoiselle.

Enhardi, Dolan saisit le bras de la jeune femme. Elle se laissa guider jusqu'à la porte du Café Pest.

Le fait de se rendre dans un endroit où il était allé avec Juliette peu de temps auparavant l'embarrassait, mais il n'était pas un familier des restaurants et il n'en connaissait pas d'autre. Surtout, l'accueil du maître d'hôtel lui donnait l'impression d'avoir une certaine importance en ce monde.

— Ah ! Monsieur Dolan, je suis heureux de vous revoir.

— Merci. Quant à moi, j'ai été surpris que vous ayez encore de la place avec un si bref préavis. Vous devez être très occupé, ce soir.

— Pas vraiment. Les chrétiens célèbrent en famille, et même si pour les miens, la nouvelle année ne commencera pas avant le Roch Hachana, ils fêtent aussi ce soir.

« Bien sûr, il s'agit de la soirée des esseulés », songea l'inspecteur.

— Et quand viendra votre jour de l'An ?

— Nous sommes de 5 Tevêt 5666. L'année 5667 commencera en septembre, le jour n'est pas fixe. Mais je travaillerai aussi, pour recevoir des chrétiens.

Tout en parlant, l'employé tendait les mains pour aider Éléonore à enlever son manteau.

— Et votre chapeau ?

— Pourquoi pas.

Sans sa toque de fourrure, Éléonore laissait voir sa chevelure opulente. Dolan déposa aussi son manteau sur le bras du maître d'hôtel. Les vêtements passèrent dans les mains d'un préposé au vestiaire, tandis qu'ils étaient conduits dans la salle à manger.

— Je pense que vous serez satisfaits de votre table.

Le serveur disait vrai, les convives s'avéraient peu nombreux. En conséquence, les conversations se déroulaient à voix basse, nul besoin de hausser le ton. On les installa près d'une fenêtre, avec vue sur la rue Saint-Laurent. Les décorations des fêtes sur les façades des commerces lui donnaient un air joyeux.

— Vous êtes vraiment en bons termes avec ce monsieur.

— Je lui ai rendu service.

Éléonore lui sourit, appréciant sa discrétion.

— Comme ça, nous serons encore en l'an 5666 pour de nombreux mois.

— Le calendrier juif commence avec la création du monde, 3761 ans avant la naissance du Christ.

Tout en écoutant, elle prit son menu pour le lui tendre.

— Je prendrai la même chose que vous.

En réalité, elle souhaitait le laisser choisir ce qu'il était en mesure de payer, puisqu'il s'occuperait de l'addition.

— Non, mademoiselle McDougall. Commandez pour vous-même, vous n'aimeriez pas ce que je choisirai.

Au lieu de le mettre au défi, elle reprit le carton.

— Je suppose que même les policiers ont un prénom ?

Tout de même intimidée par son audace, elle ne quitta pas le menu des yeux en posant la question.

— Oui, mais certains aimeraient autant l'oublier.

Comme elle ne le laisserait pas se dérober, il ajouta :

— Eugène.

— Il y a bien pire.

«Certainement, se dit Dolan, et bien mieux.»

— Au travail, tout le monde m'appelle Dolan.

— Et à la maison?

— Comme je ne peux pas considérer la maison de chambres où j'habite comme un vrai foyer, je ne saurais dire.

La peine évidente dans le ton risquait d'attirer la pitié, aussi se reprit-il, plus enjoué:

— L'usage des prénoms a duré un an ou deux au Séminaire, mais après, tout le monde utilisait les noms de famille.

L'inspecteur comprenait qu'elle l'invitait à adopter un langage moins formel. Il hésita un moment avant d'ajouter:

— Éléonore, c'est très beau.

Le compliment la toucha. L'arrivée du maître d'hôtel donna à la jeune femme le temps de reprendre contenance. Une fois la commande passée, elle murmura:

— Je vous remercie. Mes amis m'appellent Nora.

En réalité, elle en avait si peu que l'affirmation ne voulait pas dire grand-chose. De nouveau, le silence de son interlocuteur la força à ajouter:

— Puis-je vous compter parmi mes amis?

La question méritait réflexion. Sans la disparition d'Archibald McDougall, jamais elle n'aurait posé les yeux sur lui. En fait, jamais leurs chemins ne se seraient croisés. D'un autre côté, au-delà de son profond malaise, cette femme lui plaisait. Son appréciation n'allait pas beaucoup plus loin que l'apparence physique, compte tenu de la nature de leur conversation. Mais il la savait intelligente et sensible.

La réponse de Dolan se fit attendre si longtemps que la jeune femme baissa les yeux, blessée.

— Oui, vous le pouvez. Toutefois, je m'en tiendrai à Éléonore. Il me semble que chacun mérite que l'on utilise son prénom en entier, et non un diminutif.

— Dans ce cas, je ne me risquerai pas à vous appeler Gene.

Déjà, elle avait retrouvé son sourire. Leur relation prenait une nouvelle tournure, autorisant des questions plus intimes. Dolan s'en tint toutefois à une généralité :

— Je pense à votre note... Le A en guise de signature. Vous utilisez Aliénor ?

— Parfois. Une coquetterie.

Pendant les minutes suivantes, l'inspecteur eut l'occasion de dévoiler sa culture en expliquant que le restaurant tirait son nom de Pest, la ville située en face de Buda. La réunion des deux donnait à la Hongrie sa capitale. L'avenir du cinéma en tant que loisir populaire les occupa ensuite quelques instants. Puis Éléonore voulut satisfaire sa curiosité.

— Comment êtes-vous devenu policier ?

D'abord, il eut un petit rire bref.

— En réalité, je ne sais trop. Des études en théologie avortées ne conduisent nulle part. Sans soutane, je ne pouvais pas enseigner dans la province, et mes moyens ne me permettaient pas de m'inscrire à l'université. Il restait seulement la possibilité de travailler dans une maison de commerce, mais les futurs curés ne sont pas doués pour les affaires. Quelqu'un m'a recommandé auprès du chef de police, je suppose que ce dernier m'a trouvé sympathique.

Le court exposé était vrai pour l'essentiel. Évidemment, rien ne l'aurait convaincu d'évoquer les motifs de son changement de vocation. Quant à la personne qui l'avait recommandé pour un emploi auquel il n'avait pas été préparé, son identité aussi exigeait la discrétion.

— Vous n'avez jamais porté l'uniforme ?

— Non. Je n'ai pas progressé dans les rangs de la police, comme mon chef. Heureusement, j'ai eu de la chance lors de mes premières enquêtes, car autrement, je serais au chômage depuis longtemps.

Il avait eu de la chance, mais il possédait aussi un certain instinct pour comprendre ses semblables. Sa compétence à lire l'âme des gens ne s'étendait cependant pas à la moitié de l'humanité portant jupon. Pour empêcher Éléonore de le questionner davantage, il l'interrogea à son tour :

— Comment se fait-il que vous soyez toujours célibataire ?

La question était inévitable, car le célibat aussi tardif d'une femme étonnait toujours. Éléonore baissa les yeux sur son assiette. Son silence dura si longtemps qu'il dit encore :

— Si ma question est indélicate, je vous demande pardon. Je n'ai jamais pensé vous demander pourquoi vous étiez laissée-pour-compte, mais pourquoi une personne aussi belle et intelligente n'avait pas été enlevée par un poète, comme ce fut le cas d'Elizabeth Barrett.

Finalement, peut-être que la moitié enjuponnée de l'espèce humaine ne s'avérait pas si étrange. Quand elle leva les yeux vers lui, il remarqua une petite larme, le signe d'une sensibilité à fleur de peau. Depuis quelques semaines, elle vivait une situation très difficile.

— Voilà la seconde fois que vous me faites un compliment. Je vous en prie, ne vous en excusez pas dans une minute.

— J'apprends vite, même si je suis bien empoté.

Aussitôt, il se trouva dérisoire. Depuis le début de leur rencontre, il ne savait pas quel comportement adopter. Au moins, la table entre eux lui épargnait une érection constante.

— Ma mère a passé vingt ans à m'apprendre à me méfier de tous les hommes. Quand j'ai appris à les juger moi-même, je suppose que ma réputation de vieille fille acariâtre me précédait partout. Aucun poète n'a eu le courage de m'enlever.

— Ces hommes avaient donc une vue aussi limitée que celle de votre mère.

De son côté, elle ne s'informa pas des motifs de son célibat. D'abord, les hommes se mariaient plus tard. Surtout, la réponse était toute simple : aucune femme n'épousait quelqu'un ayant moins de cent dollars d'épargne à la banque Hochelaga.

— Savez-vous ce qui fait de vous une personne unique ?

Dolan secoua doucement la tête de droite à gauche pour signifier son ignorance, tout en se méfiant beaucoup de la suite. Il anticipait déjà de nouveaux motifs de se sentir misérable.

— Vous ne savez pas du tout séduire, flatter. On devine que vous ne savez pas conter fleurette…

Voilà, elle lui mettait son inexpérience, sa maladresse sous le nez. Il se comportait comme un curé sans soutane, se montrant scrupuleux, pusillanime. Si des amis pouvaient se dire la vérité, il devait bien y avoir une limite aux blessures à infliger.

— Alors, quand vous faites un compliment, continua-t-elle, on sent que vous exprimez honnêtement votre pensée. Vous ne faites pas semblant. Vous ne pouvez pas savoir combien une gentillesse dans votre bouche est profondément touchante.

Il comprit qu'elle lui adressait un compliment, mais cela n'allégeait en rien le malaise constant qu'il ressentait dans la plupart des situations de son existence.

— Vous ne voyez pas ce que je veux dire, n'est-ce pas ?

De la tête, il fit signe que non.

— Vous êtes tout le contraire d'Andrew. Lui, impossible de lui faire confiance. Chacun de ses compliments ne cherche qu'à obtenir un avantage. Vous, vous ne mentez pas.

Dolan fit un geste d'acquiescement. Il disait la vérité. Il pouvait se réjouir de cette qualité.

Chapitre 21

La conversation porta ensuite sur divers sujets plus anodins. Trouver des points d'intérêt communs ne s'avérait guère facile, tellement leurs expériences différaient. La distance entre l'apprentissage en tête-à-tête avec une gouvernante et la fréquentation d'une classe tenue par les Frères des écoles chrétiennes dans un petit village, par exemple, devenait astronomique. Que Dolan considère son existence comme une succession d'infortunes n'arrangeait pas les choses.

Un peu après dix heures, Éléonore formula le désir de rentrer chez elle. L'inspecteur adressa un signe au maître d'hôtel ; celui-ci approcha et se pencha sur lui pour glisser quelques mots à son oreille :

— Pour le nouvel An, vous ne refuserez pas mon présent.

Le personnage devait considérer que le policier n'avait pas les moyens de sortir cette femme. Que ce soit vrai ne rendait pas la situation moins blessante.

— Vous savez que je n'accepte pas les pots-de-vin.

— Un pot-de-vin, c'est pour obtenir une faveur injustifiée. Un présent, c'est un signe de reconnaissance.

Devant Éléonore, la conversation avait quelque chose de vulgaire. Excédé, Dolan décréta :

— Je reviendrai cette semaine pour régler la question.

Le couple quitta la table. Aussitôt, le maître d'hôtel alla chercher les manteaux. De nouveau, il vint en aide à la jeune femme. Un miroir permit à celle-ci de placer sa toque de vison sur ses cheveux. Dolan dit « au revoir » d'un ton un peu frais. Dehors, en descendant l'escalier, Éléonore murmura :

— J'ai entendu. Il a raison.

La remarque vexa bien un peu son compagnon, mais sa voix demeura mesurée quand il répondit :

— Si tous les policiers refusaient les cadeaux, ils feraient ensuite un meilleur travail.

— Ce soir, s'agissait-il d'une affaire de police, ou simplement d'un homme qui vous porte une certaine estime ?

L'inspecteur posa sa main sur les doigts accrochés au creux de son coude, exerça une légère pression. La voiture était stationnée à une trentaine de verges. En approchant, ils constatèrent que le cheval portait une épaisse couverture de carriole sur le dos. Pourtant, des frissons le parcouraient de temps à autre.

Dolan ouvrit la portière de la berline, pour découvrir le cocher assoupi. Une petite bouteille de gin lui avait sans doute permis de se réchauffer un peu, en plus de son épais manteau de chat sauvage. Le policier frappa trois grands coups sur la voiture, et le vieil homme sursauta.

— Voici l'heure de vous remettre au travail.

— C'est pas trop tôt, grogna-t-il en se redressant.

Une minute plus tard, il enlevait la couverture du dos de la bête, puis grimpait sur son siège. L'inspecteur offrit sa main à sa compagne pour l'aider à monter.

— D'habitude, le monsieur conduit la dame chez elle…

Déjà, la remarque le blessa.

— Alors, j'aimerais que vous me raccompagniez à la maison, ensuite le cocher vous ramènera où vous voudrez.

— D'accord.

Elle monta la première, lui ensuite. Quand la voiture se mit en branle, elle dit :

— Je vous remercie pour cette soirée.

— Ce serait plutôt à moi...

— Laissez-moi finir. Je m'ennuie à mourir sur ma montagne, vous m'avez offert quelques heures de plaisir. J'espère de tout cœur que vous recommencerez.

Dolan fut tenté de répondre « Je ne saurais pas où vous emmener » ou « Je n'en ai pas les moyens ». Heureusement, il opta pour :

— Dites-moi quand vous serez disponible et quelle activité vous proposez.

— Vous avez mentionné la lutte au parc Sohmer devant moi.

L'inspecteur songea à l'effet qu'aurait la présence de cette dame en chapeau de vison parmi sept ou huit cents personnes, surtout des ouvriers, dans une bâtisse délabrée. Juste pour voir cela, l'expédition en vaudrait la peine.

— À la fin du mois, Émile Maupas affrontera une montagne de muscles venue des États-Unis.

La réponse fit visiblement plaisir à la jeune femme. Elle saisit son bras de ses deux mains, s'appuya contre lui.

— C'est loin. D'ici là, j'espère que vous m'emmènerez dans l'un de ces cafés chinois du bas de la ville.

Décidément, elle y tenait. Si elle entendait tromper son ennui, ce ne serait pas le pire moyen. Éléonore songea à évoquer la question de l'argent. Tout en ignorant le montant de la rémunération d'un fonctionnaire de la Ville, elle devinait que sortir avec elle serait rapidement trop lourd pour son budget.

Mais ils demeurèrent silencieux, chacun mesurant les conséquences de cette soirée. Quand le cocher s'engagea dans l'allée conduisant à la demeure des McDougall, tous deux se redressèrent. Une fois la voiture arrêtée, la jeune femme embrassa hâtivement la joue de Dolan, puis descendit en lui disant au revoir. Avant d'entrer dans la maison, elle commanda au cocher de reconduire son ami.

Elle franchissait la porte quand le vieil homme demanda :

— Alors, mon prince, vous créchez où ?

Une demi-heure plus tard, la voiture s'immobilisa devant la maison de chambres de la rue Belmont. Après avoir sauté sur le trottoir, Dolan lui lança :

— Merci pour la balade.

Le domestique le fixa un moment, hocha la tête de haut en bas pour signifier son appréciation du chemin parcouru par le policier.

— Sais pas ce qu'a vous trouve, mais a vous trouve quequ' chose.

Sur ces mots, il fit claquer les guides sur le dos du cheval. Sentant sans doute qu'il rentrait enfin à l'écurie, l'animal avança d'un pas vif.

Dolan demeura une partie de la nuit étendu sur le dos, dans son lit, les yeux grands ouverts. Chacune des minutes de la soirée repassait dans sa mémoire. Pendant la plupart d'entre elles, une érection l'avait obligé à dissimuler son bas-ventre. Et pendant chacune, son malaise ne l'avait jamais complètement lâché.

Avec Juliette, sa gêne se révélait moins tenace – et la femme, infiniment moins désirable. Tous les hommes ressentaient les mêmes appétits, combien d'entre eux étaient terrorisés par la situation ? L'idée du péché ne l'embêtait pas vraiment, mais il risquait l'humiliation. À son âge, personne n'était encore vierge.

Certains se mariaient puceaux, mais au moins, le soir des noces, ils apportaient un bagage de baisers, de caresses volées ici et là. Lui n'avait même pas l'expérience de la danse, la seule occasion légitime de tenir une femme dans ses bras. D'autres se procuraient leur première expérience grâce à une visite au bordel.

À cette pensée, l'inspecteur revit les cheveux et les yeux sombres de Sofia. Après un passage dans l'établissement de la rue Saint-Laurent, Éléonore lui paraîtrait certainement moins effrayante.

Toute la journée, Dolan s'occupa d'affaires sans importance. Pourtant, pendant les fêtes, les abus d'alcool entraînaient tout un lot d'actes violents. L'arrivée de 1906 avait trouvé les Montréalais de meilleure humeur que les années précédentes, sans doute.

Le calme relatif du poste de police numéro 1 permit à l'inspecteur de partir plus tôt que d'habitude. À cinq heures, il se tenait sur le quai pour attendre l'arrivée du train de Québec. Une fois les portes des voitures ouvertes, les passagers descendirent. Il aperçut la silhouette de Juliette Mailloux et marcha jusqu'à elle.

— Eugène, que faites-vous là ?

— J'ai pensé venir vous accueillir, ne serait-ce que pour porter votre bagage.

Il se pencha pour prendre le sac de voyage. Tous deux restèrent figés.

— Je vous souhaite une excellente année, Juliette, se lança l'inspecteur.

Il lui adressait ses vœux pour la seconde fois. Ses lèvres se posèrent sur la joue gauche tendue vers lui, puis sur la droite. L'absence de toute érection le réjouit. Peut-être prenait-il lentement l'habitude de la présence d'une femme.

— À vous aussi, Eugène.

Ils se dirigèrent vers le grand hall de la gare.

— Nous allons prendre le tramway, suggéra-t-il.

— Pourquoi ? Nous sommes venus à pied.

— Il fait froid. Et puis, si nous voulons être à l'heure pour le souper, ce sera mieux.

Il préféra ne pas lui donner le temps de protester. Dehors, il marcha en direction de l'arrêt de la Compagnie des tramways. La jeune femme allongea le pas pour se maintenir à sa hauteur. Bientôt, une voiture s'approcha, le policier paya le passage de sa compagne. Sa plaque suffisait pour acquitter le sien.

— Je vous remercie, mais une fois à la maison je vous rembourserai, affirma Juliette.

— Vous savez, faire le voyage debout avec tous ces gens ne vaut pas grand-chose. Alors, oubliez ça.

Dolan disait vrai. À cette heure, tout un monde de commis, de vendeurs et d'artisans se pressaient les uns contre les autres. Un employé de magasin eut la politesse d'offrir son siège à la femme. Elle exigea de prendre sa valise sur ses genoux, le temps d'arriver au coin de la rue de la Cathédrale.

De nouveau dehors, elle abandonna à l'inspecteur son bagage et prit son bras. Lorsqu'ils entrèrent dans la maison de chambres, tous deux se saluèrent avant de monter à leur chambre faire un brin de toilette. Ils se croisèrent devant l'unique *water closet* de la maison. À leur arrivée dans la salle à manger, les autres locataires vinrent souhaiter la bonne année à la secrétaire. Les sœurs Demers échangèrent un regard entendu, certaines de voir une belle histoire d'amour se dérouler sous leurs yeux.

Le juge Jones parcourait les liasses de feuillets posées devant lui. Sa longue toge noire s'accordait à sa barbe et à ses cheveux blancs, le tout lui conférant une aura de sagesse. Kenneth McDougall avait témoigné le premier, et ensuite Stanley. Octavia demeurait assise dans la salle, comme une reine douairière. L'avocat de ses fils avait réussi à lui éviter de prendre la parole. Parler encore de son époux disparu lui répugnait.

Eugène Dolan arriva à l'heure fixée d'avance. Ainsi, il n'avait pu entendre l'évocation des affaires de la famille. Le juge leva la tête, puis lui dit :

— Monsieur, merci de votre ponctualité. Prenez siège, ici.

Prêter serment prit trente secondes, et le magistrat commença par évoquer les informations déjà colligées. Puis il l'interrogea :

— Vous avez bien recherché la trace de monsieur McDougall ?

— Oui, Votre Honneur. Je suis passé dans les hôpitaux et à la morgue afin de savoir si un malade, un blessé ou un cadavre correspondait à la description de cet homme.

— Sans succès ?

— Sans succès. Je me suis rendu dans les endroits qu'il fréquentait, j'ai passé une annonce dans les plus importants journaux afin d'inviter la population à me transmettre des informations. Le tout sans résultat.

— Merci. Messieurs les avocats ?

McKay, l'avocat des McDougall, lui demanda des détails sur chacune des étapes de l'enquête, puis se déclara satisfait. En se levant, Dolan échangea un regard discret avec Éléonore. Celle-ci le salua d'un signe de la tête. Ensuite, l'inspecteur regagna son bureau, dans l'édifice voisin.

Le juge prit la parole à l'intention de la petite assemblée.

— Madame, mademoiselle, messieurs, je vous ferai parvenir ma décision par écrit vendredi. Toutefois, la situation me paraît tout à fait claire, aussi j'autoriserai messieurs Kenneth et Stanley à s'occuper de l'administration des affaires familiales jusqu'au retour d'Archibald McDougall, ou jusqu'à la confirmation de son décès. Toutefois, je veux être informé de toutes les décisions importantes afin de m'assurer que les volontés exprimées dans le testament déposé au greffe soient respectées.

Dans son coin, Andrew fit un large sourire. Sa sécurité financière, et celle de sa mère, étaient garanties. Au même moment, Kenneth tourna la tête dans sa direction. Lui aussi avait de bonnes raisons de se sentir satisfait. Cependant, son visage trahissait sa contrariété.

En quittant la table après le petit déjeuner, Kenneth s'arrêta devant sa sœur pour s'enquérir :

— Penses-tu qu'Andrew a couché dans sa chambre, hier soir ?

— Franchement, tu as de ces questions !

Éléonore discernait un sous-entendu dans ces paroles.

— Je sais bien qu'il va souvent te dire bonsoir quand il arrive à la nuit tombée.

— Pas si souvent. Je ne l'ai pas vu hier, mais cela ne veut rien dire.

— Bon, avec un peu de chance, je le croiserai peut-être à la fonderie aujourd'hui. Une chose est certaine, je n'irai pas le chercher dans l'un de ses bordels.

La jeune femme rougit à cette allusion. Oui, son demi-frère devait fréquenter des endroits de ce genre.

— Crois-tu que ce soit une bonne idée de t'exprimer de cette manière devant les domestiques ?

Cette fois, l'aîné parcourut la pièce des yeux. Dans tous les endroits communs de cette maison, en effet, des oreilles écoutaient. Mieux valait se faire discret, après tout il discutait des habitudes d'un parent.

— Désolé, cela n'arrivera plus, la rassura-t-il dans un murmure.

Puis il sortit. Un valet vint débarrasser le couvert de Kenneth, l'ombre d'un sourire sur les lèvres. Certes, cette histoire animerait les discussions dans les quartiers des domestiques.

Pendant les fêtes, des employés avaient sacrifié leur congé afin de transporter une partie du contenu du bureau de Kenneth dans celui de son père. L'encombrement était tel que le fils McDougall risquait de ne pas s'y retrouver pendant les semaines à venir, mais au moins, il savait qu'il était devenu le patron. La perspective que son père réapparaisse un jour lui semblait saugrenue : désormais, la place était la sienne.

Il était dix heures passé quand April frappa à la porte du bureau du directeur.

— Monsieur, je lui ai dit que vous vouliez le voir. Il a répondu qu'il viendrait...

Andrew ne connaissait pas le sens du mot « maintenant ». Jurer n'aurait servi à rien, autant l'attendre en silence. Le benjamin franchit enfin la porte une heure plus tard.

— Te voilà donc installé ici, à la place du patron, lança-t-il en entrant.

— Tu étais au tribunal avec nous. Je suis à ma place, à moins que tu ne sortes papa de sa cachette.

— Peut-être le pourrais-je.

L'affirmation amusa Kenneth. En toutes circonstances, ce gamin prétendait maîtriser la situation, alors que tout lui échappait. Son aîné lui désigna la chaise devant son bureau.

— Je veux mettre fin à la mascarade. Tu n'es d'aucune utilité ici. Ne reviens plus.

L'ordre – car il s'agissait bien de cela – laissa le jeune homme bouche bée.

— Tu ne peux pas. Le juge nous a communiqué sa décision par écrit vendredi dernier. Tu dois respecter le contenu du testament.

— Le testament ne parle pas de ton emploi. J'ai vérifié avec mon avocat. Par contre, un juge pourrait conclure que tu as droit à un montant mensuel pour assurer ta subsistance. Tu en recevras un, à déduire de ta part de l'héritage le moment venu. D'ici là, je dirige cette fonderie, et je ferai tout pour la faire prospérer. Mais je n'ai pas à endurer ta présence ici.

— Je vais te poursuivre !

— Tu en as le droit. Je me défendrai.

Jamais l'aîné n'aurait agi de la sorte sans avoir l'assurance d'être dans son droit. Mieux valait garder le profil bas, pour conserver son allocation.

— Nous sommes encore au début de janvier, alors voilà pour toi.

Kenneth ouvrit un tiroir de son bureau, en tira un rectangle de papier pour le lui tendre.

— Tu recevras le même montant chaque mois.

Andrew n'avait pas les moyens de lever le nez sur cet argent. Il prit le chèque tout en affirmant :

— Je t'assure que je consulterai un avocat.

— Comme tu veux. Je suis même prêt à te le payer. Mais ce n'est pas tout. Tu vas quitter la maison.

Cette fois, le jeune homme demeura interdit. Ne plus venir à l'usine ne changerait pas grand-chose à son existence, mais la vie dans le grand domaine à flanc de montagne lui plaisait bien.

— Tu ne peux pas me chasser.

L'aîné eut un air ennuyé, comme si répéter sans cesse les mêmes arguments lui pesait.

— Je peux faire à ma guise.

— Tu es le patron de cette usine, je veux bien l'admettre, mais tu ne peux pas me chasser de la maison de mon père.

Kenneth fronça les sourcils. L'argument porterait sans doute dans un tribunal.

— Tu peux toujours aller vivre chez ta mère.

— Elle n'a pas la place.

— Ou ailleurs. Je suis disposé à payer ton loyer. Tiens, tu pourrais occuper un appartement dans le même édifice qu'elle.

Avec l'allocation mensuelle, cela lui procurerait un joli cadre de vie pour attendre ses vingt-neuf ans. À ce moment, il serait vraiment riche. Il savait qu'il pouvait compter sur ses deux aînés pour bien gérer les affaires familiales.

— Pas question que je quitte la demeure paternelle. J'en ai été privé trop longtemps.

Au lieu d'entendre encore les arguments et les promesses de Kenneth, il préféra décamper. En le saluant, April afficha un sourire narquois.

Comme des années plus tôt quand André éprouvait des ennuis d'adolescent, il accourut chez sa mère.

— Tu n'as plus d'emploi, devina-t-elle.

— Je n'ai jamais eu d'emploi, seulement quelqu'un qui me donnait un salaire. Il va continuer de le faire.

— Ce n'est pas la même chose.

Annie Vallerand s'arrêta là. Après tout, dans quelques années, l'héritage ferait de lui un grand bourgeois de Montréal.

— Aller jusqu'à te chasser de la maison, reprit-elle. Il cherche à t'humilier.

— À rendre l'atmosphère plus respirable, plutôt.

La tension que sa seule présence créait dans la famille l'amusait. Au début, il s'agissait de son seul objectif. Au cours des deux dernières années, des motifs plus ambitieux s'y étaient ajoutés.

— Tu le sais, tu peux toujours venir loger ici…

— Non, pas dans un espace aussi réduit. Surtout, je ne veux pas déménager, car je ne pourrai plus jamais remettre les pieds dans la maison.

— Mais tu pourras en dénicher une aussi belle, dans sept ans.

— Ça, c'est une éternité.

Tout de même, il demeurerait toute la journée dans le petit appartement douillet, le temps de se faire dorloter un peu.

L'inspecteur Dolan connaissait très bien la honte. Celle de l'orphelin éduqué grâce à la générosité d'un curé, celle de l'adolescent concupiscent élevé par des eunuques qui savaient le rendre coupable des manifestations de son corps, puis celle d'être devenu policier après une formation de prêtre raté. Sans compter son malaise devant toutes les femmes : le désir et l'impuissance.

Pourtant, en cette fin d'après-midi du samedi 14 janvier, il souhaitait disparaître sous terre. Depuis plus de dix jours, il cherchait le courage de donner suite à son engagement auprès d'Éléonore. Très bientôt, il ne resterait plus une place disponible pour le combat d'Émile Maupas. Dans de telles circonstances, une solution définitive s'imposait.

Dans le minuscule hall du bordel, le concierge le reçut avec un ricanement moqueur.

— Après le dessin, vous v'nez pour écrire une chanson ?

— Je t'ai dit que tôt ou tard, nous nous croiserons au poste de police.

Ce rappel, et le tutoiement, ramenèrent le portier à plus de politesse.

— La patronne est à la même place que d'habitude.

La tenancière esquissa une grimace en le voyant. Les premiers clients arriveraient bientôt, la présence d'un policier serait mauvaise pour les affaires.

— Bon, c'est quoi, asteure ?

— La jeune fille, Sofia…

La vieille femme le regarda d'abord sans comprendre. Elle allait lui demander de continuer, puis l'embarras du visiteur faillit lui provoquer un fou rire. Elle se retint à temps, sachant trop bien qu'un inspecteur blessé dans son orgueil risquait de devenir vindicatif.

— Là, vous avez raison, c'est la plus belle. Pis imaginative. Vous le regretterez pas. V'nez.

Dolan se réjouit de ne pas avoir à formuler explicitement la demande, tout en se désolant de manquer de courage à ce point. La souteneuse se leva péniblement, s'engagea dans un escalier. Plusieurs portes donnaient sur le couloir, des voix parvenaient à leurs oreilles. Les filles profitaient d'un moment de liberté avant l'arrivée des clients. Le nouveau venu devait tout de même se résoudre à exprimer un besoin à haute voix.

— Madame, vous pouvez certainement me vendre une capote ?

Les mots du docteur Baxter lui revenaient en mémoire. Tant qu'à en être rendu à fréquenter un bordel, autant tout faire pour éviter de connaître le même sort qu'Annie Vallerand.

— Ah ! Mes filles ont pas de maladies.

— J'en voudrais une.

Elle accepta d'un signe de la tête. Comme elle ne faisait pas mine de tourner les talons pour lui dénicher l'objet, il en conclut que la prostituée devait en faire commerce aussi, en plus de ses charmes. Tant mieux, car l'idée de se procurer un tel article dans une pharmacie le paralysait.

La tenancière frappa à une porte, l'ouvrit sans attendre de réponse. La jeune femme se tenait là, un vêtement de nuit sur le dos.

— Sofia, regarde qui r'vient nous voir pour une visite de courtoisie. En plus, il a la gentillesse de d'mander lui-même une capote.

Si toutes ces filles demeuraient en bonne santé – une affirmation difficile à croire –, c'était grâce à leur comportement prophylactique. Elles évitaient également tout risque de grossesse, ce qui s'avérait tout aussi intéressant du point de vue des affaires.

— Bon, je vous laisse.

En sortant, la vieille femme ferma soigneusement la porte. Dolan demeura debout, silencieux, les yeux fixés sur la jeune Syrienne. Son érection avait été immédiate lors de son arrivée dans le bordel. Maintenant, son sexe restait inerte. Après avoir éprouvé la honte de se rendre dans ce lieu, aurait-il celle d'être impuissant ?

Quoique jeune, ou parce qu'elle était jeune, Sofia avait sans doute eu droit à sa part de puceaux. Dans le lot, certains devaient avoir vingt-cinq ans, ou plus. Elle laissa tomber son peignoir sur une chaise, puis alla chercher une petite boîte ronde pour la poser sur le chevet, près du lit. Sa chemise de nuit ne cachait pas grand-chose, tout en soulignant certaines parties de son anatomie. Quand elle lui fit dos, il admira sa chute de rein et ses fesses. Puis elle se tourna pour lui donner un bel aperçu de ses seins, dont les pointes sombres se devinaient sous le tissu.

— En général, le client enlève ses vêtements, au moins en partie.

Le rouge monta aux joues de Dolan. Il aurait dû profiter du fait qu'elle ne le regardait pas pour retirer son pantalon. Il porta les mains à sa ceinture, puis se dit qu'il convenait d'abord d'ôter son manteau et son melon. Bonne fille, elle s'occupa de les accrocher près de la porte. Avant de se défaire de son pantalon, l'inspecteur hésita encore. Comme pour l'encourager, la fille choisit ce moment pour enlever sa chemise de lin. Les yeux sur le triangle noir de son pubis, le client devint frénétique. Le pantalon tomba sur le sol, et elle vint défaire les boutons de sa chemise.

À la paresse momentanée de son sexe succédait une raideur douloureuse, accompagnée de la crainte de se répandre dans son sous-vêtement.

— Ça aussi, précisa-t-elle en défaisant un bouton de la combinaison.

Le froid conduisait tous les hommes à porter ce long vêtement d'une pièce, allant des chevilles au cou. Si l'idée de se retrouver nu comme un ver faisait remonter toute la pudeur héritée du Séminaire, son excitation l'amena à s'exécuter.

Le contraste entre sa pilosité noire et le fin duvet de la jeune femme était saisissant. Dolan se faisait l'impression d'être un singe, comme ceux du parc Sohmer. La Syrienne le prit par le bras pour l'entraîner derrière un écran de toile. Un broc rempli d'eau était posé dans un grand plat de porcelaine. La jeune femme y versa deux ou trois tasses de liquide, s'enduisit les mains de savon et prit son sexe. Le grognement de Dolan traduisit sa surprise et sa gêne, mais surtout son plaisir. La toilette intime permettait à la prostituée de chercher des traces d'une maladie honteuse, ou encore de morpions.

Satisfaite de son examen, une main fermée sur le sexe de son client, elle amorça des mouvements de va-et-vient. Les plaintes de l'homme allèrent en augmentant ; il se pencha en avant, appuya la main sur la petite commode devant lui. Sofia dirigea les longs jets vers la vasque. L'abondance tira un petit rire à la jeune femme.

— Il était temps, sinon tu te serais noyé dans ta propre semence.

Dans les circonstances, passer au tutoiement semblait tout à fait naturel. La remarque ajouta à sa honte ; en même temps, l'inspecteur s'attristait que cela finisse ainsi. La suite le détrompa :

— Maintenant, tu seras sans doute un peu moins intimidé. Viens.

Dolan ne perdait rien de son érection. Elle s'assit sur le lit, l'amena à se placer entre ses genoux, puis chercha la petite boîte cylindrique sur la table. À l'intérieur se cachait un tube de caoutchouc vulcanisé. Elle le lui enfila avec toute l'habileté acquise par l'expérience.

— Je veux le garder, murmura l'inspecteur.

— Tu as de grands projets ?

De nouveau, Sofia laissa échapper un petit rire, mi-moqueur, mi-attendri.

— Alors, tout à l'heure, tu le laveras toi-même.

Elle se laissa choir sur le dos, remonta ses pieds pour les poser au bord du lit, les jambes écartées. Entre ses cuisses, les poils laissèrent entrevoir une fente luisante.

— Tu devines la suite, je suppose.

Dolan se plaça sur elle, buta sur les cuisses, le ventre. Sa nervosité le rendait fébrile. Gentiment, Sofia prit son sexe pour en poser le bout à l'entrée du sien. Il s'enfonça d'un seul coup, jusqu'au fond, ses couilles battant contre le périnée. Elle lâcha un grand « Ahh! ». Il fit mine de se retirer en disant :

— Je vous ai fait mal.

Elle ramena ses jambes contre son dos, comme des ciseaux, afin de le retenir.

— Ce genre de douleur, les femmes l'endurent depuis toujours. Puis, tu es le premier de la journée.

La réflexion le rassura. L'idée d'être le dixième ou le vingtième lui aurait donné envie de vomir. Le mouvement des hanches lui vint spontanément. Malgré le caoutchouc, il avait l'impression d'une main chaude enserrant son sexe.

Chapitre 22

Sofia faisait montre d'un talent certain. Dolan jouit une seconde fois, un brin trop vite, en s'agitant sur elle. La troisième fut de loin la plus agréable. Assise sur lui, la prostituée contrôlait la profondeur de la pénétration, l'angle d'entrée de la verge. Elle étira si bien les choses que maintenant, des bruits nombreux émanaient du couloir. Les clients arrivaient, l'inspecteur ne sortirait pas de là en toute discrétion.

Une fois rhabillé, il s'affaira à nettoyer le condom dans le bassin dont il avait précédemment renouvelé l'eau. La jeune femme avait remis sa chemise de nuit et son peignoir.

— Vous avez retrouvé votre gars ?

Comme il la dévisageait sans comprendre, elle précisa :

— Celui qui s'est querellé avec votre disparu.

L'inspecteur remit le condom dans sa boîte, la glissa dans la poche de son manteau.

— Non, je ne l'ai pas retrouvé.

— Pourtant, son portrait était dans le journal il y a huit jours.

Devant le visage intrigué de l'inspecteur, elle précisa encore :

— L'article parlait du partage de la fortune de…

Elle avait la bonne idée d'oublier très vite le nom de ses clients. Le policier s'en réjouit, car les bonnes gens de

Montréal n'aimeraient pas savoir qu'il fréquentait des lieux pareils.

— Quand je pense qu'il s'agissait de son père ! soupira Sofia. J'ai déjà vu des pères venir ici avec leur fils, mais jamais se disputer comme ça.

McDougall avait donc rencontré l'un de ses garçons dans un bordel. Que l'un reproche à l'autre sa présence dans ce lieu paraissait absurde. Se livrer au même péché aurait dû au contraire créer une complicité.

— Vous ne vous souvenez pas du tout du motif de la querelle ?

La jeune femme fit d'abord non de la tête. Puis, elle précisa :

— Il parlait de répandre des maladies…

— Dans le journal, vous avez appris son nom ?

— Sous la photo, c'était écrit Andrew. Ici, il se faisait appeler Andy.

Dolan était stupéfait. Tout un scénario se mit à se dérouler dans sa tête. Le fils retrouvant son père dans une maison close, puis l'échange de mots aigre-doux – et de coups, peut-être – car le second avait contaminé sa mère.

— La date… Vous souvenez-vous de la date ?

— Non.

Sofia semblait déçue de ne pas pouvoir l'aider davantage. Elle réfléchit encore, puis ajouta :

— Dans le journal, on disait que le bonhomme était disparu le 4 novembre. Le jour de la querelle, il y avait une fête, celle des morts.

— Le 2 novembre. Les catholiques célèbrent la fête des fidèles défunts.

Si elle lui avait révélé ce fait lors de sa première visite, son enquête aurait pris une tournure très différente. Il lui tardait maintenant de parler de nouveau à Andrew McDougall.

— Je vous dois combien?

Le visage de la jeune femme s'assombrit, comme si cette conclusion à leurs ébats la peinait.

— L'argent, c'est madame qui s'en occupe.

— Et vous?

Elle haussa les épaules. Dolan devinait que le travail dans une maison de ce genre devait ressembler à de l'esclavage. Il fouilla dans le fond de sa poche, sortit un billet de deux dollars pour le lui tendre. Dans sa paroisse d'origine, cela représentait deux jours de salaire pour un travailleur sans qualification. La jeune femme l'attrapa prestement.

— Merci, monsieur le policier.

Le rappel de sa fonction lui donna envie de partir immédiatement. De toute façon, le temps de la fille était compté. La quitter avec un «bonne soirée» aurait été ridicule. Il se contenta de la saluer d'une inclination de la tête, puis sortit. Dans le couloir, il croisa quelques hommes et un nombre au moins égal de femmes. Les premiers fixaient les yeux au sol ou feignaient de s'intéresser à la couleur du papier peint. La crainte de rencontrer un voisin les rendait prudents.

Au rez-de-chaussée, Dolan vit la tenancière dans un salon, affreusement maquillée, portant une robe dont le décolleté laissait voir la moitié de ses seins flasques.

— Oh! Tout ce temps! Vous avez de l'appétit, monsieur l'inspecteur. Elle sait y faire, hein?

Le ton gouailleur déplut à l'inspecteur. Il lui tardait de partir.

— Combien? Combien pour ces services et pour le préservatif?

— Pour vous, rien.

Dolan voulut protester, mais il redoutait d'entendre son interlocutrice insister, multipliant les «monsieur le policier» pour signifier aux témoins de la conversation qu'elle jouissait d'une certaine protection. En outre, il devait convenir qu'après le petit cadeau à la prostituée, payer pour le temps passé à l'étage pèserait sur ses ressources.

Remercier son hôtesse à haute voix aurait été reconnaître lui être redevable. Le policier la salua d'un signe de la tête, puis sortit. Tout de même, il venait de contracter une dette, qu'il l'admette ou non.

Le lundi matin, 16 janvier, la première pensée de Dolan fut d'écrire un mot à Éléonore McDougall. La veille, tout au long de la journée, il s'était demandé si sa visite au bordel réduirait le malaise qu'il ressentait en sa présence. Pour le savoir, il lui fallait donner suite à son invitation… à l'inviter.

Toutefois, sur le chemin du bureau, il acquit la conviction que la nouvelle tournure de son enquête rendrait suspecte toute rencontre avec l'un des membres de la famille McDougall. En conséquence, il se contenta de vérifier si une autre affaire devait retenir son attention, puis il se remit en route.

Pendant tout le trajet, le froid vif lui mordit les oreilles. Le melon ne suffisait plus en cette saison, il lui faudrait porter un bonnet chaud ou risquer des engelures. Obligé de forcer le pas, il arriva bien vite à la Dominion Foundry. Le vieux gardien, vêtu d'un capot de chat sauvage et d'un couvre-chef de la même fourrure, le reçut en disant :

— Bin, ça fait longtemps qu'vous êtes pas v'nu icitte. Si c'est pour voir le jeune, vous s'rez déçu.

— Comment ça ?

— Ou y s'est tanné, ou l'nouveau patron l'a mis à la porte.

L'inspecteur eut une hésitation, puis conclut l'échange sur un « merci ». La neige tombée pendant la nuit rendait la cour de l'entreprise toute propre. Cela ne durerait pas. Dans la grande bâtisse, il constata que le nombre de travailleurs avait été divisé par deux depuis sa première visite. Le jugement, rendu public peu de temps auparavant, permettrait sans doute à Kenneth de relancer l'entreprise. Ou alors la prospérité reviendrait avec le printemps, comme on le voyait dans de nombreux secteurs d'activité.

En haut de l'escalier, Dolan aperçut la charmante April, souriante. Elle lui confirma l'absence – définitive – d'Andrew.

— Je peux voir le directeur une petite minute?

— Je vais le lui demander tout de suite.

Il la regarda s'éloigner, appréciant l'ondulation des hanches. Sa nervosité s'estompait, au moins en partie, devant une jolie femme. Elle revint.

— Vous avez de la chance, il va vous recevoir. Sa porte est ouverte, au bout du couloir.

La secrétaire reprit sa place, s'évitant la corvée de l'escorter. Dolan frappa contre le cadre pour annoncer sa présence, puis entra.

— Que puis-je faire pour vous, inspecteur?

Kenneth se tenait près d'un classeur, à la recherche d'un document. Il semblait avoir pris du poids depuis l'automne précédent.

— Vous occupez un nouveau bureau?

— Celui de mon père.

Tout de suite, il se corrigea:

— Le mien. Vous voulez parler à Andrew, je crois. Vous ne le trouverez plus ici.

— Vous l'avez renvoyé?

Cette fois, le patron se redressa pour le regarder dans les yeux.

— Voilà une bonne question. Peut-on renvoyer un gars qui ne fait rien? Je vous laisse en juger...

— Dans ce cas, où pourrais-je le rencontrer ?

— Depuis quelques jours, il paraît résolu à ne plus quitter la maison. Vous le trouverez là-bas. Je peux faire autre chose pour vous ?

Poliment, il lui demandait de partir.

— Non. Merci, monsieur, grommela Dolan en tournant les talons.

Une fois dehors, il se résolut à revenir sur ses pas jusqu'à la gare Bonaventure, où il trouverait un cocher pour le conduire sur le mont Royal.

Des traîneaux remplaçaient les voitures à cause de la couche de neige encombrant les rues. Quelques minutes plus tard, Dolan descendait devant la porte de la grande demeure des McDougall.

— Vous m'attendrez ici, ordonna-t-il au cocher.

Il s'apprêtait à frapper à la porte quand il entendit :

— Eugène… je veux dire, monsieur l'inspecteur, je suis heureuse de vous voir.

Éléonore s'avançait vers lui, un sourire un peu triste sur les lèvres. Aussitôt, le policier se sentit coupable de ne pas lui avoir donné de nouvelles depuis le 1er janvier.

— Mademoiselle, je suis aussi fort heureux de vous revoir.

Comme elle le contemplait de ses grands yeux gris, il insista :

— Vraiment.

— Pourtant, je croyais que vous aviez oublié votre amie.

Son manteau de fourrure, sa toque de vison lui donnaient belle allure. Ses cheveux, attachés lâchement par un ruban, pendaient bas dans son dos.

— Non, je ne vous oublie pas. Toutefois, la distance entre nous demeure la même.

Oui, son escapade dans l'établissement de la rue Saint-Laurent lui donnait une petite assurance. Au moins, il voyait Éléonore comme une femme, et non comme un être éthéré.

— Peut-être inventez-vous cette distance.

Elle tourna les talons. Il fit trois pas pour la rejoindre, la prit par le bras pour la forcer à s'arrêter. Quand elle lui fit face de nouveau, il lui promit :

— Je mettrai un mot à la poste pour vous, dès demain matin.

Cette fois, le sourire d'Éléonore parut moins triste. Pour alléger le climat de cette rencontre fortuite, il demanda :

— Vous profitiez de ce beau jour pour vous promener ?

— Qu'il fasse beau ou non, je marche au moins une heure tous les jours.

— Ce terrain est immense.

— J'en connais pourtant tous les recoins.

C'était une façon de mentionner à mots couverts son ennui dans son grand château. Des aboiements attirèrent leur attention. Deux gros bouviers couraient dans leur direction.

— Ces chiens…

— Ce sont de bons gardiens.

Puis elle s'approcha des bêtes en les appelant par leur nom : Apollon et Jupiter. Les chiens se calmèrent bientôt. Quand elle revint vers Dolan, elle affirma :

— Vous n'êtes pas venu ici pour me voir, si vous songez à m'écrire.

— Non, je veux parler à Andrew.

— Vous le trouverez sans doute à l'intérieur… peut-être au lit.

Cette fois, flanquée de ses deux chiens, la jeune femme s'éloigna. Pendant un bref instant, il l'imagina toute nue, avec ses longs cheveux répandus sur ses épaules. Cela suffit à lui donner une érection. Autant revenir à son travail.

Un majordome répondit à ses coups à la porte. Le policier lui mit sa plaque sous les yeux tout en disant :

— Je veux voir Andrew Vallerand.

— Vallerand ?

— Ou McDougall.

Le valet s'écarta pour le laisser entrer et referma la porte dans son dos.

— Monsieur n'est pas levé. Vous pouvez l'attendre dans la bibliothèque.

Dolan examina le beau plancher en bois luisant, puis ses pieds. Au lieu de forcer une domestique à le suivre avec une serpillère à la main, il enleva ses couvre-chaussures. L'instant d'après, il s'asseyait dans un fauteuil tendu de cuir, dans une salle aux murs couverts de rayonnages. Éléonore avait accès à de la lecture pour toute une vie. Robert Browning se trouvait sans doute là.

Le silence régnait dans la somptueuse demeure. Les domestiques passaient de grandes journées à tout astiquer, communiquant par des murmures. Oui, on pouvait s'ennuyer dans un pareil environnement. Comme le temps défilait, l'inspecteur se leva pour regarder la surface d'un lourd bureau de chêne. Quelques papiers s'y étalaient, des factures, des commandes, les traces de l'administration de cette maison. Octavia devait s'installer dans cette pièce tous les jours, pour s'en occuper.

Un bruit dans le couloir le ramena à sa place. Il se leva presque aussitôt pour serrer la main d'Andrew. Le jeune homme lui adressait son plus beau sourire. Les paroles d'Éléonore lui revinrent en mémoire : c'était quelqu'un qui dissimulait ses véritables sentiments sous des manières avenantes. Il trompait sans doute facilement ceux qui le côtoyaient, au début. À la longue, l'effet devait s'émousser.

— Monsieur Dolan, qu'est-ce qui me vaut cette visite matinale?

— Il est bien dix heures, maintenant.

— C'est ce que je disais, de bon matin.

Il prit un fauteuil en face du visiteur. Son peignoir, passé sur une chemise de nuit, prouvait qu'il sortait bien du lit.

— Je me suis rendu compte que le récit de vos dernières rencontres avec votre père est très incomplet. Je souhaite donc clarifier certains faits.

L'inspecteur chercha dans sa poche un carnet et un crayon. Déjà, il observa que le sourire de son interlocuteur se figeait.

— Quand avez-vous vu votre père pour la dernière fois?

— Je vous l'ai dit déjà, le 4 novembre, dans la journée.

— Et la fois précédente?

Cette fois, le sourire disparut tout à fait, le visage se crispa.

— Est-ce que je sais, moi? Sans doute le matin au moment de déjeuner, ou la veille au souper... Nous vivions dans la même maison, nous travaillions dans le même établissement.

— Aucune rencontre dans un endroit... incongru?

Andrew se creusa la tête, esquissa une grimace.

— Incongru? Vous voulez dire, dans un mauvais lieu?

Puis son visage reprit machinalement le masque du sourire.

— On vous a vraiment tiré du Séminaire?

Devant le silence du policier, il continua:

— Nous nous sommes croisés dans un bordel un peu auparavant, je ne sais trop quand.

— Le 2 novembre.

— Si vous le dites.

Le jeune homme se leva pour tirer sur un ruban pendant le long du mur.

— Monsieur Dolan, je demande du café pour vous ? Ou du thé ?

L'inspecteur secoua la tête de droite à gauche. Quand un valet se présenta à la porte, le garçon commanda tout de même du café pour deux.

— C'est peut-être une question d'hérédité. Oui, l'auteur de mes jours et moi-même fréquentions des maisons de plaisir. Mais croyez-moi, jamais ensemble. Cette rencontre était un pur hasard.

— Je n'en doute pas. Il paraît que vous vous êtes querellés, à cette occasion.

Le visage d'Andrew trahit une véritable inquiétude. Il savait que cet événement le mettait sur la liste des suspects, si la police interprétait la disparition comme un meurtre.

— Cela arrive dans les meilleures familles.

— Il arrive aussi qu'un homme ramène de ces lieux une infection, pour la partager avec son épouse ou sa maîtresse.

— Ça, monsieur, je ne le permettrai pas…

Il se leva pour se placer devant Dolan, menaçant.

— Calmez-vous.

L'inspecteur attendit que son interlocuteur récupère son siège avant de poursuivre :

— Archibald a transmis la syphilis à votre mère.

Andrew serra les mâchoires. Nier ne servirait à rien, le policier pouvait avoir accès aux dossiers médicaux.

— C'est pour cela que vous vous êtes disputés, au bordel.

— Avec sa queue pourrie, il continuait d'empoisonner des femmes. C'est ça que je lui ai dit, ce jour-là.

Dolan songea à son condom, bien caché dans sa chambre. Puis à Sofia. La prostituée faisait sans doute partie de la liste des malades, ou alors ce serait le cas bientôt.

— Même si c'était vrai, vos paroles n'ont sans doute pas amélioré vos relations. Il a dû avoir envie de vous chasser d'ici et de l'usine.

— Je demeurais tout de même son fils. Des disputes surviennent dans toutes les familles.

— Certaines sont plus graves que d'autres. Quand un homme disparaît après une querelle, le hasard a quelque chose de troublant. Me dissimulez-vous d'autres informations utiles ?

Lentement, Andrew secoua la tête de droite à gauche. Deux coups légers contre la porte lui permirent d'interrompre l'échange, au moins pour un moment.

— Voilà le café.

D'un bond, il alla ouvrir, puis il pria le valet de poser le plateau sur le bureau.

— Venez vous asseoir ici, ce sera plus pratique.

Déjà, le jeune homme s'installait derrière le meuble, tout en lui désignant la chaise placée juste en face.

— Je vous remercie, mais je dois retourner au poste de police.

Andrew salua son visiteur comme s'ils venaient de tenir une agréable conversation. Dolan retrouva son chemin sans peine, puis il remit ses couvre-chaussures sans que le majordome se manifeste. Le domestique devait juger qu'un policier ne méritait aucun égard.

Dehors, Dolan chercha Éléonore des yeux, sans la voir. Elle devait être rentrée. La perspective de lui écrire une lettre lui laissait une impression mitigée. Il serait plus facile d'exprimer sa pensée sans avoir ses grands yeux gris fixés sur lui. Mais il lui dirait quoi, exactement ?

Seul dans la bibliothèque, Andrew n'avait plus besoin de donner le change. Son visage trahissait toute son angoisse. Maintenant, la police pouvait le soupçonner de meurtre. Comme motif, la contamination de sa mère en valait bien un autre. À celui-là s'ajoutait la crainte de se voir chassé à la fois de la maison et de l'usine, et exclu du testament. Jeter à son père qu'il avait la queue pourrie n'aidait pas au maintien de relations harmonieuses dans la famille.

À présent, le froid empêchait toute odeur de sourdre de la terre. Même les chiens ne devaient plus rien percevoir. Impossible de compter sur la découverte du corps avant le printemps. À moins de donner un petit coup de pouce au destin.

Les promenades nocturnes procuraient un loisir gratuit aux travailleurs et aux travailleuses. À la mi-janvier, il fallait tout de même un peu de courage pour en profiter. Dolan possédait un bonnet de laine fourré de peau de lapin. Une fois attaché, le chapeau le préservait du froid, mais lui donnait un air ridicule.

Une chose le rassurait : le couvre-chef de Juliette ne s'avérait pas plus élégant. Quand ils revinrent vers la maison de chambres, les passants durent les prendre pour un couple de paysans venus se perdre en ville. Ou alors pour des citadins résolus à éviter les engelures.

Une fois à l'intérieur, le policier aida sa compagne à enlever son manteau, pour le suspendre ensuite. Juliette l'observait de biais, incertaine. Elle s'attendait probablement à une invitation pour le dimanche suivant. La semaine précédente, elle avait fait connaissance avec la nouvelle merveille de la ville : les images animées. Déjà, des enthousiastes clamaient que le Ouimetoscope devait être agrandi.

L'idée d'une promenade en traîneau sur le mont Royal la mettrait aux anges. Pourtant, Dolan ne dit pas un mot en ce sens. De toute façon, ils souperaient ensemble à cinq reprises, avant de convenir du programme de leur prochaine journée de congé.

— Je vous souhaite une bonne fin de soirée, Juliette.

— Vous ne venez pas au salon ? Madame Sullivan va jouer du piano.

— Non, je dois écrire une lettre.

— Ah bon...

En réalité, elle voulait dire : « À qui donc ? » L'un et l'autre n'avaient personne avec qui entretenir une correspondance. Il ne pouvait pas lui révéler la vérité. Quant à l'envoyer au diable, cela ne se faisait pas entre voisins.

— Je veux garder le contact avec certains de mes anciens professeurs. Nous sommes déjà le 16, et je n'ai encore envoyé mes vœux de bonne année à personne.

Sur ces mots, il lui souhaita de nouveau une bonne soirée et s'engagea dans l'escalier. Une fois dans sa chambre, l'inspecteur prit son temps pour sortir du tiroir de sa table une liasse de feuilles et un petit encrier. Son engagement du matin lui pesait, maintenant. Trois fois, il commença, et trois fois, il biffa ses quelques lignes maladroites pour se saisir d'un nouveau feuillet. Il ne les jeta pas, un papier de cette qualité coûtait cher. Il en utilisa tout de même un comme brouillon. « Je me plais en votre compagnie » représentait une bonne introduction. « Vous avez tout et je n'ai rien » lui parut sottement mélodramatique, mais cela décrivait bien leur réalité respective.

Le résultat final ne lui inspirait aucune fierté, mais mieux valait remplir médiocrement une promesse que de ne pas la tenir du tout. L'avantage de la correspondance sur la conversation lui apparaissait clairement. Sans les beaux yeux gris posés sur lui, il pouvait exprimer ses sentiments. Et quand elle les lirait, la distance lui épargnerait de rougir comme un séminariste.

Deux jours plus tard, Éléonore parcourait les deux paragraphes pour la dixième fois peut-être. Elle aurait pu les réciter de mémoire. Pauvre et fier. Une qualité, et pas tout à fait un défaut. Évidemment, il avait raison. La proximité d'une personne inaccessible pouvait devenir douloureuse. Réciproquement inaccessible. Personne, dans ce grand domaine, n'autoriserait une union avec lui. Aux yeux des membres de sa famille, mieux valait mourir vieille fille.

— Voilà que je pense à une union, murmura-t-elle. Je suis ridicule. Je désire seulement quelqu'un pour m'escorter quand je sors de la maison.

Toutefois, ce rôle pouvait revenir à un valet. Il s'agissait d'en trouver un qui soit à la fois grand et costaud. Ses frères finiraient par accepter de lui fournir un domestique capable de lui servir de garde du corps. Éléonore ne pouvait préférer un officier de police timide au point de demeurer muet. Pourtant, ses yeux brûlants s'exprimaient avec véhémence.

Des coups la firent sursauter. Une seule personne la dérangeait ainsi à toute heure du jour et même de la nuit, s'il voyait de la lumière sous la porte. Elle saisit son peignoir pour le passer, puis alla ouvrir. Andrew se tenait là, échevelé, les yeux un peu fous. Ses bottes avaient laissé une trace malpropre tout le long du couloir.

— Qu'est-ce qu'il y a ?

L'allure de son demi-frère suffit à l'inquiéter. Il lui présenta une chaussure mâchouillée, raidie par le froid.

— Regarde ce qu'Apollon m'a apporté, tout à l'heure.

— Un vieux godillot?

— Il appartenait à papa.

Le regard d'Éléonore changea, sa main se porta sur la chaussure, hésitante, comme au moment de toucher une sainte relique.

— Tu es certain?

— Je ne peux pas en être absolument sûr. Mais les chiens ne sortent jamais du domaine, et voilà qu'ils rapportent ce soulier. Pour ce que nous pouvons en voir, il n'est pas usé au point d'avoir été jeté.

La jeune femme demeurait hébétée, ses doigts caressant le cuir. Plus elle le regardait, plus elle était convaincue de voir le soulier de son père.

— Veux-tu venir avec moi?

— Où ça?

— Voir où ils l'ont trouvé. Viens.

Devant son hésitation, Andrew insista:

— Nous n'aurons qu'à suivre les traces d'Apollon.

— Va m'attendre en bas.

Comme il ne bougeait pas, elle expliqua:

— Tu penses que je vais m'habiller devant toi?

Andrew lui adressa un sourire ironique, l'air de dire: « Pourquoi pas? » Même en ce moment, son envie de profiter des occasions ne faiblissait pas. Il tourna les talons.

— Je serai dans l'entrée.

Éléonore chercha une robe épaisse. D'habitude, une femme de chambre laçait son corset – habitude ridicule, elle n'en avait pas besoin – et boutonnait sa robe. Cette fois, elle en prit une qui se fermait devant, l'enfila simplement sur sa chemise, puis chaussa de gros bas de laine. Cinq minutes plus tard, un chapeau de fourrure enfoncé jusqu'aux sourcils, elle se présenta dans le hall avec son manteau dans les bras.

— Passe-le-moi.

Le jeune homme l'aida à le mettre, puis tous deux sortirent. Dehors, le froid coupa le souffle de la jeune femme. Les chiens leur firent la fête, comme pour les entraîner à jouer.

— Nous n'y voyons rien, ronchonna-t-elle, déçue.

— Attends.

Andrew posa un genou sur le sol, mit la chaussure sous le museau des deux bouviers. Après avoir reniflé, les chiens lancèrent quelques aboiements brefs puis se précipitèrent entre les arbres. Cela ressemblait à un jeu.

— Nous n'avons qu'à les suivre.

— Ils vont nous promener dans le noir pendant toute la nuit.

— Alors, reste là.

Andrew s'engagea sur les traces laissées par les bêtes. Après une brève hésitation, Éléonore le suivit. Dans les taillis, la neige se révéla très épaisse, on y enfonçait jusqu'à mi-jambe, parfois plus haut. Après dix minutes, la jeune femme s'apprêtait à déclarer forfait et à plaider que mieux valait attendre le jour. Ils approchaient d'un amoncellement de pierres.

— Nous y sommes ! cria son demi-frère.

Apollon grattait le sol près du petit monticule. Il ne venait pas là pour la première fois. Andrew le saisit par son collier, tira en arrière de toutes ses forces.

— Arrête, arrête maintenant !

Après maints efforts, les deux chiens finirent par s'asseoir trois pas plus loin. Éléonore se pencha sur le trou peu profond. Une déchirure dans les nuages laissa la lune éclairer la scène. Elle distingua un pied.

— Non !

Elle se laissa tomber sur les genoux, tendit une main gantée pour toucher le corps. Son demi-frère lui prit les épaules pour la relever, la tint dans ses bras.

— C'est lui qui est là, gémit-elle dans un sanglot.

Pendant une ou deux minutes, la jeune femme se laissa enlacer, pour le repousser enfin en reniflant.

— Nous ne pouvons pas le laisser là.

— Rentrons à la maison.

— Non, je ne quitterai pas sa tombe.

Elle s'entêta quelques instants, puis rapidement baissa la tête, vaincue. Avant de s'éloigner, elle murmura :

— Nous devrions le couvrir, à cause des chiens.

— Tu as raison.

Andrew chercha des pierres pas trop grosses et dissimula le pied de son père, puis il se dirigea vers la maison en appelant les bouviers pour les entraîner avec lui. Quand ils furent près de la grande demeure, il déclara :

— Je vais les mettre dans le chenil. Va appeler la police.

— Non, pas tout de suite.

Bouleversée, elle tenait à ce que ce soit Dolan qui se présente sur les lieux, pas le premier agent venu.

— Nous ne pouvons attendre, Éléonore.

La jeune femme approuva de la tête. Au moins, elle demanderait qu'on avertisse l'inspecteur.

Chapitre 23

Le téléphone sonna dans la petite pièce où madame Sullivan effectuait ses travaux d'écriture. Même une modeste maison de chambres nécessitait la tenue de livres de comptes. À la huitième sonnerie, elle entra en grommelant, vaguement inquiète. Aucune bonne nouvelle n'arrivait au milieu de la nuit.

— Vous savez l'heure qu'il est?

Le policier, à l'autre bout du fil, écarta sans doute le cornet de son oreille, puis il énonça d'un ton impatient:

— C'est pas le temps de jouer aux devinettes. Passez-moi l'inspecteur Dolan. Tout de suite.

La dame ne pouvait pas semoncer un représentant des forces de l'ordre sans risquer une accusation d'entrave à la justice. À tout le moins, son acquiescement sonna comme un aboiement. Son peignoir bien fermé contre elle, elle monta l'escalier, puis frappa à la porte de Dolan.

Dans la chambre, celui-ci sursauta, imagina un voisin saoul déboulant l'escalier tête première. Le «Monsieur, réveillez-vous!» le tira du lit. En ouvrant la porte, il s'enquit:

— Madame Sullivan, que se passe-t-il?

— Ça, vous le demanderez à votre collègue!

Quand il sortit de sa chambre, l'inspecteur découvrit tous ses voisins de l'étage dans le couloir. Ceux-là rêvaient probablement de le voir déménager.

Dans les minutes suivantes, le policier apprit qu'un corps avait été découvert au domaine des McDougall. Avec un cadavre, la question de la succession n'attendrait pas sept ans.

On avait envoyé un cocher le prendre à la maison de chambres. Aussi, une heure plus tard, Dolan arriva au manoir des McDougall. Toute la famille s'était réunie dans le salon. La vieille Octavia se tenait toute droite dans un fauteuil, toujours dans ses vêtements de nuit. Les deux brus aussi. Les hommes, de leur côté, avaient pris le temps de s'habiller, de même qu'Éléonore. La vue de la jeune femme fit regretter à l'inspecteur de lui avoir envoyé sa lettre. Maintenant, elle ne voudrait plus le revoir. Tout de même, elle répondit à sa petite inclination de la tête.

— Pouvez-vous me dire ce qui s'est passé ?

— Quand je suis rentré à la maison, commença Andrew, les chiens sont venus vers moi, comme d'habitude. Apollon tenait ce soulier dans sa gueule.

La chaussure avait été posée sur une petite table couverte de papier journal pour en protéger le bois.

— Il s'agit de celui de mon père.

— Vous en êtes certain ?

Kenneth, soucieux d'assumer son rôle d'aîné, intervint alors :

— Nous nous souvenons d'avoir vu mon père avec ces souliers aux pieds.

L'affirmation était péremptoire, aussi l'adoucit-il :

— Ou une autre paire tout à fait semblable.

— Que s'est-il passé ensuite ? voulut savoir Dolan.

— Andrew est venu me chercher dans ma chambre, expliqua Éléonore. Nous avons suivi les chiens, pour arriver près d'un petit tas de pierres. Certaines étaient déplacées…

Le dernier mot de la jeune femme s'étouffa dans un sanglot. Son demi-frère compléta sa phrase :

— … pour laisser voir des pieds.

L'inspecteur hocha la tête. Pourquoi l'avoir fait venir en pleine nuit ? De toute façon, il faudrait attendre le lever du jour pour récupérer le corps. Ces deux-là auraient mieux fait de se taire jusqu'au matin.

— Bon, je vous conseille tous de regagner vos chambres. Mais personne ne doit quitter la maison. Ni vous ni les domestiques. Je ne sais pas qui je voudrai interroger demain.

— Mon père ? s'enquit Éléonore d'une petite voix.

— Nous ne pouvons pas nous en occuper en pleine obscurité. Je vais utiliser votre téléphone pour faire venir une équipe, puis je les attendrai ici. Si le maître de la maison m'y autorise, évidemment, ajouta-t-il en consultant Kenneth des yeux.

Rentrer chez lui, ou au bureau, pour revenir deux heures plus tard ne lui disait rien.

— Bien sûr, accepta le fils aîné. Installez-vous dans la bibliothèque. Un domestique va allumer un feu dans la cheminée et il vous apportera une couverture.

Kenneth paraissait nerveux, peiné aussi, mais il arrivait à conserver son sang-froid. Dolan le remercia d'un signe de la tête.

Même si le Chesterfield était moelleux, l'inspecteur ne fermerait pas les yeux avant le matin. Il avait l'habitude des insomnies, celle-ci s'ajouterait à beaucoup d'autres. Les jambes étendues vers l'âtre, il feuilletait un livre pris au hasard sur les rayons. Des petits coups sur la porte attirèrent son attention. En l'ouvrant, il découvrit Éléonore, toujours revêtue de la même robe. Elle non plus ne pouvait dormir. Il lui conseilla tout de même :

— Vous devriez vous reposer.

— Croyez-vous que je le puis, Eugène ?

L'usage de son prénom toucha le policier, surtout dans ces circonstances.

— J'aimerais répondre à votre lettre maintenant. Ensuite, si vous me le permettez, j'attendrai dans cette pièce.

L'inspecteur se troubla. Il s'écarta de la porte pour la laisser entrer, puis la referma doucement. Elle le regarda droit dans les yeux et déclara d'une traite :

— Malheureusement, je n'ai pas tout, et heureusement, vous n'avez pas rien. Je n'ai pas d'amis, et vous, vous avez quelqu'un qui désire être le vôtre.

Décidément, ses yeux gris lui faisaient tout un effet. Dans la situation présente, la réaction dans son bas-ventre le surprit tout de même. Après un moment, elle détourna la tête.

— Je peux m'asseoir ?

Il prit son bras pour la conduire jusqu'au Chesterfield. Assis côte à côte, ils demeurèrent longuement silencieux, les yeux fixés sur les flammes du foyer. À la fin, elle murmura :

— Je savais qu'il était mort, pourtant je me sens bouleversée.

— Bientôt, ce sera plus facile. La pire situation aurait été de ne jamais savoir vraiment.

— Vous devez avoir raison, mais cette nuit, vous me permettrez de ne pas en convenir.

Elle ramena ses jambes sur le canapé pour éviter le contact du plancher froid. Son compagnon se pencha pour récupérer la couverture sur le sol, puis la recouvrir jusqu'à la taille. Le sourire de la jeune femme constitua le plus beau remerciement.

Autour de six heures, il ne restait plus que des braises dans le foyer. Dolan se leva pour ajouter une bûche, puis reprit sa place. Éléonore s'était endormie, la tête appuyée sur le bras du canapé, ses longs cheveux étalés sur ses épaules. Ses jambes avaient glissé et touchaient la cuisse de son compagnon. Les bas de grosse laine lui tirèrent un sourire.

Malheureusement, après quelques minutes à peine, quelqu'un frappa encore contre la porte. Le majordome entra sans attendre de réponse. La présence de la fille de la maison lui donna un haut-le-corps.

— Le petit déjeuner est servi.

Un moment, le domestique se demanda s'il devait réveiller la jeune fille, pour décider d'abandonner cette initiative à ce visiteur indésirable. Quand la porte se referma derrière lui, Dolan posa la main sur le pied d'Éléonore pour le serrer doucement.

— Éléonore, vous devez vous lever.

D'abord, elle ne bougea pas, puis elle leva la tête.

— J'ai dormi, je pense.

— Sans l'ombre d'un doute. Vous pouvez aller manger.

— Rien ne passera.

— Tout de même…

La jeune femme quitta le Chesterfield tout en secouant sa robe pour en chasser les plis.

— Dans une demi-heure, je reviendrai ici, et nous irons déjeuner. En attendant, je demanderai à Jones de vous apporter une serviette, un rasoir, enfin, de quoi faire une toilette sommaire.

Les événements se déroulèrent comme elle l'avait dit. La vaste maison devait compter une multitude de salles de bain, car personne ne vint le déranger. À la pension, tous les matins, et tous les soirs avant de se coucher, se succéder dans le *water closet* n'avait rien d'agréable. Éléonore revint à la bibliothèque un moment plus tard. Sa domestique avait pris le temps de lui faire une longue tresse un peu lâche, mais elle portait la même robe.

Sans sa présence, jamais il n'aurait osé se joindre à la famille pour ce premier repas de la journée. Phénomène rare, toute la maisonnée était rassemblée, Octavia exceptée. Le policier eut droit à quelques saluts discrets. Son assiette à la main, il se servit dans les plats posés sur une table le long du mur. Une bougie allumée en dessous les gardait à peu près chauds. Instinctivement, Dolan s'installa en face de la jeune femme, choisit de prendre du café, comme elle. Personne ne cherchait à entamer la conversation. Cela pouvait tenir autant à la solennité du moment qu'à la présence du policier.

À huit heures, deux fourgons s'arrêtèrent devant la demeure. Le premier, un *patrol car*, transportait une demi-douzaine de constables, le second servirait à rapporter le corps en ville. Andrew guida le petit groupe. Les deux autres garçons de la famille, de même qu'Éléonore, entendaient assister à l'exhumation. Au « Vous devriez rester dans la maison » de l'inspecteur, elle avait répondu « Pas question ». Restait maintenant à espérer qu'elle ne s'effondre pas devant un corps sans doute abîmé, après toutes ces semaines.

Dolan voyait bien le petit monticule de pierres, tout juste assez long et large pour recouvrir un corps, non loin d'un gros amoncellement. Malgré la proximité de l'approvisionnement, la construction du cairn avait certainement demandé une heure à une personne seule ; les six policiers eurent besoin de cinq minutes pour le détruire. Les pelles ne servirent pas.

Dolan entendit un hoquet derrière lui. Malgré sa détermination, Éléonore ne parvenait pas à tenir le coup. Un cadavre aux vêtements élégants était étendu sur le sol. Sa tête était enveloppée d'un long foulard de laine. L'inspecteur mit un genou sur le sol, ôta la pièce de tissu pour dégager le visage. La chair congelée ne ressemblait guère à la photographie qu'on lui avait confiée deux mois plus tôt.

— Monsieur McDougall ?

Le regard du policier cherchait Kenneth. Le gros homme s'approcha, jeta un regard, puis hocha la tête. Pour ne pas être en reste, Stanley fit de même. Quand leur sœur avança d'un pas, Dolan l'arrêta d'une voix autoritaire :

— Pas vous, mademoiselle.

Elle porta la main à son visage, mais ne bougea plus. Seul Andrew ne manifesta pas le désir de venir voir. Le jeune homme ne se distinguait sans doute pas par son courage. Cette formalité réglée, l'inspecteur ordonna aux agents de se charger du cadavre. Les policiers passèrent les manches de leurs pelles sous le corps tout raide, puis le soulevèrent à l'unisson, avant de se diriger vers la maison. Les autres marchèrent derrière eux. Ils préfiguraient le cortège funèbre.

Les agents déposèrent le corps dans le fourgon. Dolan se tint devant les McDougall :

— Je vous offre mes plus sincères condoléances.

Déjà, il tournait le dos pour entrer aussi dans la seconde voiture, une longue boîte noire montée sur des patins, quand Kenneth le rappela :

— Et maintenant ?

— Maintenant, je poursuis mon enquête. Votre père a été tué, cela ne fait pas de doute. Je mettrai la main sur le criminel.

Le gros homme ne parut pas satisfait de la réponse. Le policier expliqua encore :

— Nous allons d'abord procéder à une autopsie. Demain, vous pourrez récupérer le corps pour les funérailles.

D'un regard, il salua Éléonore, et les autres d'un signe de la tête.

Quand Dolan se présenta à la morgue en fin d'après-midi, le même vieux gardien sourd comme un pot le reçut avec un interminable chapelet de jérémiades.

— Le médecin est arrivé ? cria l'inspecteur.

— Ça fait trois heures. Bin vot' quidam était gelé comme une crotte de chien.

Le policier se rendit dans la salle d'autopsie pour retrouver le docteur Jolicœur. Celui-ci était absorbé dans la lecture des journaux du matin.

— Quand vous m'avez fait dire de venir, il fallait préciser que le corps était pris dans un bloc de glace.

— Je ne pensais pas que vous arriveriez si vite.

Le médecin plia *La Patrie*.

— Je ne sais pas comment je dois interpréter cela.

— De la meilleure façon possible.

Le praticien hocha la tête, puis lui adressa tout de même un sourire.

— Vous pouvez commencer ? s'enquit Dolan.

— Cela dépend de ce que vous voulez savoir. Il pue maintenant assez pour pouvoir l'ouvrir, mais il y a encore de la glace dans de petits racoins, je suppose.

Le policier porta ses doigts gantés sous son nez, comme s'il remarquait l'odeur pour la première fois. Jolicœur commença par dérouler le long foulard. Il adhérait au dos de la tête, alors il tourna le corps à demi et tira un peu plus fort.

— Votre client a reçu un grand coup sur la nuque.

— Ça l'a tué ?

— Si je ne trouve pas de traces de coup de couteau, de balle ou de strangulation, certainement.

La pièce de laine aboutit dans un grand bac. Ensuite, le médecin récupéra une paire de ciseaux de bonne taille, se déplaça près du pied droit pour soulever la jambe du pantalon et du caleçon, et commença à couper en diagonale. Son expérience lui permettait de trancher toutes les épaisseurs de tissu en une seule opération, jusqu'au cou.

— Venez m'aider.

Avec dégoût, Dolan prit le bras droit de McDougall pour tirer, pendant que son acolyte poussait. À eux deux, ils parvinrent à le retourner sur le ventre. Jolicœur recommença la même opération, cette fois avec la jambe gauche. Bientôt, ils purent retirer les vêtements. Les grosses fesses de la victime lui donnaient un air ridicule, dans cette position. Le médecin l'aspergea de plusieurs grands seaux d'eau, puis montra la tête.

— Vous voyez, les os sont défoncés.

L'inspecteur s'approcha pour le constater. Le praticien examina le dos, indiqua le flanc du doigt.

— Ces marques rouges indiquent le second stade de la syphilis.

Dolan eut une pensée soulagée pour son condom, caché sous son matelas. Ensuite, il dut apporter sa contribution pour remettre le mort sur le dos. La chair du ventre portait les mêmes traces que le dos.

— Je ne vois aucune autre blessure. Le, ou les coups sur la tête l'ont tué.

Pendant que le praticien cherchait dans son sac des instruments chirurgicaux, Dolan fouilla les poches de la veste et du pantalon du défunt. Rien, pas un sou, pas de montre non plus dans le gousset. Son examen s'étendit aux mains de McDougall : pas d'anneau, pas de bague.

Jolicœur le regardait faire, un grand couteau dans les mains.

— Bon, je crois que j'en ai assez vu, déclara l'inspecteur en prenant son manteau posé sur une chaise.

Il désignait le cadavre. Un vieil homme à la chair grisâtre, gras, pas très grand. Son visage, tout comme son corps, avaient sans doute été beaux trente ans plus tôt. Il n'en restait rien désormais.

— Vous allez manquer le meilleur du spectacle.

— Merci, je ne tiens pas à vomir mon petit déjeuner.

Déjà, il atteignait la porte. Le médecin demanda :

— Vous avez besoin d'une information particulière ? Combien de temps s'est écoulé entre son dernier repas et sa mort ? Ce qu'il a mangé ?

— À le voir, il devait manger toute la journée.

De son vivant, personne n'aurait osé railler l'embonpoint de McDougall. La mort l'exposait à tous les outrages. Ce ne serait pas le pire. Jolicœur levait déjà sa longue lame.

La présence des petits crieurs des journaux donnait à Dolan l'impression que, ces derniers temps, son travail était scruté à la loupe.

— Le riche millionnaire disparu est retrouvé mort ! hurlait un garçon d'une dizaine d'années dans la rue de la Cathédrale.

Il ajoutait son propre éditorial :

— La police a mis deux mois à le trouver à cent pieds de sa maison !

L'inspecteur acheta un exemplaire, certain de lire son nom une nouvelle fois dans les pages de *La Patrie*. Voilà qui ferait oublier les commentaires admiratifs publiés lors de l'arrestation de Lacaille. Au lieu d'attendre d'être revenu à la maison de chambres, il chercha un réverbère, s'y appuya puis parcourut les quelques paragraphes. Comme la découverte du corps datait du matin, le journaliste n'avait que bien peu d'informations, et la nouvelle se trouvait en troisième page. Le lendemain, toutefois, la une serait consacrée à Archibald McDougall, avec une accumulation de détails, parfois inventés. Des agents en uniforme se procuraient une petite gloire en racontant leur histoire à des gratte-papiers. Mais pour ne pas encourir de reproches de leur chef, leurs noms n'étaient pas cités.

Sa curiosité satisfaite, Dolan continua sa route jusqu'à la maison. En passant devant la porte du salon, il lui était impossible d'échapper aux remarques de ses voisins.

— Franchement, lança O'Neil, tu as mis des annonces dans le journal pour le retrouver, alors que l'odeur du cadavre devait être perceptible jusque dans le salon de ces bourgeois.

— Quand il gèle, les odeurs ne sont pas si fortes.

— Tout de même, avoir un corps dans son jardin et ne pas s'en apercevoir…

— Ces gens possèdent la moitié de la montagne. La plupart des cultivateurs de la province se contentent de moins d'arpents de terrain.

La fréquence à laquelle il devait justifier ses activités auprès des autres locataires lui donnait encore envie de changer de domicile. Cependant, ce ne serait pas mieux ailleurs. Les histoires de crimes retenaient l'attention de ses concitoyens, et chacun souhaitait entendre ces histoires de la bouche d'une personne bien informée.

— Je monte, les avertit le policier. Nous nous reverrons à l'heure du souper.

Pendant les quelques minutes passées à l'étage, Dolan fit un détour par la salle de bain, puis il parcourut les autres articles de *La Patrie*. La politique accaparait la part du lion. Les élections municipales se tiendraient dans moins de deux semaines, le 1ᵉʳ février. Les mieux renseignés prévoyaient la défaite du maire actuel.

En s'apprêtant à descendre, sans surprise, il croisa Juliette Mailloux. Cela arrivait avec une trop grande régularité pour attribuer l'événement au hasard ; elle devait se tenir en haut de l'escalier et attendre son passage. D'un autre côté, le souper étant servi à la même heure tous les soirs, peut-être imaginait-il un intérêt inexistant. Afin de ne pas être interrogé sur sa dernière affaire, il amorça la conversation :

— Comment s'est déroulée votre journée ?

— Elles se ressemblent toutes, vous savez. En ce moment, nous effectuons les commandes pour le printemps prochain.

— Évidemment, vous devez toujours avoir une saison d'avance.

Il la laissa passer devant lui pour rejoindre la salle à manger. Dès leur entrée, l'aînée des sœurs Demers se renseigna :

— Puis, les jeunes, irez-vous vous promener tout à l'heure ?

La vieille dame savait comment lui forcer la main. Si le temps n'était pas trop froid ou qu'une enquête n'exigeait pas sa présence, une réponse négative s'avérait indélicate.

— Si Juliette le désire, ce serait une bonne idée.

Un soir sur deux, la secrétaire ne demandait pas mieux. Elle accepta d'un signe de la tête. Aussitôt, Dolan se promit de marcher d'un bon pas et de s'en tenir à un trajet modeste. Il lui tardait de s'étendre dans le noir et de penser un long moment aux heures passées avec Éléonore endormie à ses côtés.

Chapitre 24

La nuit de jeudi à vendredi ne permit pas au policier de récupérer totalement de son manque de sommeil de la veille. Tout au long de son trajet vers l'hôtel de ville, les crieurs de journaux soulignaient l'assassinat de McDougall. Une fois sur deux, le boniment s'enrichissait de commentaires sur la balourdise de la police qui avait mis si longtemps à trouver le corps.

Quand il entra dans les bureaux de la police, le sergent Panneton lui signala, avec un ricanement :

— Le chef veut vous voir.

Panneton devait penser que Campeau allait passer un savon à Dolan pour son incompétence. Deux mois pour découvrir un cadavre sommairement caché près de la maison du disparu, cela laisserait assurément un souvenir impérissable à ses collègues.

Une fois dans le bureau du chef de police, l'inspecteur s'étonna presque de le trouver de bonne humeur. Son rapport sur toutes les péripéties de la journée précédente dura une bonne demi-heure.

— Personne de cette maisonnée – avec les domestiques, on parle de trente personnes, non ? – n'a découvert le corps ?

Au moins, Campeau ne reprochait pas directement à l'enquêteur d'être passé tout près sans le voir.

— On se figure mal l'endroit, si on ne l'a pas vu. Le terrain est immense, le corps se trouvait près d'un amas de pierres, soigneusement recouvert, au milieu d'un bouquet serré de conifères.

— Mais l'odeur ?

— L'homme a disparu en novembre, alors le froid a sans doute empêché la putréfaction des chairs.

— Jusqu'en décembre, on a eu de nombreuses journées au-dessus du point de congélation.

Les pierres entassées sur le cadavre n'avaient pu empêcher ce fumet bien particulier de se répandre. Dans un espace plus restreint, quelqu'un s'en serait rendu compte, à moins que le corps n'y ait été placé que peu de temps auparavant. Et dans cet immense domaine, à un moment où le jardinier ne travaillait plus, il devenait plausible que personne n'ait rien remarqué.

— Cette histoire de chaussure… reprit Campeau.

— Deux gros chiens passent la nuit en liberté près de la maison. Leur fonction est de chasser les rôdeurs. L'un d'eux a apporté une bottine à Andrew, celui-ci est allé chercher sa demi-sœur. Le bouvier les a conduits au corps.

— Andrew vient nous voir pour nous demander de nous occuper de cette histoire, et voilà que grâce à cet animal, il découvre lui-même le mort.

— Un curieux hasard, admit Dolan.

Le chef de police n'accordait guère de crédit à la chance.

— Vois-tu, ce chien n'a rien senti à l'époque où le cadavre puait certainement, mais tout à coup, à la mi-janvier, il se manifeste.

— Quelle est votre hypothèse ?

— Cette histoire est trop simple ou trop compliquée. Formulons une supposition : quelqu'un dans ce grand manoir a trucidé le patron, sans pouvoir faire disparaître le corps. Pourquoi ? Si tu assassines ta logeuse, tu trouveras certainement le moyen d'abandonner son corps dans un champ, ou mieux encore, de le jeter dans le fleuve.

— Vous le disiez tout à l'heure, une trentaine de personnes habitent là, remarqua le détective.

— Dans ce cas, l'assassinat doit avoir eu lieu dans le parc, pas dans la maison.

Dolan hocha la tête pour approuver ce raisonnement. Il ne voyait pas comment il aurait été possible de traîner un cadavre d'une pièce à l'autre sans attirer l'attention. Alors que donner rendez-vous à Archibald dans un bouquet de conifères et lui défoncer la tête à coups de pierre se pouvait bien. Quelque chose contredisait toutefois ce scénario.

— Quelqu'un lui a fait les poches : pas un sou, pas de montre, pas de bague ni de jonc. L'assassin souhaitait peut-être le voler, tout simplement.

— Pas pour le ramener près de chez lui ensuite.

— Si le coupable est un domestique, cela se pourrait bien.

« Dans ce cas, songea l'inspecteur, il aurait mieux valu prendre tous les objets de valeur dans la maison. » McDougall ne portait probablement sur lui que de la menue monnaie en comparaison du prix de l'argenterie rangée dans le buffet.

— Quelqu'un a-t-il quitté le service depuis novembre ? s'informa Campeau.

Dolan haussa les épaules pour signifier son ignorance. Le manoir sur la montagne recevrait de nouveau sa visite.

— Je peux interroger tous les membres du personnel, un à un.

— Je préférerais une fouille en règle, pour être sûr qu'aucun indice ne nous échappe.

— Aucun juge ne voudra nous donner un mandat de perquisition. Ces gens sont tout-puissants à Montréal.

Campeau eut un rire bref. La politique municipale jouerait certainement un rôle dans cette affaire.

— Nous le saurons aujourd'hui. Soyez prêt à procéder au petit jour, demain.

— La maison est immense.

— Prenez une vingtaine d'hommes avec vous.

L'idée de procéder à cette perquisition mettait Dolan terriblement mal à l'aise. Devant Éléonore, il se sentirait honteux. Il se leva pour se diriger vers la porte. La main sur la poignée, il se tourna à demi pour s'enquérir :

— Tout à l'heure, vous évoquiez d'autres scénarios moins plausibles.

— Quelqu'un a pu laisser le corps sur le terrain des McDougall pour compromettre les fils.

L'inspecteur hocha la tête. Autrement dit, mieux valait garder l'esprit ouvert et surveiller tout le monde.

L'élection prochaine rendait sans doute les juges et les élus municipaux plus sensibles aux notions de justice. Car la perquisition de la demeure d'un notable devenait une action politique. Dès sept heures, afin de trouver le chef de la maison au nid, Dolan frappait à la porte du grand manoir. Le majordome ouvrit, prêt à conspuer le malpoli osant venir se présenter à une heure pareille.

— Je veux parler à Kenneth McDougall, annonça l'enquêteur.

— Monsieur, je…

— Vous savez qui je suis.

Le domestique regarda par-dessus l'épaule de son interlocuteur. Cinq voitures de police s'alignaient devant la porte. Le gardien avait été sorti de sa petite cabane.

Il tenait les deux chiens en laisse pour qu'ils restent tranquilles.

— Je vais voir, accepta-t-il.

Deux minutes plus tard, Kenneth arrivait dans l'entrée, flanqué de son cadet. Dolan tendit une feuille de papier au premier.

— Voici le mandat qui m'autorise à fouiller cette maison de la cave au grenier.

Kenneth regarda le document, incrédule.

— Je vais téléphoner tout de suite à mon avocat.

— Libre à vous, mais nous commençons notre travail immédiatement.

— Vous ne pouvez pas...

Le policier le toisa de la tête aux pieds.

— Le cadavre de votre père a été déterré à quelques centaines de verges de votre porte. La piste, pour découvrir son meurtrier, part certainement de cette maison.

McDougall hésita un instant, puis hocha la tête en signe d'assentiment.

— Ma mère est toujours au lit.

— Mieux vaudrait qu'elle se lève. Et dites à votre major-dome de réunir tous les domestiques. La moitié de ces hommes se consacrera à leurs quartiers.

C'était l'autre moitié qui préoccupait surtout la famille. Les agents mettraient les yeux et les doigts dans leurs petits secrets.

Trente minutes plus tard, les McDougall étaient réunis dans le grand salon. La vieille Octavia se tenait toute droite dans un fauteuil, flanquée de ses brus. Celles-ci la soute-naient par les bras, comme si elle risquait de s'effondrer.

Dolan ne fut pas surpris de voir qu'Éléonore ne se joignait pas à ce petit groupe de femmes éplorées. Elle occupait plutôt un canapé. Les deux fils légitimes étaient assis dans un second.

— Andrew n'est pas ici ? interrogea Dolan.

— Oui, mais il n'est pas encore descendu, lui apprit la jeune fille de la maison.

— Monsieur a l'habitude de la grasse matinée, intervint Stanley.

Une voix parvint à ce moment de l'escalier :

— C'est vrai que je suis moins matinal que ces bourreaux de travail.

Un instant plus tard, le fils illégitime entrait dans le salon. Il alla tout naturellement s'asseoir à côté de sa demi-sœur.

— Puisque tout le monde est là maintenant, nous pouvons commencer.

Dolan fit signe à ses hommes de se mettre au travail.

— Ce n'est certainement pas utile de fouiller les affaires de ces dames, plaida Kenneth.

Des agents en uniforme avaient déjà commencé à inspecter les chambres des domestiques. Avec les notables, l'officier se montrait plus attentionné.

— Malheureusement, il le faut. Nous procéderons avec tact, je vous assure. D'ailleurs, vous pouvez assister à l'investigation.

Il espérait ne pas regretter cette gentillesse. Si l'un ou l'autre commençait à houspiller les constables, Dolan se promettait bien de faire volte-face.

— Allons-y.

— Moi, je ne bougerai pas d'ici, décréta la vieille Octavia.

Si les brus ne pipèrent mot, tout leur maintien clamait leur intention de s'épargner le cruel spectacle du viol de leurs effets personnels. Une dizaine d'agents se tenaient dans le hall, silencieux, les yeux ronds, impressionnés par le luxe ambiant.

Les rôles avaient été distribués à l'avance. Quatre d'entre eux visiteraient chacune des pièces du rez-de-chaussée, ouvriraient tous les tiroirs, scruteraient le fond de chaque placard. Les autres emboîtèrent le pas aux trois frères qui déjà gravissaient les escaliers. Éléonore était allée échanger quelques mots avec sa mère. En conséquence, elle monta la dernière, tout de suite avant l'inspecteur. Même dans un moment pareil, il ne manquait pas de la trouver séduisante. De si bon matin, il la voyait de nouveau les cheveux défaits, répandus dans son dos. Elle se tourna vers lui :

— Vous vous occuperez de ma chambre.

— Je ne sais pas trop…

— Je vous le demande comme un geste amical.

Accepter signifiait lui accorder une faveur, alors qu'il méprisait ses collègues qui profitaient de petites opportunités. Pourtant, il acquiesça d'un hochement de la tête. Il serait de loin le plus mal à l'aise des deux.

Éléonore le guida dans sa chambre, une pièce tendue de soie. Au premier regard, Dolan apprécia le lit et les deux fauteuils moelleux, la table de travail et la chaise, la commode. Elle prit un siège, attendit.

— Si vous ne commencez pas, vos hommes se poseront des questions.

Comme l'enquêteur ne bougeait pas, Éléonore alla ouvrir la porte de sa garde-robe. Dolan s'approcha, regarda la douzaine de robes pendues là, les effleura du bout des doigts. Sur l'étagère, il ouvrit quelques boîtes à chapeau, et une autre, rectangulaire. Elle contenait des lettres, une fragrance de fleur s'en échappait.

— Est-il nécessaire que vous les lisiez ?

L'inspecteur secoua négativement la tête. Normalement, il aurait dû se mettre à quatre pattes et chercher des lattes mobiles dans le plancher, puis jeter tous les vêtements sur le lit pour en tâter les coutures. Au lieu de cela, sa timidité le paralysait. La jeune femme ouvrit les tiroirs de la commode un à un et Dolan, troublé, effleura les bas de soie, les sous-vêtements de toile fine, les corsets renforcés de baleines.

Dans les minutes suivantes, il examina le tiroir du chevet, celui de la table de travail, et il déplaça quelques livres. Une brosse portait deux ou trois cheveux emmêlés, et sur le miroir s'étalait un peu de poudre. Finalement, il prit place dans le second fauteuil et murmura :

— Vous savez bien que je ne peux pas faire cela.

— Et vous, vous comprenez que je n'aimerais pas qu'un de vos hommmes tâte toutes mes affaires. Que ce soit vous ne me dérange pas.

Ces mots l'émurent plus que de raison. Éléonore acceptait de partager son intimité avec lui. Elle poursuivit après un silence :

— Que cherchez-vous, exactement ?

— Je n'en ai aucune idée. Un objet ou une lettre qui me donnerait une piste.

— Comme une hache tachée de sang.

Au moment de la découverte du corps, le foulard enroulé autour de la tête d'Archibald dissimulait la blessure. Toutefois, les journaux en avaient fait une description précise. L'employé sourd de la morgue savait distiller des détails horribles contre quelques sous.

— Je parierais plus pour un marteau ou une barre de métal. D'emblée, on se dit que les criminels font disparaître tout ce qui les relie à leur faute. Pourtant, immanquablement, ils laissent une trace derrière eux.

Dolan se sentit ridicule. Il s'exprimait comme Sherlock Holmes. Mais les meilleurs indices n'étaient pas une brindille, un mégot de cigarette ou l'empreinte d'une chaussure. Une petite fille cachée dans une boîte à bois, capable d'évoquer les colères de son père, était d'une plus grande aide.

— D'autres gardent quelque chose de leur victime près d'eux, comme un souvenir, ou un trophée.

— Cela n'est vrai que de ceux que vous finissez par attraper, lui opposa la jeune femme en esquissant un sourire narquois.

— Vous avez raison, seulement ceux-là.

Tandis qu'il parlait, ses yeux faisaient le tour de la pièce.

— Vous contemplez ma petite cage, commenta-t-elle.

— Une cage dorée.

Bien peu de Montréalais profitaient d'un luxe semblable. Tous les policiers participant à la perquisition en auraient pour des semaines à énumérer les richesses aperçues.

— Une cage tout de même...

Le ton était mélancolique. Un instant, il eut envie de la questionner sur les lettres parfumées, puis il comprit combien ce serait indélicat. Elle aborderait le sujet, ou non, selon son bon vouloir. Un coup contre le cadre de la porte attira son attention. Si l'un de ses subalternes le surprenait ainsi assis avec la jeune dame de la maison, cela le gênerait beaucoup.

— Oui, répondit-il en se levant. Que voulez-vous?

— Boss, on a trouvé ça.

L'agent lui tendait une grosse bague, une chevalière ornée d'un grenat.

— Il doit y en avoir dans tous les tiroirs de la maison.

— Dans les tiroirs, peut-être, mais pas dans le fond d'une chaussure.

Dolan lança un regard en direction d'Éléonore, puis ordonna à son subalterne:

— Montrez-moi où.

Quelques instants plus tard, l'inspecteur pénétrait dans les appartements de Kenneth et de sa femme. L'aîné des fils McDougall se tenait dans un coin de la chambre. La garde-robe ouverte avait été vidée de son contenu. Des vestons, des pantalons, des robes traînaient sur le lit. Un policier passait la main dans chacune des poches, tâtait toutes les coutures. Dolan aurait dû procéder de la même façon dans la chambre d'Éléonore.

— Là-dedans.

Il désignait une chaussure du doigt.

— La bague était au fond ?

Les yeux de l'inspecteur passèrent du policier à Kenneth.

— Je n'ai aucune idée de ce qu'elle faisait là. Quelqu'un l'aura laissé tombée, un domestique peut-être.

Le ton de l'homme paraissait défensif. Dolan comprit pourquoi quand Éléonore énonça, depuis l'entrée de la pièce :

— Elle appartenait à mon père.

La jeune femme avança la main tendue pour prendre le bijou.

— Oui, j'en suis certaine, il la portait tous les jours.

Le majordome apparut bientôt dans l'embrasure de la porte, visiblement ennuyé par tous ces gens occupés à mettre du désordre dans la maison.

— Monsieur, maître McKay vient d'arriver.

Kenneth s'élança, comme s'il était à la recherche d'un sauveur, et descendit l'escalier, sa femme et son domestique sur les talons.

— Je vais continuer avec vous, décida Dolan. Peut-être trouverons-nous autre chose.

Du coin de l'œil, il regardait Éléonore. Son visage défait lui indiqua qu'elle comprenait très bien la signification de cette découverte.

Personne ne laissait tomber un bijou dans une chaussure, il l'y dissimulait.

Quand Dolan revint au rez-de-chaussée, il demanda où se trouvait le maître de la maison. Un domestique lui indiqua la bibliothèque. Kenneth se tenait derrière le grand bureau de chêne ; sa mère était assise dans un fauteuil, tout comme un homme d'une cinquantaine d'années.

— Nous en avons terminé, monsieur McDougall.

— Vous entendrez parler de nous, monsieur. Maître McKay est en mesure d'apprécier vos manières, et nous connaissons bien du monde.

L'inspecteur se tourna vers le tabellion et l'interrogea :

— Maître, mes manières, ou celles de mes hommes, vous ont-elles semblé répréhensibles ?

Le visage de l'avocat demeura impassible. Manifestement, il prêtait moins d'importance que son client aux relations de la famille dans les milieux politiques. Sans doute aussi mesurait-il mieux tout le poids de la découverte de la chevalière.

— Que comptez-vous faire, maintenant ? s'enquit plutôt l'avocat, au lieu de répondre.

— J'aimerais parler au valet de monsieur McDougall père. Ensuite, je ferai mon rapport à mon supérieur, qui décidera de la suite.

Dolan s'adressa à Kenneth :

— Vous le faites venir, ou faut-il que j'aille le chercher dans les caves ou les greniers ?

Octavia agita une clochette posée à portée de sa main. Quand le majordome entra, elle lui intima :

— Allez chercher Jones, ce monsieur veut lui parler. Quant à vous, monsieur, si vous en avez terminé, demandez à toute votre bande de quitter les lieux.

Dans les minutes suivantes, depuis le hall d'entrée, l'inspecteur regarda les agents de police remonter dans les traîneaux qui les avaient conduits jusque-là. Ils formeraient une courte procession jusqu'au poste de police. Le valet vint se planter devant lui.

— Vous reconnaissez cette chevalière ? l'interrogea Dolan.

Le domestique n'hésita pas un instant.

— Elle appartenait à mon maître.

— Vous en êtes sûr ?

— Je la lui ai tendue tous les matins au cours des trente dernières années.

Devant un tribunal, une telle affirmation produirait son effet.

— Il la portait vraiment tous les jours ?

Le valet hocha la tête. Dolan le remercia d'un signe de tête et se prépara à sortir. Il avait la main sur la poignée de la porte quand il aperçut Éléonore.

— Je peux vous parler un instant ? le pria-t-elle.

— Oui, bien sûr.

— Dans ce cas, je vous accompagne dehors.

Il songea à lui dire qu'il faisait trop froid pour sortir sans manteau, puis comprit qu'elle tenait à le rencontrer en toute discrétion. Il la laissa passer devant lui, referma la porte dans leur dos.

— Cette bague, pour vous, c'est un indice ?

Pendant la demi-heure précédente, la jeune fille avait demandé à sa femme de chambre de la coiffer. Ses cheveux formaient une masse châtaine sur sa nuque.

— Nous le saurons bientôt.

— Voyons, Kenneth n'a pas pu…

Après avoir découvert le corps de son père assassiné, elle voyait maintenant les soupçons de la police se porter sur son frère aîné. L'inspecteur chercha les mots pour la rassurer, sans succès. Il posa la main sur son bras, exerça une petite pression, puis il murmura d'une voix très douce :

— Rentrez maintenant, vous allez prendre froid.

Il rejoignit à grandes enjambées le traîneau resté devant la maison pour aller rendre compte de la situation à son supérieur.

La chevalière était posée au centre du sous-main, sur le bureau d'Olivier Campeau. Du bout des doigts, le chef de la police lissait sa grosse moustache.

— Vous avez déniché ça dans une chaussure, au fond de la garde-robe de l'aîné des McDougall ?

Dolan hocha la tête. Inutile de préciser que la découverte était due à l'attention d'un agent, pendant que lui-même se tenait dans la chambre de la belle Éléonore, totalement fasciné par le décor et par la jeune femme.

— Ce gars vous semble intelligent ?

— Oui. Assez pour prendre la place du patron à la tête de la maisonnée et de la fonderie.

— Après l'avoir tué ?

Aux yeux de l'inspecteur, le bonhomme rondelet semblait placide, peu enclin à rechercher de grandes émotions. Toutefois, la passion naissait rarement là où l'on s'y attendait. Dolan haussa les épaules pour signifier son ignorance.

— Le jour où vous avez rencontré Andrew pour la première fois, imaginiez-vous que toute son histoire était vraie ? Un ou des aînés prêts à tuer leur père de peur qu'il laisse tout son héritage à un enfant illégitime ?

— Vous m'avez dit vous-même que parfois, des gens tuent pour moins de deux dollars.

— Une autre de mes sages déclarations.

L'ancien séminariste demeura songeur un moment, puis décida de livrer le fond de sa pensée.

— Dans cette famille, quelques personnes me paraissent avoir de bonnes raisons de commettre un meurtre. Enfin, je veux dire…

— De bonnes raisons pour une personne moins ver-tueuse que nous. Allez, continuez.

— Annie Vallerand a été infectée.

L'inspecteur leva son index, puis ensuite son majeur.

— Octavia a été trompée pendant des décennies. Les garçons ont de nombreuses raisons de vouloir trucider papa : il a amené son bâtard à la maison et les prive du tiers de leur héritage pour le donner à son fils illégitime.

Finalement, quatre des doigts de sa main droite étaient dressés.

— Cependant, aucune des deux femmes ne pourrait défoncer une tête à grands coups de marteau. Quant aux gar-çons, en admettant qu'ils aient les aptitudes pour le meurtre, pourquoi cacher le corps dans un coin du domaine, pourquoi garder une chevalière pour la dissimuler dans une chaussure ?

— Les criminels ne sont pas tous malins.

Dolan lui-même reprenait souvent cet argument. Toute-fois, Kenneth ne lui apparaissait pas particulièrement sot.

— Que va-t-il se passer maintenant ? voulut-il savoir.

— Une vingtaine d'agents savent où a été trouvée la chevalière, dont la fille de la maison et le valet ont confirmé qu'elle appartenait au défunt. Alors, je n'ai d'autre choix que de demander un mandat d'arrêt pour l'aîné.

— Ils ont déjà un avocat prêt à monter aux barricades.

— Tant mieux, il sera bien défendu. Si nous ne bougeons pas, ce sera le bon peuple qui érigera des barricades dans les rues.

En théorie, les policiers devaient garder leurs opérations secrètes. Dans les faits, Dolan ne doutait pas qu'avant la fin de la journée, les petits crieurs annonceraient au coin des rues la perquisition du château des McDougall. L'inaction ferait perdre confiance en la justice.

— Vous devrez sans doute retourner là-bas lundi matin pour arrêter le suspect.

L'enquêteur acquiesça d'un signe de la tête, imaginant déjà la mine défaite d'Éléonore. Il allait sortir quand son patron mentionna encore :

— Dans cette maison, il existe un autre garçon pouvant caresser des envies de meurtre : Andrew. Parce que McDougall a infecté sa mère, mais aussi parce que si les fils sont accusés, il empochera seul tout le magot.

Dolan demeura un instant immobile, puis hocha la tête. Même si Kenneth dormait dans une geôle de la ville le lundi suivant, son enquête ne serait pas terminée pour autant.

— Vous vous souvenez de la médium qui est venue me voir juste après la parution de la photo de McDougall dans les journaux ?

Le chef de police confirma de la tête.

— Elle aurait parlé à l'homme décédé, qui ne lui aurait dit que trois mots : « *Et tu, Brute.* »

Comme son supérieur demeurait impavide, Dolan regretta de s'être engagé sur le sujet.

— Au moment de son assassinat, Jules César aurait prononcé ces mots : « Toi aussi, mon fils. » Shakespeare utilise plutôt son nom, Brutus. McDougall lui a désigné son assassin.

— Je veux bien convenir du caractère amusant de la coïncidence, mais cette façon d'enquêter…

— Je sais, vous découragez l'usage du surnaturel.

L'inspecteur sortit avec un sourire ironique sur les lèvres. Finalement, dans ce défilé de témoins fantaisistes, seule madame Radcliffe lui avait donné une indication utile.

Chapitre 25

Obtenir un mandat d'arrestation contre un notable s'avéra tout de même difficile. Le ministre de la Justice avait dû être consulté à quelques reprises le dimanche et le lundi. Le mardi matin 24 janvier, vers sept heures, Dolan frappa à la porte de la demeure des McDougall. Même s'il ne s'attendait pas à une résistance de la part du maître de la maison, il avait tout de même demandé à quatre constables de l'accompagner.

Quand le majordome ouvrit, il montrait un visage de croque-mort. Plusieurs domestiques de la maison devaient déjà chercher des emplois ailleurs, pour éviter l'opprobre de servir un criminel.

— Je veux voir Kenneth McDougall.

L'aîné des fils de la maison se doutait certainement de la raison de cette visite. De toute façon, un regard par la fenêtre lui avait permis de voir le fourgon cellulaire s'arrêter devant sa porte. Il apparut bientôt.

— Monsieur, j'ai pour mission de vous arrêter en vertu d'un mandat, pour vous mener au palais de justice.

— Pourquoi?

— Vous êtes soupçonné d'avoir tué votre père.

— Voilà qui est ridicule!

Il parlait d'une voix blanche. Bientôt, Stanley et Éléonore se tinrent derrière lui.

— Il appartiendra à la justice de faire la part des choses. Vous devriez prendre un manteau et même quelques affaires.

— Je veux profiter des conseils de mon avocat.

— Vous le trouverez sur place. Le chef Campeau a jugé bon de le faire prévenir.

On réservait cette attention délicate à un notable. Les petits voyous, eux, faisaient face à des policiers avec de gros bras, passés maîtres dans l'art de tirer des aveux à un suspect. Kenneth hocha la tête pour retourner dans son appartement. Il revint au bout de quelques minutes, vêtu d'un manteau de bonne qualité, un petit sac de voyage à la main. L'inspecteur lui ouvrit la porte pour le laisser passer devant lui. Sur le perron, deux agents le prirent par les bras afin d'éviter toute tentative de fuite.

Alors que Dolan se retournait vers les membres de la famille, Éléonore s'élança vers lui, les poings tendus, en criant:

— Tu ne peux pas faire ça! Tu sais bien qu'il est innocent!

Les poings heurtèrent sa poitrine. L'inspecteur serra la jeune femme dans ses bras, pour arrêter ses coups. Elle cessa immédiatement de s'agiter pour s'abandonner contre son corps, en sanglotant. Dolan lui caressa le dos de ses longues mains tout en murmurant:

— Je t'assure qu'il sera traité avec justice.

Ce premier tutoiement entre eux survenait dans des circonstances dramatiques. Pourtant, sous ses paumes, il sentait ses flancs, et son émotion se transmit aussitôt à son bas-ventre. Pouvait-elle sentir son érection?

— Aliénor, fit une voix sévère, un peu de tenue!

Octavia se tenait là, droite comme une tige de fer.

— Je te le promets, il ne sera pas maltraité.

Sa façon de présenter les choses ne signifiait pas que Kenneth coucherait dans son lit ce soir-là. Pourtant, Éléonore se calma et s'éloigna de lui.

— Monte dans ta chambre.

La vieille entendait qu'on lui obéisse au doigt et à l'œil. Mais ce fut surtout pour cacher sa peine que la jeune femme quitta le vestibule.

— Vous en avez fini avec notre famille, maintenant ? Alors, partez.

— Madame McDougall, je veux encore parler au valet de feu votre époux.

Un long moment, Octavia le défia du regard, puis Stanley lui offrit son bras pour l'accompagner à sa chambre. Le policier regarda le majordome. Celui-ci lui dit enfin :

— Vous connaissez le chemin de la bibliothèque. Je vous l'envoie.

Oui, Dolan se souvenait. Il retrouva la pièce aux rayonnages ployant sous les livres, aux sièges confortables. Quand le valet se présenta, l'inspecteur était assis dans un fauteuil.

— Venez vous asseoir un moment.

— Oh ! Non, monsieur, je préfère rester debout.

Ce laquais n'oserait jamais se permettre une telle chose. Autant ne pas le bousculer.

— Dans cette maison, vous étiez certainement la personne la mieux informée des états d'âme de votre patron.

Comme le domestique restait coi, Dolan enchaîna :

— Vous l'aidiez à mettre ses vêtements le matin, à les enlever le soir. Vous l'avez vu saoul, malade, heureux et en colère.

Le valet de chambre baissa la tête, mais un sourire naquit sur ses lèvres.

— Je sais que monsieur McDougall est rentré à la maison en colère, le 2 novembre.

L'inspecteur fronça les sourcils, attendant la suite.

— Si vous êtes catholique, vous savez qu'il s'agit de la fête des fidèles défunts.

Les domestiques se recrutaient très souvent dans la communauté irlandaise.

— Il était vraiment très en colère, n'est-ce pas ? insista Dolan.

L'homme finit par hocher la tête.

— Contre son fils Andrew ? suggéra l'enquêteur.

— Oui. Il s'était disputé avec lui.

Le valet aussi détestait l'enfant bâtard, comme ses jeunes maîtres.

— Il vous en a parlé ?

— Il a dit : « Demain, je fous le petit salaud à la porte. »

— Le 3, il était toujours là.

— Monsieur était toujours en colère… et déterminé à le chasser.

L'inspecteur hocha la tête, remercia son interlocuteur qui se sauva bien vite. Il sortait de la bibliothèque à son tour quand Andrew se dressa devant lui.

— Ce gars semblait avoir envie de tuer.

Il parlait du valet de chambre. Voilà que la liste des suspects s'allongeait rapidement. Comme le policer ne répondait rien, le jeune homme demanda :

— Je veux vous parler en privé.

Dolan lui désigna la pièce qu'il venait de quitter, et tous deux s'installèrent dans un fauteuil. Après un silence, Andrew se lança :

— Vous voyez bien que j'avais raison. Ils ont tué papa. Vous avez arrêté le premier, mais le second court toujours.

— De qui parlez-vous ?

— Stanley ! Ces deux-là sont de mèche.

— Avez-vous des preuves de ce que vous avancez ?

Andrew plissa le front, hésitant. Puis il cracha :

— Si vous fouillez sa chambre plus à fond, vous trouverez quelque chose, j'en suis certain.

— Nous avons bien fait notre travail samedi dernier.

— Je vous assure, ces deux-là ont tout manigancé ensemble.

« Peut-être a-t-il raison, songea Dolan. Peut-être qu'un petit objet a abouti sous le matelas. » À haute voix, il conclut en se levant :

— Je vous remercie de votre aide, monsieur. Je vous garantis que nous saurons terminer notre enquête. Bonne journée.

Cette fois, l'inspecteur se dirigea vers la porte, résolu à sortir de cette demeure. Une part de lui voulait interroger Pamela, l'épouse de Kenneth, et même la vieille Octavia, pour faire bonne mesure. Ce serait une perte de temps, la première défendrait son époux bec et ongles, la seconde lui servirait un long chapelet d'insultes.

Surtout, une autre personne se révélerait une meilleure source d'information.

Le gardien du Bellevue, l'immeuble situé à l'angle de Sherbrooke et d'Atwater, le reçut avec un sourire ironique. Dolan demanda d'une voix rude :

— Je veux parler à madame Vallerand.

— Oui, bien sûr.

Il semblait vouloir dire : « Je le savais déjà. »

— Téléphonez-lui pour l'avertir de mon arrivée.

Le policier se dirigea vers l'ascenseur, attendit l'ouverture des portes. Quand il en sortit dans un couloir sombre, il vit une porte s'ouvrir, et la femme vint l'accueillir.

— Finalement, vous vous êtes décidé à l'arrêter.

Dolan accepta la main tendue, tout en commentant :

— Les nouvelles voyagent vite.

— C'est l'avantage d'avoir le téléphone.

Elle le guida dans le petit appartement, prit son manteau et son chapeau melon avant de les tendre à la domestique.

— Souhaitez-vous partager mon repas ?

— Vous êtes gentille, mais je dois refuser.

— Hum ! Parfois, je pense que je vous fais peur.

L'inspecteur lui adressa un sourire entendu. Cette femme avait passé les quarante ans, montrait des rides à la commissure des yeux et de la bouche, et sa taille s'alourdissait. Depuis qu'il avait tenu Éléonore dans ses bras, une heure plus tôt, elle ne faisait plus le poids.

— De toute façon, ajouta-t-il, après notre conversation, je doute que vous soyez encore intéressée par ma présence.

La répartie la laissa interdite. Elle se rendit dans le petit salon, son visiteur sur les talons. Une fois assise, Annie attendit en silence.

— Je sais que le 2 novembre dernier, Andrew et son père ont eu une altercation dans un endroit public. Vous étiez le motif de la dispute.

— Je ne vois vraiment pas de quoi vous parlez.

— Il lui reprochait de vous avoir infectée.

Cette fois, le sang sembla se retirer du visage de son hôtesse. De l'entrée de la pièce, la bonne demanda :

— Je vous prépare du thé, madame ?

Dolan prit sur lui de décliner. Puis il regarda la femme devant lui essayer de reprendre la maîtrise d'elle-même.

— Le salaud !

Elle parlait peut-être de son ancien amant, mais l'enquêteur crut plutôt qu'il s'agissait de Baxter, son médecin.

— Il n'avait pas le choix, la loi l'oblige à collaborer lors d'une enquête criminelle.

— Je n'ai rien à voir dans ce crime.

— Je vous crois, mais votre état de santé donne à votre fils un motif puissant pour s'en prendre à son père.

La peur prit instantanément toute la place dans le cœur d'Annie Vallerand. Pas pour elle, mais pour son fils.

— Vous avez déjà arrêté Kenneth.

— Certains indices pointent vers lui. Moi, je cherche toujours la vérité. Depuis quand Andrew connaît-il votre maladie ?

Elle hésita un long moment.

— Des... signes sont visibles.

Dolan se souvint de l'éruption cutanée sur le corps d'Archibald.

— Depuis quand ?

— Deux ans, peut-être trois.

Cela datait donc du moment où l'industriel avait amené son bâtard vivre chez lui et travailler à la fonderie. Il s'agissait peut-être d'une manière de se faire pardonner. Cette femme était probablement prête à tout accepter de bonne grâce pour assurer l'avenir de son rejeton.

— Bien sûr, il était fâché, mais pas au point de gâcher sa relation avec son père.

— Pourtant, il y a moins de trois mois, il exprimait encore sa colère envers lui.

« Deux jours avant la disparition d'Archibald », réfléchit le policier.

— Dans un endroit où l'alcool coulait à flots, je parie.

Elle savait que son amant fréquentait un bordel, elle l'avait appris de la pire façon possible : en contractant la syphilis. En ce qui concernait son jeune fils, comment jugeait-elle ce genre d'activité ? Comme lui-même figurait parmi les clients de la même prostituée, Dolan inclinait pour l'indulgence.

— En état d'ébriété, les hommes ne sont pas à une folie près ! Cela ne change rien à l'amour de mon fils pour Archibald. Toute sa vie durant, il l'a idolâtré.

Le scepticisme de Dolan devait être manifeste, car elle se fit insistante.

— Depuis toujours, il accumule de petits souvenirs de toutes ses activités avec lui.

Elle plaidait la cause de son fils, souhaitait effacer tous ses soupçons. L'allusion à la querelle entre eux la rendait sans doute malade d'inquiétude.

— Vous voulez voir ?

Devant son hésitation, elle reprit :

— Venez avec moi, je vais vous montrer. Il a une chambre, ici.

Annie Vallerand quitta son siège, puis l'attendit. Au passage, il aperçut la porte entrouverte d'une petite salle de bain entièrement blanche, et une autre, fermée, celle de sa chambre, peut-être.

Tout au bout du couloir, il distingua deux autres portes. L'une donnait accès aux quartiers de la bonne. La seconde ouvrait sur une pièce contenant un petit lit, une commode, une penderie. On aurait dit le refuge d'un adolescent. Évidemment, même en pension, le garçon venait certainement passer ses congés chez sa mère. Son vrai domicile était dans cet appartement, pas chez les McDougall. Ainsi, c'était cette pièce qu'il convenait de fouiller. La femme entendait lui épargner cette formalité.

Elle s'assit sur ses talons pour prendre sous le lit une petite valise, celle d'un gamin. Après l'avoir posée sur le lit, elle l'ouvrit.

— Vous voyez...

Elle fureta dans des dizaines de petits objets, retira un bout de papier, réussit à lire «Boucherville».

— Il y a une douzaine d'années, Archibald nous a emmenés dans les îles de Boucherville. André a toujours gardé ce papier. Regardez, ce sont des billets pour le spectacle du cirque Barnum, et d'autres encore, des rubans, des babioles.

Comme pour le lui prouver, elle lui montra un petit cheval de plomb.

— Ce garçon adorait son père. C'est bien pour cela qu'il s'est présenté à la police, au moment de sa disparition.

Dolan chercha dans le désordre de ces mémentos, prit une bague d'argent du bout des doigts.

— Quand la pierre est tombée, Archibald la lui a donnée. Pareil pour la plume fontaine plaquée or.

Ces objets avaient une certaine valeur. De son index tendu, le policier traça un trait dans ces souvenirs. Les objets les plus lourds se dissimulaient sous les plus légers. Il distingua un petit anneau doré, assez grand pour orner l'annulaire d'un homme. Puis un autre bijou.

— Et cette montre ? fit-il en touchant l'objet.

Annie Vallerand parut effarée un bref instant, puis reprit son sourire le plus aguichant pour dire :

— Si elle indiquait les années, vous verriez 1895. Quand elle a cessé de fonctionner, André a demandé à son père de la lui donner.

McDougall ne se privait de rien, le boîtier était plaqué or, et non en laiton comme celle de Dolan. Il se souvint de la remarque de son hôtesse, quelques minutes plus tôt : le téléphone permettait de se transmettre les nouvelles rapidement.

— Je vous remercie, madame, dit-il en se redressant. Maintenant, je dois partir.

Annie Vallerand ne semblait pas mécontente de son départ. Elle le raccompagna jusqu'à la porte, chercha elle-même le manteau et le chapeau dans la penderie.

— Quand André m'a parlé tout à l'heure, il paraissait surpris que vous n'ayez pas arrêté Stanley. Kenneth n'a pas agi seul.

— Mon enquête n'est pas encore terminée.

— Et puis, ce mouvement d'humeur survenu au début de novembre, ça ne veut rien dire. Après tout, je me porte bien, mon état ne pousserait personne au meurtre.

— Vous avez sans doute raison.

Après lui avoir souhaité une bonne journée, le policier mit son chapeau sur sa tête et sortit.

Avant de rentrer chez lui, Dolan passa par le bureau de son patron. Le récit de sa visite chez les McDougall intéressa très modérément le chef de la police. Celui de sa rencontre avec Annie Vallerand le passionna bien plus.

— L'or de la montre brillait, il était patiné par des manipulations récentes.

— Andrew la caressait peut-être chaque fois qu'il allait chez sa mère.

— Peut-être.

Le ricanement de l'inspecteur indiquait son scepticisme.

— Maintenant, je pense que je devrais chercher à mieux connaître ce jeune homme.

Campeau approuva d'un signe de la tête. Dolan poursuivit:

— Kenneth se fait-il à sa nouvelle vie?

— Nous avons eu droit aux récriminations de son avocat pendant des heures. Pourtant, on lui fait venir ses repas d'un restaurant de la place Jacques-Cartier, et quand il veut pisser, quelqu'un l'escorte jusque dans les toilettes du maire.

L'inspecteur se demanda si son patron le menait en bateau. Après un moment de réflexion, il jugea que non. Un riche industriel ne se frotterait pas aux petits voyous sévissant près du port. Du moins, pas avant qu'un jury ne le déclare coupable.

Si Dolan projetait de connaître un peu mieux le plus jeune fils d'Archibald McDougall, sa journée commença par une rencontre avec le second. Stanley passait ses journées dans un grand lotissement au nord de l'avenue du Mont-Royal. Des maisons y avaient déjà été construites, d'autres apparaîtraient au début de l'été.

Quand le policier entra dans une cabane sommairement bâtie, le jeune homme leva la tête d'un plan de cadastre.

— Vous venez pour m'arrêter aussi, je suppose ?

— Comme aucune chevalière ne se cachait dans vos chaussures, je n'ai aucune raison de le faire. Je peux ?

De l'index, il montrait une vieille chaise.

— Faites comme chez vous.

Pendant une minute, Stanley fit semblant de se concentrer sur son travail, puis il finit par demander d'un ton rageur :

— Que me voulez-vous ?

— Vous n'avez pas vu votre père, le jour du 4 novembre ?

— Au petit déjeuner.

— Et le 3 ?

Le jeune homme parut se creuser la tête, pensa lui dire « Va te faire foutre », puis décida de se montrer conciliant.

— Il a passé la soirée à la maison. Il était d'humeur exécrable, j'aurais préféré le voir ailleurs.

— Sa colère se portait sur vous?

— Non, sur Andrew.

— Vous savez pourquoi?

Le cadet fit non de la tête, puis précisa :

— Au début, mon père paraissait entiché de lui, mais avec le temps, les choses se sont dégradées entre eux. Sans doute parce qu'Andrew ne faisait rien à l'usine.

— Je vous remercie. Je ne vous dérangerai pas plus longtemps.

Alors que l'inspecteur allait sortir, Stanley l'arrêta.

— Vous ne croyez tout de même pas que Kenneth a tué papa?

— Pour l'instant, c'est la seule personne que je peux relier au corps de votre père.

Sur ces mots, il quitta la cabane, laissant le fils McDougall à ses plans de développement urbain.

Plusieurs années plus tôt, la section anglaise du collège Sainte-Marie avait migré dans de nouveaux locaux. Le collège Loyola était né de cette scission. L'établissement de brique et de pierre se dressait au coin des rues Bleury et Sainte-Catherine.

Dolan s'arrêta devant le réduit où logeait le portier pour demander à voir le directeur. Le vieux jésuite s'opposa à sa requête jusqu'au moment où le policier lui mit sa plaque sous le nez.

— Je vais voir s'il accepte de vous rencontrer.

— Pendant votre absence, je tenterai d'empêcher toutes les femmes de mauvaise vie d'entrer.

Le concierge lui jeta un regard aussi noir que son froc. Quelques minutes plus tard, il revint, de plus mauvaise humeur encore, pour lui indiquer le chemin du bureau du directeur. L'inspecteur ne risquait pas de se perdre dans les couloirs du collège. Peu après, il frappa à la porte d'un local confortablement meublé.

— Êtes-vous le Dolan du Grand Séminaire ? s'enquit un vieil homme à son entrée, en l'invitant du geste à prendre une chaise en face de lui.

— Vous parlez d'une autre vie. Mes fonctions exigent aujourd'hui que je vous pose des questions sur l'un de vos anciens élèves.

— Je ne sais pas…

— Je ne vous demanderai pas de trahir le secret de la confession. Juste de me donner quelques informations.

Le bureau du religieux s'encombrait de livres, plusieurs s'étalaient sur sa table de travail. Tous les professeurs étaient des Irlandais, certains arrivés des États-Unis, d'autres directement de leur mère patrie.

— Quel souvenir gardez-vous d'André Vallerand ?

Le vieil homme esquissa un demi-sourire. Avec les articles parus dans les journaux, peut-être s'était-il attendu à cette visite.

— Un bon élève quand l'envie lui prenait de travailler. Mais divers sujets réclamaient son attention.

— Il était pensionnaire ?

— De la première à la dernière année de ses humanités. Son absence devait servir les activités de *madame* sa mère.

L'insistance sur le mot fit comprendre à Dolan que, sous ses airs sévères, ce bon père s'intéressait aux turpitudes de la famille de certains de ses élèves.

— Parmi ses sujets d'intérêt ?

— Nommez-les tous, et vous tomberez juste. Des pétards placés sous le siège des surveillants de la salle d'étude jusqu'au trafic d'alcool.

Le sourire narquois du jésuite laissait penser qu'il passait sous silence les accrocs à la morale les plus graves.

— Vous pouvez me nommer ses meilleurs amis ?

— Nous ne tolérons pas ces choses ici.

— Je ne parle pas d'amitiés particulières. Simplement les garçons avec lesquels il passait le plus de temps.

Dolan sortit son calepin et un crayon de la poche de sa veste, prêt à prendre des noms en note. Le directeur lui en donna quelques-uns, dont Angers et Desjardins.

— Vous avez évoqué des mauvais coups de potache. Rien de plus sérieux ?

Le religieux paraissait brûler d'envie de dénoncer les indignités d'un enfant du péché.

— Il y a trois ans, certains de vos collègues sont venus ici pour interroger Angers sur une histoire de vol de cadavres au cimetière de la Côte-des-Neiges.

— Un vol de cadavres ?

— Oui. Il paraît que des mécréants se font quelques dollars en fournissant du matériel à dissection aux étudiants en médecine.

Les anecdotes sur ce sujet abondaient. Un Écossais entreprenant avait même poussé le zèle jusqu'à trucider quelques-uns de ses semblables afin d'avoir toujours la matière première sous la main.

— Vous parlez d'Angers, pas de Vallerand.

— Si Angers a eu l'idée d'un mauvais coup, je suis convaincu que Vallerand l'accompagnait.

Le directeur aimait visiblement la médisance autant que la lecture. Dolan quitta l'institution en se demandant que faire de ces renseignements.

Chapitre 26

La succursale de l'Université Laval à Montréal – une filiale dont les dirigeants rêvaient d'obtenir l'autonomie – possédait des locaux dans la rue Saint-Denis, un peu au nord de Sainte-Catherine. En façade, un long escalier circulaire donnait accès à des portes monumentales. Grâce à un coup de fil passé depuis l'hôtel de ville, Dolan trouva le doyen de la faculté de médecine dans son bureau. C'était un gros homme jovial, tout surpris de voir l'inspecteur. Après tout, son nom avait figuré dans les journaux à quelques reprises.

— Monsieur, je veux vous parler des histoires de vol de cadavres.

Instantanément, le professeur perdit son beau sourire.

— Voyons, de nos jours, personne n'a besoin de s'en remettre à ce genre d'expédient.

— Écoutez, je n'enquête pas là-dessus, je suis sur les traces d'un assassin. Toutefois, j'ai besoin d'en savoir un peu plus sur le sujet.

— Vous cherchez le tueur de McDougall...

Le gros homme se passionnait visiblement pour les histoires judiciaires. Lui aussi devait connaître les œuvres de Conan Doyle.

— Parlez-moi des vols de cadavres.

— Chaque étudiant doit disposer d'un corps, pour en faire une dissection complète dans le cadre du cours d'anatomie. Nous utilisons ceux des criminels exécutés, ceux que personne ne réclame à la morgue, ou encore ceux que certains parents nous donnent. Cela ne suffit pas toujours.

— Alors, vous en achetez à des trafiquants.

— Non, jamais.

Son intérêt pour les histoires judiciaires n'allait pas jusqu'au désir de tâter de la prison. Comme Dolan ne le quittait pas des yeux, il finit par admettre :

— Simplement, quand un étudiant peut fournir lui-même le sien, nous ne posons pas trop de questions...

— Je veux voir un corps arrivé ici au mois de novembre.

Cette fois, le doyen eut la certitude que la curiosité de l'enquêteur était liée à la disparition de McDougall, sans pouvoir imaginer la relation avec le vol d'un cadavre. Il ne résista pas bien longtemps.

— Suivez-moi.

Tous deux marchèrent vers les salles de cours, poursuivirent en direction d'une pièce aux fenêtres à demi ouvertes malgré le froid de janvier. Pourtant, la puanteur, constituée d'une odeur de pourriture et de celle de produits chimiques, prenait à la gorge. Sur un mur, de petites portes s'alignaient. Le doyen en ouvrit une, tira sur une espèce de civière. La pestilence augmenta d'un cran. Le professeur fit mine de lever le drap placé sur le corps.

— Non, ce n'est pas nécessaire. Il est ici depuis le début de novembre ?

— Oui.

— Vous allez me donner l'adresse d'Angers.

Le doyen réagit en montrant son embarras. À ce moment, Dolan sut avoir visé juste.

— Même si je dois me présenter chez tous les hommes portant ce nom figurant dans l'annuaire Lovell, je le trouverai. Alors, vous allez m'épargner de perdre mon temps, sans plus.

— Son père est un important médecin de la ville.

— Raison de plus pour éviter le scandale.

Toute bonhomie perdue, le gros homme consentit à lui transmettre le renseignement demandé.

Il s'avéra que le jeune Angers se trouvait entre les murs de l'institution, puisque l'un de ses cours se déroulait au même moment. Le doyen alla chercher l'étudiant et mit son bureau à la disposition du policier pour que l'entrevue se déroule en toute discrétion.

Le jeune homme devinait bien que le désir d'un inspecteur de police de lui parler en privé n'annonçait rien de bon.

— Je ne pense pas que voler le corps de quelqu'un pour le découper en morceaux soit une bonne action. La police vous a déjà interrogé à ce sujet.

Dolan s'était donné la peine d'effectuer une recherche rapide avant de se présenter à l'université.

— Aucune accusation n'a jamais été portée.

— Faute de preuves. Cela ne vaut pas un verdict d'innocence.

— Mon père connaît des gens…

— Le maire ? Le ministre de la Justice ? Wilfrid Laurier lui-même ?

Laurier était le premier ministre du Canada depuis près de dix ans ; il avait été réélu pour la troisième fois l'année précédente. Dans les salons des Canadiens français, son portrait occupait une meilleure place que celui de Giuseppe Melchiorre Sarto, Sa Sainteté le pape Pie X.

— Bon, essayons de régler cela rapidement. Au début du mois de novembre, vous avez volé un cadavre avec la complicité, entre autres, d'Andrew, ou André, Vallerand.

L'étudiant prit un air buté, résolu à ne rien dire.

— Aujourd'hui, je ne suis pas à la chasse aux pilleurs de tombe. Ne me donnez pas envie de vous chercher querelle. Si jamais une telle histoire sort dans les journaux, même si votre père a des relations, personne parmi celles-ci ne le reconnaîtra plus.

Quoique sévissant de façon endémique, le vol de cadavres n'était pas un crime bénin pour autant. Finalement, Angers murmura :

— C'est Vallerand qui nous a proposé de le faire.

Les criminels prétendaient tous avoir été entraînés par plus méchant qu'eux. Cette ligne de défense convainquait habituellement les mères de délinquants. Les autres, c'était moins certain.

— Il y a trois ans aussi ?

L'étudiant baissa les yeux pour contempler le bout de ses pieds. Soumis à un véritable interrogatoire de police, avec des agents talentueux pour frapper sans laisser trop de traces, il s'ouvrirait comme un grand livre.

— Vous savez, si un agent vous voit rôder près d'un cimetière, même Wilfrid Laurier aura du mal à vous tirer d'affaire.

Sur ces mots, le détective quitta ce lieu de haut savoir avec, dans les narines, une tenace odeur de pourriture.

Pour certaines expéditions, mieux valait attendre la tombée de la nuit. Devinant qu'il risquait d'avoir à fournir un certain effort physique, Dolan recruta deux agents en uniforme, puis chercha un cocher en face de l'hôtel de ville. Le trajet jusqu'au cimetière de la Côte-des-Neiges, au pied du mont Royal, faisait penser à une balade d'amoureux. La lune ronde, très claire, donnait à la neige l'allure d'un manteau d'argent. Évidemment, la moustache de ses compères ruinait un peu la magie de la soirée.

La destination aussi. À l'entrée du grand champ des morts, comme disaient parfois les curés, une petite maison de pierre abritait le gardien. Quand il frappa à la porte, l'inspecteur entendit des voix d'enfants à l'intérieur. Puis un homme portant une barbe de deux jours vint ouvrir.

— Qu'essé qu'y a ?

— Vous allez mettre votre manteau et vos bottes pour m'accompagner au charnier.

Sans la présence des constables, le bonhomme l'aurait sans doute envoyé à tous les diables, avec force jurons.

— Il fait nuit.

— On y voit assez bien. Emportez une lanterne avec vous.

— Bin là, vous faites geler la maison. J'vous r'joins dans une minute.

Il en fallut au moins trois ou quatre, mais le gardien se manifesta bientôt, une lanterne à pétrole à la main. Le cocher avait pris soin de mettre une couverture de carriole sur le dos de son cheval, craignant une longue attente. Les autres s'engagèrent dans une allée conduisant à un bâtiment de pierre.

— Vous leur voulez quoi, aux morts ?

— Nous voulons regarder à l'intérieur d'un cercueil arrivé ici fin octobre.

Un long soupir témoigna du peu d'enthousiasme du quidam pour cette tâche. Une fois à la porte, il sortit une clé pour ouvrir le cadenas, puis poussa un juron bien senti quand il s'aperçut que celui-ci avait été arraché. L'inspecteur n'en fut pas surpris.

À l'intérieur, le gardien posa sa lanterne sur les bières empilées. Rapidement, Dolan évalua leur nombre à une quarantaine. Le chiffre était modeste. Le mois de janvier finirait bientôt, et la ville comptait des centaines de milliers d'habitants.

— Fin octobre, on commençait juste à les entasser ici. Moé, j'pense qu'les creuseurs de tombes sont des paresseux, la terre est pas si gelée à ce moment de l'année.

Une discussion au sujet de la conscience professionnelle de ce corps de métier n'intéressait pas l'inspecteur.

— Alors, on regarde où ?

Le gardien contemplait la seconde pile de trois bières posées les unes sur les autres. Il posa la main sur la seconde.

— Celle-là, j'pense. Sinon, c'est celle du dessus, ou alors du dessous.

— Messieurs, allez-y, commanda Dolan à ses subalternes.

Les deux agents s'arc-boutèrent pour tirer sur le cercueil du haut. Le crissement du bois glissé sur le bois permettait de prévoir que le vernis serait abîmé par le déplacement. L'enquêteur souleva le bout de la boîte pour les aider à la poser par terre.

— Est pas bin pesante, dit un des agents.

— C't'une fille pas plus grosse que ça.

Le gardien montrait son index pour indiquer un corps tout menu. La seconde bière, un poids de plus de deux cents livres cette fois, fut posée sur la première. Dolan demanda :

— Vous avez des outils pour l'ouvrir ?

De nouveau, des jurons soulignèrent l'agacement de l'employé. Pourtant, il récupéra sa lanterne pour la poser sur le couvercle de la grosse boîte, chercha un tournevis dans sa poche et se mit au travail. Il lui fallut au moins vingt minutes et une litanie de gros mots pour en venir à bout.

— Moé, j'ouvre pas ça, déclara-t-il en reculant jusqu'au mur.

L'inspecteur déplaça la lanterne sur le sol, puis saisit un bout du couvercle. Après une hésitation, l'un des agents prit l'autre, et ils le soulevèrent en même temps. Le policier détournait les yeux pour éviter de voir le contenu du cercueil. Même en plein hiver, après trois mois, aucun cadavre ne demeurait plaisant à regarder.

— Vous pouvez ouvrir les yeux, ce sont des pierres.

Le gardien lança un «C'est pas vrai» en s'approchant, puis son «Ciboire» résonna dans la pièce.

— Vous savez si cela se produit souvent? interrogea l'officier.

— Bin, comment voulez-vous que j'le sache? On les examine pas un par un avant d'les enterrer.

Ainsi, les expéditions de garçons comme le jeune Vallerand et Angers pouvaient se multiplier sans que personne ne remarque rien.

— Messieurs, nous pouvons rentrer, maintenant.

Le trio de policiers sortait quand le gardien demanda:

— J'fais quoi, moé, sans mon mort?

— Tu refermes, puis tu ne dis rien. Comme tu l'as fait remarquer, personne n'ouvre les boîtes.

Ainsi, la famille ne connaîtrait pas la douleur de savoir qu'un époux ou un père servait de matériel pédagogique à des carabins. Dolan se sentait bien un peu coupable de laisser le gardien effectuer ce travail seul, mais il lui tardait de s'entretenir avec son chef. Déjà, ce serait impoli de le déranger chez lui. Au moins, il essaierait de se présenter le plus tôt possible.

Après avoir déposé les agents au poste de police, avec la recommandation formelle de garder le silence, Dolan maintint les services de son cocher. Le temps de passer un coup de fil, et il se remettait en route vers le 4105, rue de l'Esplanade. Le chef de police habitait une jolie maison à la façade de brique, mais pour laquelle, étrangement, on avait opté pour la pierre sur les côtés.

Le heurtoir de bronze lui fit l'impression de produire un véritable vacarme. Campeau vint ouvrir tout de suite.

— Vous voilà juste à temps pour le dessert.

— Monsieur, je vous présente mes excuses, mais je pense qu'il faudra agir vite demain matin.

— Bon, pas de dessert. Vous prendrez tout de même une tasse de thé, j'espère.

Le chef de police se déplaça pour laisser entrer son subalterne, puis referma.

— Allons dans mon bureau. Donnez-moi ça.

Il tendait les mains pour prendre le manteau de l'inspecteur. Afin de ménager le plancher de son patron, Dolan enleva ses couvre-chaussures. En traversant un couloir, il entendit un bruit de conversations dans une pièce voisine. La famille se trouvait toujours à table.

D'après ce qu'il voyait, Dolan comprit que Campeau vivait comme un petit bourgeois, dans le même confort qu'un médecin ou un avocat. Rien qui se comparât au château des McDougall, mais tout de même un cadre de vie très agréable. Le bureau était une petite pièce meublée d'un pupitre à rouleau poussé le long d'un mur et de deux chaises confortables. Les deux hommes venaient tout juste de s'asseoir quand une bonne se présenta à la porte.

— Votre thé, monsieur.

— Merci, Rose, je vous débarrasse.

Le chef de police posa le plateau sur un guéridon, puis versa la boisson chaude dans deux tasses. Dolan fut heureux d'en boire une gorgée. Son expédition précédente l'avait laissé transi.

— Alors, qu'est-ce qui me vaut cette visite tardive ?

Campeau semblait s'amuser de l'embarras de son subordonné. Autant ne pas lui faire perdre plus de temps que nécessaire.

— Je pense qu'Andrew est le coupable. Après l'altercation dans le bordel, le vieux McDougall paraissait résolu à le renvoyer chez sa mère. En plus d'en vouloir à son père pour avoir transmis la syphilis à Annie Vallerand, il craignait certainement de perdre son emploi, sa jolie chambre dans le manoir, et sa place dans le testament.

— Voilà des motifs capables de susciter de mauvaises pensées chez les plus vertueux. Quand, où et comment ?

Il en faudrait plus pour convaincre ce policier d'expérience.

— Samedi le 4 novembre, sans doute. Je parierais pour l'usine. Le père a quitté son bureau après Kenneth. Andrew prétend être parti le premier, mais personne ne peut le confirmer. Je pourrais peut-être vérifier auprès d'April, la secrétaire…

— Vous le ferez, mais pour le moment, continuez.

Campeau avait allongé les jambes, il tenait sa tasse entre ses mains, comme pour les réchauffer.

— Archibald McDougall a été tué par des coups portés à l'arrière de la tête.

— Souhaitons qu'il n'ait rien vu venir.

— Andrew avait un cadavre sur les bras. Son éclair de génie a été de le cacher là où tout le monde s'attend à voir des morts, c'est-à-dire dans le charnier. Des étudiants se sont fait la main sur un cadavre quelconque, Archibald a pris sa place dans le cercueil.

L'inspecteur avait cru Angers, quand celui-ci avait affirmé que c'était Vallerand qui lui avait proposé d'aller voler ce corps.

— Un parfaite solution pour en disposer. Alors pourquoi l'avoir tiré de là ?

— Dans le meilleur des cas, il aurait touché son héritage en 1912. Pendant toutes ces années, Kenneth et Stanley auraient tout fait pour lui rendre la vie difficile. Au contraire, si ces deux-là étaient accusés du meurtre de leur père…

— La cour les rendrait indignes d'hériter, termina Campeau.

Au moment du meurtre, cette stratégie n'avait sans doute pas encore été mise au point. Mais le garçon savait profiter des occasions.

— Il est donc allé chercher le cadavre pour le dissimuler sous des pierres dans le domaine, et il s'est arrangé pour qu'on le découvre. Nous savons qu'il a prélevé de petits souvenirs sur le corps…

— Des trophées, comme les scalps pris par les Sauvages de nos manuels d'histoire.

— Si nous allions ce soir au manoir, je parie que nous trouverions un petit objet dans la chambre de Stanley.

L'intervention du fils illégitime, la veille, pour obtenir une nouvelle perquisition en fournissait la preuve. Mais plutôt que de réussir à incriminer Stanley, il avait orienté les soupçons sur lui. Il y avait une limite à pousser sa chance.

— Donc, vous souhaitez obtenir un mandat d'arrêt contre André Vallerand.

— Et un mandat de perquisition pour l'appartement de sa mère, afin de récupérer la boîte à souvenirs avant qu'elle n'ait la bonne idée de la faire disparaître.

— Je m'en occupe.

Sur ces mots, Campeau posa sa tasse de thé sur le plateau, et Dolan comprit qu'il entendait se mettre immédiatement à la tâche. Il se leva en disant :

— Je vous demande encore pardon de vous avoir dérangé ici.

— Bah ! L'un de ces soirs, je vous inviterai à souper.

Le sourire narquois de son patron lui fit douter que cette rencontre ait jamais lieu. Campeau l'accompagna jusqu'à la porte et lui tendit son manteau. En sortant, Dolan ajouta :

— Il faudra aussi libérer Kenneth, mais pas avant que nous ayons mis la main sur Andrew.

— Il dormira bien au chaud. Rentrez chez vous, demain vous serez occupé.

L'inspecteur descendait les quelques marches pour rejoindre le trottoir quand il entendit :

— J'oubliais de vous dire : vous avez fait du bon travail.

La porte se referma avant qu'il n'ait le temps de remercier son chef. Sur le chemin du retour, il ressentit d'abord une grande fierté. Puis il pressentit que Campeau avait deviné ce scénario depuis longtemps. Dès le moment de la découverte de la chevalière, probablement. Les preuves ne tombaient pas du ciel si facilement d'habitude.

Sur le trottoir de la rue de l'Esplanade, Dolan regarda sa montre de gousset. Bientôt, il serait neuf heures. Madame Sullivan tomberait sans doute à la renverse s'il réclamait son souper aussi tard. Plutôt que de voir les yeux furibonds de la logeuse devant tant d'audace, il décida de s'arrêter dans un petit restaurant sur le chemin de la maison pour prendre un léger repas tardif.

Tout de même, la bonne dame n'échappa pas complètement à ses requêtes extravagantes. À dix heures, il se mit dans l'embrasure de la porte du salon pour demander :

— Madame, puis-je utiliser votre téléphone ?

— Ce n'est pas une heure pour téléphoner aux gens.

— Dans le cadre d'une enquête sur un meurtre, la bienséance est souvent sacrifiée.

L'information eut l'effet escompté.

— Oui, bien sûr. Vous savez où il se trouve.

L'inspecteur salua Juliette Mailloux d'un signe de la tête, puis en fit autant avec les autres locataires. Il se dirigea ensuite vers la petite pièce de travail de la logeuse. La téléphoniste le mit en communication avec le manoir des McDougall. La voix du majordome, quand il dit « allô », trahissait son étonnement.

— Désolé, je sais qu'il est tard. Ici Dolan. Je veux parler à mademoiselle McDougall. Éléonore.

— Elle s'est retirée dans sa chambre depuis longtemps.

— Pourtant, il faudra qu'elle vienne à l'appareil.

Bien que réticent, son interlocuteur accepta d'aller chercher la demoiselle. L'inspecteur l'imagina quitter la bibliothèque pour monter le grand escalier majestueux, frapper à la porte de la chambre, multiplier les excuses devant la jeune femme en vêtement de nuit. Au moins quatre, peut-être cinq minutes plus tard, une voix un peu effarée se fit entendre.

— Eugène, c'est bien vous ?

Elle revenait tout naturellement au vouvoiement, après les épanchements survenus quelques jours auparavant.

— Oui. Je m'excuse, je sais l'heure qu'il est. Comment allez-vous ?

La sollicitude dans la voix la rasséréna. Assez pour qu'elle laisse le champ libre à son mouvement d'humeur.

— Bien, je suppose, compte tenu des circonstances. Mon frère est en prison, soupçonné du meurtre de mon père.

— Son malheur prendra fin bientôt.

La répartie la déstabilisa totalement.

— Je vous téléphonais pour que vous demandiez à Stanley de rester à la maison demain, expliqua le policier.

À l'autre bout du fil, le silence s'éternisa.

— Non, je n'ai aucune intention de l'arrêter. Toutefois, je me rendrai chez vous, et je souhaite que tout le monde soit là, y compris votre mère.

— Ma mère…

— Toute la famille. Vous transmettrez ma demande ?

Sans doute se dit-elle que la situation ne pouvait être pire, aussi elle acquiesça.

En montant à l'étage, sans surprise, l'inspecteur trouva Juliette à la porte de la salle de bain, feignant d'en sortir, ou d'y entrer.

— Eugène, vous allez vous rendre malade à travailler ainsi. Vous partez au milieu de la nuit, vous revenez en fin de soirée.

— C'est une situation temporaire. Demain, l'affaire qui me retient sera classée.

— Et moi, je ne vous vois plus.

Une invitation à une promenade en traîneau après-demain, dimanche, ou même à partager une pâtisserie au café Pest, l'aurait rassurée. Mais Dolan ne voulait pas engager ainsi son avenir. Pour mettre fin à la conversation, il pénétra dans la salle de bain, après avoir chuchoté :

— Excusez-moi.

Lorsqu'il se présenta au Bellevue accompagné de deux policiers en uniforme, Dolan se sentait très ennuyé. Annie Vallerand l'avait bien accueilli, malgré son attitude moqueuse. Or, maintenant, il venait chez elle chercher les preuves qui lui manquaient.

Le concierge se garda bien de le recevoir de façon cavalière, comme il en avait pris l'habitude. Les deux agents l'intimidaient.

— Je lui téléphone? s'enquit-il en posant la main sur l'appareil.

— Non, je préfère m'annoncer moi-même.

Le trio emprunta l'ascenseur. Dans le couloir, Dolan marcha directement vers la porte. Avant de frapper, il murmura à ses hommes:

— Je vous le rappelle, je ne veux pas qu'elle touche au téléphone.

Peu après, la domestique vint ouvrir. Elle ne dissimula pas sa surprise.

— Nous voulons voir madame Vallerand, déclara le visiteur.

La jeune fille disparut rapidement et sa maîtresse les rejoignit bientôt, toujours en peignoir. La présence des policiers en uniforme lui enlevait tout désir de plaire.

— Que voulez-vous?

Dolan lui tendit une feuille de papier.

— Voici un mandat de perquisition, signé par un juge. Je désire inspecter certaines pièces de votre appartement.

Le sang se retira du visage de la femme, qui comprit immédiatement la raison de l'intervention de la police.

— Non, vous ne pouvez pas faire ça.

— Je vais tenter de ne rien déranger.

Tout en parlant, l'inspecteur enleva ses couvre-chaussures. Les deux agents firent comme lui. Cochonner le plancher d'une dame ne se faisait pas. En se redressant, il insista :

— Écartez-vous, s'il vous plaît.

Il redoutait de la voir faire une scène. Mais Annie accepta de le laisser passer. Tout de suite, il se dirigea vers la petite chambre d'André, craignant qu'elle ne s'attache à ses pas. Une voix lui vint du salon :

— Non, madame, vous ne pouvez pas appeler.

— Vous n'avez pas le droit de m'en empêcher !

Plutôt que d'entendre la suite de la dispute, il referma la porte de la petite pièce dans son dos. La valise de carton était toujours sous le lit. Il retrouva les vieux billets pour le cirque et différents spectacles, pour des expéditions autour de Montréal. Les souvenirs d'un enfant idolâtrant son père. Les choses avaient dû prendre une autre tournure à l'adolescence.

Tout de même, le fils illégitime avait continué de collectionner de petits objets. Dolan prit d'abord l'anneau d'or, probablement celui qu'Archibald avait enfilé le jour de son mariage avec Octavia. Ensuite, la montre, trop patinée pour être là depuis longtemps. L'inspecteur souleva le couvercle pour regarder les aiguilles immobiles. Personne ne l'avait remontée au cours des derniers mois. Il tourna le bouton sur son sommet, pour entendre aussitôt le tic tac. L'objet, en parfait état de marche, n'avait été déposé dans la boîte qu'en novembre.

Dolan mit l'anneau et la montre dans sa poche, puis il jeta un coup d'œil très rapide dans la penderie et dans la commode, pour n'y voir que des vêtements, assez anciens pour la plupart. Un bref instant, il hésita, puis finalement décida de s'abstenir de fouiller la chambre d'Annie Vallerand. Inutile de lui infliger cela.

Quand il revint au salon, ce fut pour voir la femme prostrée dans un fauteuil, les deux agents debout, mal à l'aise dans leur rôle de geôliers, en quelque sorte. L'idée de la saluer lui traversa l'esprit, puis il pensa que ce serait cruel dans les circonstances. Il fit signe à l'un des policiers de s'approcher et, tout en remettant ses couvre-chaussures, il lui ordonna :

— Vous restez là et vous l'empêchez de téléphoner. Je vous ferai savoir quand vous pourrez retourner au poste.

Dans le hall, Dolan pria le concierge de quitter son siège le temps de passer deux coups de fil. Le premier était destiné au chef Campeau, pour lui demander d'envoyer une dizaine de policiers au manoir McDougall. Ensuite, quand il eut le majordome de la grande demeure au bout du fil, après s'être nommé il exigea :

— Si quelqu'un téléphone au troisième fils, ne lui transmettez pas l'appel.

— Le troisième fils ?

— Vous savez de qui je parle.

— Oui. Je ferai comme vous dites.

Devant la porte de l'immeuble d'Annie Vallerand, un traîneau l'attendait. L'inspecteur demanda au cocher de le conduire à l'hôtel de ville.

Chapitre 27

Kenneth McDougall se tenait debout en haut des marches de l'imposant bâtiment, son petit sac à la main. Des gens allaient et venaient autour de lui. À la vue du traîneau, il descendit, s'installa à côté de l'enquêteur, puis remonta la robe de carriole sur ses jambes pour se protéger du froid.

— Vous me ramenez vous-même à la maison, après trois nuits en prison...

— Je suis certain que vous n'avez pas eu à vous plaindre du service.

— Peut-être pas. Mais du lit, oui.

Tout de même, le notable ne prenait pas sa mésaventure trop au tragique. La perspective d'un dénouement rapide le mettait presque de bonne humeur. Une demi-heure plus tard, ils passaient devant la cabane du gardien. Kenneth vit deux silhouettes sur le côté de la maison.

— Que font ces policiers sur ma propriété ? Vous allez arrêter tout le monde ?

— Je veux être certain d'arrêter quelqu'un.

Bientôt, le traîneau s'immobilisa devant la porte monumentale. Lorsque Kenneth mit pied à terre, le rideau de la chambre verte à l'étage fut déplacé, et des yeux curieux fixèrent les nouveaux venus.

Quand son patron ouvrit la porte, le majordome apparut immédiatement dans le hall.

— Monsieur, monsieur, vous voilà de retour !

— À ce qu'il semble. Mais avec ce policier, sait-on jamais…

— Faites réunir tous les McDougall dans le grand salon, commanda Dolan.

Le majordome regarda son patron, qui lui fit signe d'obéir tout en soupirant. Stanley fut le premier à arriver, puis Éléonore le suivit très vite. Elle s'immobilisa devant Dolan, indécise. Le policier hocha la tête pour la saluer, esquissa l'ombre d'un sourire. De nouveau, de si bon matin, il la voyait les cheveux défaits, épars sur ses épaules. Son pince-nez tombait sur sa poitrine, pendu à une chaînette dorée. Elle alla s'asseoir sur un canapé, près de son aîné.

— Tu vas bien ? s'enquit-elle.

— Aussi bien que possible. Je dois admettre que ces messieurs m'ont traité comme un invité de marque.

La précision amena la jeune femme à adresser un véritable sourire à l'enquêteur.

— Ils en ont fini avec ça… Ils ne t'accusent plus de rien ?

— Je suppose que l'inspecteur nous rassemble ici pour nous le dire.

Comme la vieille Octavia entrait, Kenneth se leva pour aller vers elle, lui offrir son bras et la conduire à son fauteuil habituel.

Debout près de la porte, Dolan contemplait les meubles somptueux, la grande cheminée, les tapis certainement importés directement de Turquie ou de Perse. Toutefois, à cet instant, le spectacle de la richesse l'impressionnait moins. C'était lui qui dirigeait les événements maintenant, et non pas eux.

— Andrew manque à l'appel, remarqua-t-il.

— Monsieur, j'ai frappé à la porte de sa chambre sans obtenir de réponse, dit le majordome. Quand j'ai entrouvert, il n'y avait personne.

— Mais ce matin, vous l'avez vu ?

Ce fut Stanley qui répondit :

— Depuis l'arrestation de Kenneth, il agissait comme le chef de la maisonnée. Il n'a raté aucun repas, il a passé des heures ici ou dans la bibliothèque.

Pendant presque trois jours, le garçon avait pu croire que son plan avait réussi, au moins à moitié. L'aîné écarté, s'il n'arrivait pas à incriminer le cadet, au moins l'héritage serait divisé seulement en deux, et non plus en trois. Du bruit dans le hall attira l'attention de tous ; des policiers arrivaient en tenant un homme par les bras. Andrew se débattait comme un beau diable, des menottes aux poignets.

— Vous n'avez pas le droit…

— J'ai un mandat d'arrêt contre vous, et surtout ceci.

L'inspecteur tenait la montre par sa chaîne, le bras tendu pour la lui montrer.

— Je le savais bien, c'est lui ! s'exclama une voix grinçante venue du salon.

Octavia tirait ses propres conclusions à la vue des menottes.

— Comment s'attendre à autre chose du bâtard d'une prostituée !

L'insulte flotta un moment dans la grande pièce, puis Andrew s'élança avec tant de force qu'il échappa aux policiers.

— Vieille salope, je vais te tuer !

Il tendait ses deux mains devant lui. Les menottes ne l'auraient pas empêché de tordre le cou de poulet de la vieille dame. Heureusement, Dolan le harponna au passage et réussit à l'entraîner au sol avec lui. Quand les agents eurent empoigné Andrew de nouveau, Dolan se releva et s'installa sur une chaise de façon à voir l'ensemble du clan.

— Ces policiers… commença Kenneth.

— Je me doutais bien que l'oiseau tenterait de fuir. Depuis une bonne heure, des hommes parcouraient le parc pour l'en empêcher.

L'aîné fut peut-être vexé que des hommes patrouillent son domaine sans y avoir été invités, mais le moment ne prêtait guère à la défense de ses droits de propriété.

— Il a tué papa ?

Éléonore paraissait incrédule. Ce charmant garçon faisait un coupable bien improbable. Même si elle s'adressait à l'enquêteur, ce fut Andrew qui répondit :

— Ce sont eux, les tueurs, et ils vont tenter de tout me mettre sur le dos. Tu as vu la chevalière dans la chambre de Kenneth…

— Et il y a certainement un autre bijou dans celle de Stanley depuis trois jours, prédit Dolan, peut-être plus longtemps.

Le cadet allait protester quand l'inspecteur leva la main pour imposer le silence.

— Votre demi-frère les a placés lui-même pour vous incriminer. Ainsi, tout l'héritage lui serait revenu.

— Vous ne savez rien de ce qui s'est passé, le défia Andrew.

— J'ai mis du temps à comprendre, mais maintenant je connais toute l'histoire.

— Et vous allez nous la dire !

Octavia lui donnait un ordre, la tentation était forte de l'envoyer promener. Toutefois, les yeux d'Éléonore ajoutaient : « S'il vous plaît. » Alors, il obtempéra :

— Votre père a transmis la syphilis à la mère d'Andrew. Aussi longtemps qu'il faisait à son fils illégitime une place dans la maison et dans l'entreprise, qu'il le gardait parmi les héritiers, Andrew contrôlait sa colère. Mais leur relation s'est détériorée, sans doute à cause du peu de sérieux d'Andrew au travail ou de ses reproches relatifs à la situation d'Annie Vallerand.

Une allusion à la querelle au bordel serait grossière, aussi Dolan décida de passer l'épisode sous silence.

— Au début du mois de novembre, Andrew a compris que ses jours étaient comptés, et à la fonderie, et ici. Sans doute au cours d'une dispute, il a tué son père d'un coup à la tête. Le meurtre a probablement eu lieu à l'usine.

Des yeux, Dolan interrogea le jeune homme. Celui-ci n'allait pas lui donner raison.

— Le 4 novembre, Andrew affirme être parti le premier de la fonderie, reprit l'inspecteur. Nous n'en avons aucune preuve. Il a affronté son père quand tout le monde était parti. Pris avec un cadavre sur les bras, il a eu la meilleure idée possible : le cacher parmi d'autres cadavres, dans le charnier du cimetière de la Côte-des-Neiges. Il a utilisé la bière vidée par des pilleurs de tombe quelques jours plus tôt.

Dolan s'adressa à Andrew :

— Pourquoi diable avoir pris la montre et les bijoux ?

Andrew comprenait que nier ne servirait à rien maintenant. Il ne se débattait plus, il acceptait sa défaite.

— Si quelqu'un avait ouvert le cercueil, on aurait identifié le cadavre.

— Il aurait pu en rester là, continua l'enquêteur, et attendre 1912 afin de toucher sa part de l'héritage. Mais comme un tiers l'intéressait moins que la totalité, l'idée lui est venue de faire accuser ses frères pour tout empocher. Ils auraient été jugés indignes d'hériter. Pour cela, il lui fallait un corps, et des indices menant vers eux.

— Vous voulez dire qu'il est retourné chercher le corps de mon père dans le charnier pour le cacher ici ?

Kenneth se surprenait de découvrir son demi-frère si plein de ressources. Il n'en avait jamais montré autant à la fonderie.

— Oui. Puis il a fait en sorte qu'on le découvre.

— Juste au moment où j'entendais le chasser de l'usine.

— Attendre jusqu'au printemps aurait été plus prudent, mais il désirait obtenir tout, tout de suite.

Le silence plana un moment dans la pièce, puis Octavia mit un point final à ce récit.

— Faites-le sortir, je ne veux plus le voir !

Les états d'âme de la vieille touchaient peu Dolan. Mais Éléonore lui montrait des yeux éplorés. Ce garçon, elle seule dans cette grande demeure avait réussi à l'aimer. Et elle venait d'apprendre qu'il était le meurtrier de son père. L'inspecteur fit signe aux policiers de sortir et se leva pour les suivre.

Dans le salon, une seule personne quitta son siège afin de le raccompagner. Éléonore posa sa main sur son avant-bras pour l'obliger à se retourner vers elle.

— Merci, souffla-t-elle.

Des larmes coulaient sur ses joues.

— Tu pleures pour moi, sœurette ?

Andrew paraissait se moquer, comme si avoir su l'émouvoir lui faisait plaisir.

— Je m'en remettrai, rétorqua-t-elle, car visiblement tu n'en vaux pas la peine.

La pique amena le jeune homme à se raidir. Les policiers ne lui laissèrent pas le loisir de répliquer et l'emmenèrent rapidement à l'extérieur.

Quand ils eurent passé la porte, Dolan commença par regarder le bout de ses chaussures, puis il trouva le courage de fixer ses yeux dans ceux de la jeune femme :

— Je suppose que le moment est très mal choisi, mais je ne pouvais vous proposer cela avant…

Préciser sa pensée en ajoutant « de faire enfermer votre demi-frère » aurait paru très maladroit. Faute de trouver les mots, il lui tendit deux rectangles de papier. Des billets pour le parc Sohmer.

— Le fameux Émile Maupas contre… "La montagne" ? lut-elle

— Voilà un surnom très modeste, comparé à certains autres.

— Demain ?

— Si vous préférez attendre une autre occasion, je comprendrai très bien.

Du coin de l'œil, l'inspecteur avait vu Octavia s'approcher, pendue au bras de Kenneth. Elle lança, de sa voix sévère habituelle :

— Nora ! Tiens ta place.

L'injonction fit monter la chaleur aux joues de Dolan. La jeune femme posa sa main sur le bras de l'inspecteur.

— Ce sera avec plaisir. Je passerai vous prendre chez vous une heure avant la représentation. Ne vous inquiétez pas pour ma mère, elle finira par comprendre que l'homme qui a sauvé son fils favori de la pendaison mérite quelque considération.

Le ton présentait un défi, la vieille dame n'osa pas le relever. À ses côtés, Kenneth prit le parti de tendre la main.

— Je vous remercie, monsieur Dolan. Je compte bien vous inviter à souper prochainement. Après les funérailles, évidemment. Nous essaierons de les tenir lundi, sinon mardi.

— Je n'ai fait que mon travail, monsieur. Si les preuves vous avaient désigné…

— J'aurais passé le reste de mes jours dans une cellule en attendant un rendez-vous avec le bourreau. Je sais. Je me félicite que vous aimiez le travail bien fait.

Le fils aîné des McDougall entraîna sa mère vers l'escalier. Au fond, celle-là devait se réjouir de la tournure des événements. Après avoir perdu un époux infidèle, voilà qu'on la débarrassait du bâtard. Elle réussit même à esquisser un petit salut de la tête.

— Alors, à demain, mademoiselle McDougall.

— À demain, Eugène.

Elle allongea le cou pour poser ses lèvres sur la joue du policier avant qu'il ne quitte les lieux.

Le lendemain, samedi 28 janvier, Dolan se tenait debout devant la fenêtre du salon de sa demeure. Pour respecter le rendez-vous convenu, il avait dû quitter la table juste après la soupe. Il sentit une présence à ses côtés.

— Ce soir, vous ne sortez pas pour une enquête, n'est-ce pas ? demanda Juliette Mailloux.

— Non, je me rends à la lutte.

La réponse parut soulager la secrétaire. Un moment, elle se tint coite, attendant sans doute une invitation pour le lendemain. Juste à ce moment, une voiture de maître montée sur des patins s'arrêta devant la maison de chambres.

— Je dois y aller. Bonne soirée.

Jamais elle ne l'avait vu passer son manteau si vite. Par la fenêtre, elle le surveilla tandis qu'il montait dans le véhicule. Une personne l'occupait déjà. D'après l'envergure du chapeau que l'éclairage de la rue lui permettait de distinguer, il s'agissait d'une femme.

— Bonsoir, Éléonore. Vous allez bien ?

Dolan s'installa à côté d'elle sur l'étroite banquette. Ne sachant s'il devait lui tendre la main ou lui faire la bise, il ne fit ni l'un ni l'autre. Quand elle laissa son épaule peser sur la sienne, toutes ses hésitations lui parurent ridicules.

— Aussi bien que je puisse aller avec mon demi-frère accusé du meurtre de mon père.

La pointe d'autodérision amena l'inspecteur à poser sa main sur la sienne et à exercer une légère pression.

— Juste après la publication de la photographie de votre père dans les journaux, une médium est venue me voir. Selon elle, son esprit lui a parlé d'outre-tombe. Il lui aurait dit trois mots, ceux que Shakespeare prête à Jules César au moment de son assassinat.

— *"Et tu, Brute."*

Elle aussi connaissait ses classiques.

— Sur le coup, j'ai pensé à Kenneth, alors qu'Andrew aurait dû me venir à l'esprit. Brutus avait été adopté, reconnu si vous préférez, par César.

Après une pause, elle murmura :

— J'aimerais rencontrer cette dame, recourir à ses services même, pour avoir avec mon père une conversation plus longue que celles que nous avons eues de son vivant. Mais je suppose que ce serait inutile.

La jeune femme s'abandonna ensuite à sa rêverie.

Quelques minutes plus tard, tous deux tentaient de fendre une foule assez dense. Des centaines de personnes verraient Émile Maupas se faire battre, mais il leur offrirait tout de même un honnête spectacle.

Depuis le mois de novembre précédent, Dolan avait arrêté deux hommes pour meurtre. À la mi-avril, les deux criminels comparurent devant le tribunal, pour connaître des sorts différents. André Vallerand s'en tirait plutôt bien. Comme pour le dissocier des McDougall, les journaux anglais ne le désignaient jamais autrement, une faveur faite à des citoyens éminents de Montréal. Les journaux français faisaient exactement le contraire, en le nommant Andrew McDougall.

Les demi-frères de l'assassin d'Archibald ne tenaient guère à ce que quelqu'un partageant leur sang se balance au bout d'une corde. Ils avaient embauché les meilleurs avocats et les meilleurs aliénistes afin de convaincre le jury de le déclarer fou. Même Annie, sa mère, avait tracé de lui un portrait laissant croire à des signes précoces de maladie mentale. Elle alla jusqu'à admettre souffrir de syphilis. Chacun savait que certains rejetons de ces malades n'avaient pas toute leur tête. Personne ne s'intéressa au fait que sa contamination était venue bien après la naissance de son fils unique.

À la fin, tout le monde s'entendit pour le confier aux bons soins de l'asile Saint-Jean-de-Dieu. Les mêmes qui avaient uni leurs efforts pour lui sauver la vie feraient tout pour qu'il n'en sorte jamais.

Ubald Lacaille ne bénéficia d'aucune protection, et le meurtre de sa famille avait horrifié tout le monde. Le jury discuta de son sort pendant moins d'une heure – y compris le temps que la moitié de ces serviteurs de la justice aillent pisser – pour le reconnaître coupable et le condamner à mort.

Au début du mois de mai, Lacaille avançait d'un pas incertain sur une trappe. Ses bras et ses cuisses étaient retenus par de larges courroies de cuir. Un prêtre lut des mots en latin. Le meurtrier tremblait de tous ses membres. « Finalement, se dit Dolan, la petite Alice a montré plus de courage. »

Une vingtaine de personnes se tenaient en contrebas, des journalistes et des étudiants en droit. Assister à ce spectacle devait probablement être inscrit à leur programme d'études. Quand le bourreau mit une cagoule noire sur la tête du condamné, celui-ci laissa échapper une plainte. Ensuite ce fut la corde, avec le nœud juste sous l'oreille droite. Puis tout alla très vite : le fracas de la trappe qui s'ouvre, le craquement des vertèbres, le « Oh ! » des spectateurs.

Quand l'inspecteur sortit, un journaliste lui demanda :

— Quel effet ça fait ?

Comme Dolan ne répondait pas, le reporter insista :

— Après tout, vous l'avez amené là.

— Le 15 novembre, j'ai vu le corps d'une femme tuée à coups de hache, ceux de ses deux fils et de l'une de ses filles. J'ai conduit moi-même la plus jeune à l'orphelinat. Ce jour-là, toute pitié pour le criminel m'est passée.

Cela ferait un bel article, avec un policier implacable prêt à mener tous les coupables au bourreau. Voilà un grand justicier.

Quant à lui, Dolan chercha des toilettes pour aller vomir. Il venait d'assister à sa première exécution.

Encore un mot

Si vous désirez garder le contact entre deux romans, vous pouvez le faire sur Facebook à l'adresse suivante :

Jean-Pierre Charland auteur

Au plaisir de vous y voir.

Jean-Pierre Charland

Suivez-nous

GARANT DES FORÊTS
INTACTES

Achevé d'imprimer en avril 2016
sur les presses de Marquis Imprimeur
Montmagny, Québec